westermann

Heinbernd Oppenberg, Karl-Heinz Schimpf

Prüfungswissen KOMPAKT

Kauffrau/Kaufmann für Spedition und Logistikdienstleistungen

9. Auflage

Bestellnummer 28485

Zusatzmaterialien zu 28485

Für Lehrerinnen und Lehrer

BiBox Einzellizenz für Lehrer/-innen (Dauerlizenz)
BiBox Klassenlizenz Premium für Lehrer/-innen und bis zu 35 Schüler/-innen (1 Schuljahr)
BiBox Kollegiumslizenz für Lehrer/-innen (Dauerlizenz)
BiBox Kollegiumslizenz für Lehrer/-innen (1 Schuljahr)

Für Schülerinnen und Schüler

BiBox Einzellizenz für Schüler/-innen (1 Schuljahr)
BiBox Einzellizenz für Schüler/-innen (4 Schuljahre)
BiBox Klassensatz PrintPlus (1 Schuljahr)

Druck und Bindung: Westermann Druck GmbH,
Georg-Westermann-Allee 66, 38104 Braunschweig

ISBN 978-3-427-**28485**-7

Vorwort

Prüfungswissen kompakt Kaufmann/Kauffrau für Spedition und Logistikdienstleistung hilft Ihnen bei der schnellen Prüfungsvorbereitung. Es liefert Ihnen eine strukturierte Übersicht über den aktuellen, prüfungsrelevanten Stoff.

Der Titel gliedert sich in die drei großen Teilbereiche „Speditionelle und logistische Geschäftsprozesse“, „Wirtschafts- und Sozialprozesse“ und „Kaufmännische Steuerung und Kontrolle“. Zusätzlich enthält das Buch das Kapitel „Kaufmännisches Rechnen“.

Jedem Kapitel innerhalb dieser Bereiche ist jeweils eine einleitende Übersichtsseite vorangestellt. Die grafische Aufbereitung dieser Übersichtsseiten verdeutlicht Abläufe und Zusammenhänge und bietet Ihnen einen Überblick über die wichtigsten Lerninhalte. Die einzelnen Lerninhalte finden Sie im jeweiligen Kapitel kurz und kompakt beschrieben.

Ein Sachwortverzeichnis ermöglicht ein schnelles Auffinden der entsprechenden Sachverhalte.

Mit Prüfungswissen kompakt Kaufmann/Kauffrau für Spedition und Logistikdienstleistung bereiten Sie sich nicht nur schnell und zielgerichtet auf Ihre Prüfung vor, sondern auch auf den Unterricht. Verwenden Sie den Titel ebenso zur gezielten Wiederholung einzelner Themen wie auch als Nachschlagewerk.

PRÜFUNGSMODALITÄTEN

1 Gesamtüberblick[1]

Ausbildungsberuf Kaufmann/Kauffrau für Spedition und Logistikdienstleistungen

Prüfungsfach	Dauer	Gewichtung
Leistungserstellung in Spedition und Logistik	180 Minuten	25 %
Kaufmännische Steuerung und Kontrolle	90 Minuten	25 %
Wirtschafts- und Sozialkunde	60 Minuten	25 %
Fallbezogenes Fachgespräch	30 Minuten	25 %

2 Prüfungsfach „Leistungserstellung in Spedition und Logistik“

Prüfungsfach	Dauer (in Min.)	Inhalte
		Verkehrsträgerübergreifender Teil
Leistungserstellung in Spedition und Logistik ungebunden (offene Fragen)	120	01 Prozessorientierte Leistungserstellung in Spedition und Logistik 02 Transport, Umschlag, Lagerleistungen 01 Güterversendung und Transport 02 Lagerlogistik 03 Sammelgut- und Systemverkehre 04 Internationale Spedition
		05 Verträge, Haftung, Versicherungen 06 Gefahrgut, Schutz und Sicherheit 03 Logistische Dienstleistungen 04 Marketing

---

[1] *Prüfungskatalog für die bundesweit einsetzbaren IHK-Abschlussprüfungen (Herausgegeben von der AkA, 2018)*

Prüfungsfach	Dauer (in Min.)	Inhalte
(funktionsübergreifender Bestandteil des Prüfungsbereichs)		05 Anwenden der englischen Sprache bei Fachaufgaben 06 Information und Kommunikation 01 Teamarbeit und Kommunikation 02 Informations- und Kommunikationssysteme 03 Datenschutz und Datensicherheit 04 Qualitätsmanagement
Es wird nur ein Verkehrsträger bearbeitet		Verkehrsträgerspezifischer Teil
		Straßenverkehr
Leistungserstellung in Spedition und Logistik ungebunden (offene Fragen)	60	07 Transport, Umschlag, Lagerleistungen 01 Güterversendung und Transport 02 Internationale Spedition 03 Verträge, Haftung, Versicherungen 04 Anwenden der englischen Sprache bei Fachaufgaben
		Schienenverkehr
	60	08 Transport, Umschlag, Lagerleistungen 01 Güterversendung und Transport 02 Internationale Spedition 03 Verträge, Haftung, Versicherungen 04 Anwenden der englischen Sprache bei Fachaufgaben
		Luftverkehr
	60	09 Transport, Umschlag, Lagerleistungen 01 Güterversendung und Transport 02 Sammelgut- und Systemverkehre 03 Internationale Spedition 04 Verträge, Haftung, Versicherungen 05 Anwenden der englischen Sprache bei Fachaufgaben

Prüfungsfach	Dauer (in Min.)	Inhalte
		Binnenschifffahrt
	60	10 Transport, Umschlag, Lagerleistungen 01 Güterversendung und Transport 02 Internationale Spedition 03 Verträge, Haftung, Versicherungen 04 Anwenden der englischen Sprache bei Fachaufgaben
		Seeschifffahrt
	60	11 Transport, Umschlag, Lagerleistungen 01 Güterversendung und Transport 02 Sammelgut- und Systemverkehre 03 Internationale Spedition 04 Verträge, Haftung, Versicherungen 05 Anwenden der englischen Sprache bei Fachaufgaben

Prüfungsablauf

Die schriftliche Prüfung ist in einen verkehrsträgerübergreifenden Teil und einen verkehrsträgerspezifischen Teil aufgeteilt. Der verkehrsträgerübergreifende Teil enthält Fragen zum LKW-Verkehr bzw. Spedition und Sammelgut. Es gibt außerdem Aufgaben zur Luftfracht, zur Seefracht, zum Marketing und zur Logistik.

Der verkehrsträgerspezifische Teil enthält zu jedem Verkehrsträger Fragen zu Güterverkehr und Transport, zur internationalen Spedition, Verträgen Haftung und Versicherung sowie Anwendungen zur englischen Sprache. Für die Verkehrsträger Luftfracht und Seefracht sind auch Fragen zu Sammelgut- und Systemverkehren vorgesehen. Die Auszubildenden wählen bei der Prüfungsanmeldung zwei Verkehrsträger aus, von denen die IHK dem Prüfungsteilnehmer einen Verkehrsträger zur Prüfung zuordnete.

Die Aufgaben werden jeweils durch eine Situation eingeleitet, die die Grundlage für die konkreten Fragen bilden. Zu den einzelnen Aufgaben werden jeweils Anlagen beigefügt, aus denen die Daten zu den Situationen entnommen werden können.

3 Prüfungsfach „Kaufmännische Steuerung und Kontrolle“

Prüfungsfach	Dauer (in Min.)	Inhalte
Kosten- und Leistungsrechnung, Controlling	90	01 Prozessorientierte Leistungserstellung (Sammelgut, Systemverkehre, Logistische Dienstleistungen) 02 Kosten- und Leistungsrechnung, Controlling 01 Stufen der Kosten-und Leistungsrechnung 02 Aufgaben des Controllings 03 Vollkostenrechnung 04 Teilkostenrechnung 05 Fahrzeugkalkulation 06 Preisbildung im Güterkraftverkehr

Prüfungsablauf

Im Prüfungsfach Kosten- und Leistungsrechnung sind in der schriftlichen Prüfung auf der Grundlage der Modellfirma Modufa GmbH Einzelaufgaben und fallbezogenen Aufgaben zu bearbeiten.

Die Aufgaben werden jeweils durch eine Situation eingeleitet, die die Grundlage für die konkreten Fragen bilden. Die Aufgaben werden in gebundener Form und maschinell auswertbarer Form (multiple choice) gestellt.

Zu den einzelnen Aufgaben werden ggf. auch Anlagen (z. B. Abgrenzungstabellen, BAB, usw.) beigefügt, aus denen die Daten zu den Situationen entnommen und Berechnungen durchgeführt werden können.

4 Prüfungsfach „Wirtschafts- und Sozialkunde"

Wirtschafts- und Sozialkunde	60	Allgemeine wirtschaftliche und gesellschaftliche Zusammenhänge der Berufs- und Arbeitswelt und die Bedeutung der Speditions- und Logistikbranche als Wirtschaftsfaktor darstellen 01 Stellung, Rechtsform und Struktur des Ausbildungsbetriebs 02 Berufsbildung 03 Personalwirtschaft, arbeits-, sozial- und tarifrechtliche Vorschriften 04 Arbeitsorganisation 05 Sicherheit und Gesundheitsschutz bei der Arbeit 06 Umweltschutz 07 Prozessorientierte Leistungserstellung in Spedition und Logistik 08 Das Unternehmen im gesamtwirtschaftlichen Zusammenhang

Prüfungsablauf

Im Prüfungsfach Wirtschafts- und Sozialkunde sind in der schriftlichen Prüfung in der Regel situationsbezogene Aufgaben zu bearbeiten.

Die Modellfirma Modufa GmbH bildet die Grundlage für Bearbeitung der situati-onsbezogenen Aufgaben.

Den einzelnen Aufgabenstellungen werden Anlagen (Gesetzestexte, Statistiken usw.) beigefügt, aus denen die Daten zur Bearbeitung der Aufgaben entnommen werden können.

5 Fallbezogenes Fachgespräch[1]

Ein fallbezogenes Fachgespräch wird als mündliche Prüfung durchgeführt. Für den Prüfling stehen zwei praktische Aufgaben aus dem Bereich „Speditionelle und logistische Leistungen – Lösungsvorschläge entwickeln und begründen" zur Wahl, von denen er sich für eine entscheidet. Der betriebliche Ausbildungsschwerpunkt ist bei der Aufgabenstellung zugrunde gelegt. Geprüft wird, ob der Prüfling betriebspraktische Aufgaben sachgerecht lösen und dabei wirtschaftliche, technische, ökologische und rechtliche Zusammenhänge beachten kann. Außerdem soll er zeigen, dass er Gespräche systematisch und situationsbezogen führen kann. Das Fachgespräch soll einschließlich der Lösungsdarstellung höchstens 30 Minuten dauern.[2]

---

[1] *Verordnung über die Berufsausbildung zum Kaufmann für Spedition und Logistikdienstleistung/zur Kauffrau für Spedition und Logistikdienstleistung (SpedKfmAusbV vom 26.07.2004)*

[2] *vgl. siehe Fußnote 1 § 9.3*

Inhaltsverzeichnis

A

SPEDITIONELLE UND LOGISTISCHE GESCHÄFTSPROZESSE

Speditionelle und logistische Geschäftsprozesse

Spedition

Speditionsrecht
- HGB
- ADSp

Speditionsvertrag
- Speditionsvertrag
- Haftung/Versicherung

Spediteursammelgut
- Beteiligte/Verträge
- Papiere
- Abrechnung

Transport

Güterkraftverkehr
- Grundlagen
- HGB/CMR
- Kalkulation
- Gefahrgut

Luftfracht
- IATO/ICAO
- Luftfrachtvertrag
- Papiere (AWB)
- Sammelgut
- Gefahrgut
- Luftfrachtberechnung
- Haftung/Versicherung

Seefracht
- Schiffe und Container
- Seefrachtvertrag
- Konnossemente
- Seefrachtberechnung
- Haftung/Versicherung
- Haverei

Eisenbahn
- Infrastruktur
- Güterwagen
- Frachtvertrag
- Leistungsangebot
- Tarife
- Internat. Eisenbahnverkehr
- Kombiverkehr

Binnenschiff
- Infrastruktur
- Binnenschiffe
- Erlaubnisse
- Beteiligte
- Frachtvertrag
- Papiere
- Preisbildung

Außenhandel

Incoterms und Akkreditive
- Incoterms® 2020
- Dokumentenakkreditive (L/C)
- Dokumenteninkasso (D/P, D/A)

Zollverfahren
- Importabwicklung
  - Zoll, Zollwert
  - Zolltarif
  - EUSt.
- Ausfuhrverfahren
- Versandverfahren
- Zollgutlagerung
- Veredelungsverfahren

Logistik

Lagerlogistik
- Arten, Einrichtung
- Lagerrecht
- Lagerkalkulation

Beschaffungslogistik
- Beschaffungsprinzipien
- Organisationsmodelle
- Sourcingmodelle

Distributionslogistik
- Strukturen
- Cross-Docking
- E-Logistik

1 Speditionsrecht

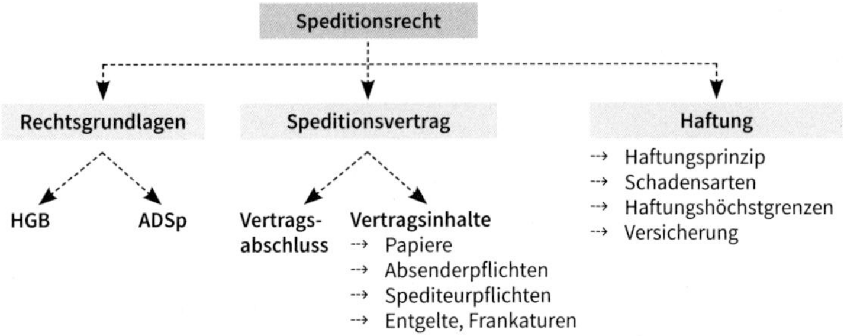

1.1 Rechtsgrundlagen

Das Speditionsrecht ist in den §§ 453–466 des Handelsgesetzbuches geregelt. Da das HGB überwiegend dispositives Recht ist, existieren daneben die Allgemeinen Deutschen Spediteurbedingungen (ADSp), die das HGB ergänzen und zum Teil vom HGB abweichende Regelungen enthalten.

1.1.1 HGB

Das HGB regelt folgende grundlegende Sachverhalte:

Pflichten des Spediteurs	Speditionsvertrag, Aufgaben des Spediteurs (§§ 453–454)
Pflichten des Versenders	Vergütung (§ 453), Verpacken, Kennzeichnen, Urkunden beifügen, Haftung für Versenderfehler (§ 455)
Spediteur mit Frachtführereigenschaften	Selbsteintritt (Frachtführer während der Beförderung § 458), Fixkostenspedition (Frachtführer von Haus zu Haus § 459), Sammelgut (Frachtführer im Hauptlauf § 460)
Haftung des Spediteurs	Gefährdungshaftung für Güterschäden, Verschuldenshaftung für Vermögensschäden, Verschuldenshaftung für den Schreibtischspediteur (§ 461), Verjährung (§ 463), Pfandrecht (§ 464), Abweichende Vereinbarungen (§ 466)

Grundsätzlich sind die Vorschriften des HGB dispositives Recht, d.h., sie können durch einzelvertragliche Regelungen und allgemeine Geschäftsbedingungen geändert werden. Das gilt für die Haftungsregelungen allerdings nur eingeschränkt (z.B. Haftungskorridor nach § 466 HGB).

Spediteurarten

Das HGB definiert unterschiedliche Rechtspositionen des Spediteurs.

- Schreibtischspediteur: Spediteur ohne Obhut über das Gut. Der Spediteur hat die Aufgabe, die Versendung des Gutes zu organisieren. Diese Aufgabenstellung entspricht der Definition des Speditionsgeschäftes.
- Obhutspediteur: Der Spediteur übernimmt neben der Organisation auch den Umschlag und (teilweise) den Transport der Güter.
- Spediteur mit Frachtführereigenschaften:
  - Fixkostenspediteur: Die Vergütung des Spediteurs enthält (zusätzlich zur Organisation der Versendung) auch die Beförderung des Gutes.
  - Spediteur im Selbsteintritt: Der Spediteur führt den Transport, für den er eigentlich einen Frachtführer beauftragen sollte, selbst durch.
  - Sammelgutspediteur: Versendung von Gütern zusammen mit Gütern anderer Versender (Hauptlauf der Sammelladung)

Rechtsfolgen

Spediteurart	Rechtsfolgen	HGB
Schreibtischspediteur	Pflicht zur Organisation der Versendung, Verschuldenshaftung für eigenes Verschulden (Auswahlverschulden)	§§ 453–454 § 461 Abs. 2
Obhutspediteur	Gefährdungshaftung für Güterschäden, Verschuldenshaftung für reine Vermögensschäden	§ 461 Abs. 2, 3
Fixkostenspediteur	Spediteur erhält zusätzlich Frachtführereigenschaften für die Strecke, die von der Fixkostenvereinbarung erfasst wird. Er haftet dann auch für von ihm eingesetzte Unterfrachtführer.	§ 459
Spediteur im Selbsteintritt	Spediteur erhält zusätzlich Frachtführereigenschaften für die Transportstrecke.	§ 458
Sammelgutspediteur	Spediteur erhält zusätzlich Frachtführereigenschaften für den Sammelgut-Hauptlauf.	§ 460

Spediteure schließen häufig auch reine Frachtgeschäfte ab, ohne speditionelle Organisationspflichten zu übernehmen. Sie treten dann als Frachtführer nach § 407 HGB in einem Frachtvertrag mit einem Absender auf.

1.1.2 ADSp 2017

Spediteure arbeiten normalerweise auf der Grundlage der „Allgemeinen Deutschen Spediteurbedingungen“ (ADSp 2017). Die ADSp sind die allgemeinen Geschäftsbedingungen des Gewerbes. Sie ergänzen (und verändern) die Regelungen des HGB. Einzelvereinbarungen im Speditionsvertrag gehen den ADSp (und dem HGB) vor.

Geltung der ADSp

Die ADSp gelten für **Verkehrsverträge** des Spediteurs als Auftragnehmer. Verkehrsverträge sind Speditions-, Seefracht, Fracht- und Lagerverträge sowie Verträge für sonstige, zum Speditionsgewerbe gehörende Geschäfte. Sie gelten auch für speditionsübliche logistische Leistungen, wenn ein Zusammenhang mit der Beförderung oder Lagerung von Gütern besteht (Zf. 2.1/1.14 ADSp 2017). Als unüblich gelten Geschäfte, durch welche die Güter verändert werden und die nichts mit der Transportleistung zu tun haben.

Die ADSp gelten für Verträge mit Auftraggebern (natürliche oder juristische Personen), die **Kaufleute, Gewerbetreibende oder sonstige Selbstständige** sind und diese Verträge im Rahmen ihrer betrieblichen Tätigkeit abschließen. Sie gelten nicht für Verkehrsverträge mit **Verbrauchern** (§ 13 BGB).

Von der Geltung **ausgeschlossen** sind Geschäfte, die ausschließlich

- Verpackungsarbeiten,
- Beförderung und Lagerung von Umzugsgut, abzuschleppendes oder zu bergendes Gut,
- Lagerung und Digitalisierung von Akten,
- Kran- oder Montagearbeiten sowie Schwer- oder Großraumtransporte

zum Gegenstand haben (Zf. 2.3 ADSp 2017). Die ADSp sind Allgemeine Geschäftsbedingungen. Eine „qualifizierte“ Vereinbarung der ADSp ist wegen der Paragrafen 449, 466 HGB zwingend erforderlich. Das kann über die Zusendung der ADSp oder auch durch einen Hinweis im Angebot oder der Auftragsbestätigung auf die Geltung der ADSp und die vom HGB-Frachtrecht abweichenden Haftungsbegrenzungen aus Zf. 23 ADSp erfolgen. Empfohlen wird folgender Text:

„Wir arbeiten ausschließlich auf Grundlage der Allgemeinen Deutschen Spediteurbedingungen 2017 – ADSp 2017 –. Hinweis: Die ADSp 2017 weichen in Ziffer 23 hinsichtlich des Haftungshöchstbetrages für Güterschäden (§ 431 HGB) vom Gesetz ab, indem sie die Haftung bei multimodalen Transporten unter Einschluss einer Seebeförderung und bei unbekanntem Schadenort auf 2 SZR/Kilogramm und im Übrigen die Regelhaftung von 8,33 SZR/Kilogramm zusätzlich auf 1,25 Millionen € je Schadenfall sowie 2,5 Millionen € je Schadenereignis, mindestens aber 2 SZR/Kilogramm, beschränken.“

Inhalte der ADSp 2017

Allgemein	Spediteurpflichten	Haftung
Geltung (Zf. 2) Inhalte Auftrag (Zf. 3)	Interessenwahrung (Zf. 4) Sorgfaltspflicht (Zf. 4) Weisungsgebundenheit (Zf. 9) Schnittstellenkontrolle (Zf. 7) Quittung (Zf. 8) Auskunftspflicht (Zf. 14) Herausgabepflicht (Zf. 14) Ablieferung (Zf. 13)	Haftungsprinzip (Zf. 22) Höchstgrenzen (Zf. 23) Qualifiziertes Verschulden (Zf. 27)
Entgelte		**Versicherung**
Zahlungspflicht (Zf. 10) Aufwendungsersatz (Zf. 17) Fälligkeit/Verzug (Zf. 18) Pfand- und Zurückbehaltungsrecht (Zf. 20)		Transportversicherung (Zf. 21) Speditionsversicherung (Zf. 29)
Versenderpflichten	**Lagerung**	
Speditionsvertrag (Zf. 3) Besondere Güter (Zf. 3) Verpackung (Zf. 6) Kennzeichnung (Zf. 6)	Pflichten Lagerhalter (Zf. 15) Haftung Lagergeschäft (Zf. 24)	

1.2 Speditionsvertrag

Die Grundpflichten und die Beteiligten beim Speditionsvertrag sind in den §§ 453–454 HGB geregelt. Beteiligt sind der Spediteur als Auftragnehmer und der Versender als Auftraggeber. Der Spediteur muss die Versendung des Gutes besorgen, der Versender das Spediteurentgelt bezahlen.

1.2.1 Abschluss des Speditionsvertrages

Der Speditionsvertrag kommt – wie alle Verträge – durch zwei übereinstimmende Willenserklärungen zustande. Dabei kann ein Spediteurangebot vorliegen, auf das ein Auftrag erfolgt. Bei bestehender Geschäftsbeziehung genügt auch ein Auftrag, den ein Kaufmann ablehnen muss, wenn kein Vertrag zustande kommen soll. Der **Speditionsauftrag** soll die folgenden Angaben enthalten: Adressen, Zeichen, Nummern, Anzahl der Packstücke oder anders angegebene Mengen; Art, Beschaffenheit und Eigenschaften des Gutes (wie beispielsweise lebende Tiere und Pflanzen, Verderblichkeit), das Rohgewicht (inklusive Verpackung und Lademittel), Lieferfristen und den Warenwert (Zf. 3.1.1 ADSp 2017).

Weitere Hinweispflichten hat der Versender bei gefährlichen Gütern (Hinweise in Textform erforderlich nach Zf. 3.2 ADSp 2017) und bei wertvollen und diebstahlgefährdeten Gütern (Zf. 3.3 ADSp 2017). Die ADSp 2017 definiert die Begriffe gefährliche Güter (Zf. 1.6), wertvolles Gut (Zf. 1.17) und diebstahlgefährdetes Gut (Zf. 1.3).

Für den Speditionsvertrag herrscht **Formfreiheit**. Aufträge können also schriftlich, mündlich und durch konkludentes (übereinstimmendes) Handeln erteilt werden.

1.2.2 Inhalte des Speditionsvertrages

ADSp und HGB regeln die wesentlichen Inhalte des Speditionsvertrages. Neben den Grundpflichten von Spediteur und Versender (§ 453 HGB) sind eine Anzahl weiterer Vertragsinhalte im Einzelnen geregelt. Die Grundpflicht des Spediteurs besteht darin, die Versendung des Gutes zu besorgen (organisieren). Der Versender ist verpflichtet, die vereinbarte Vergütung (Speditionsentgelt) zu bezahlen.

1.2.2.1 Papiere

Das wichtigste Papier im Rahmen des Speditionsauftrages ist das „Speditionsauftragsformular" (siehe Seite 25). Das Formular entspricht der DIN 5018 und hat folgende Funktionen:

- Auftrag des Versenders an den Spediteur
- Beweispapier über den Abschluss und den Inhalt des Speditionsvertrages
- Übernahme- und Ablieferquittung
- Begleitpapier
- Abrechnungsgrundlage

1.2.2.2 Versenderpflichten

Neben den Informationspflichten (Inhalte Speditionsauftrag und besondere Güter) gemäß Zf. 3 ADSp 2017 hat der Absender vor allem Kennzeichnungs- und Verpackungspflichten.

Kennzeichnungspflichten

Die Packstücke sind vom Auftraggeber
- deutlich und haltbar
- mit den für ihre auftragsgemäße Behandlung erforderlichen Kennzeichen zu versehen, wie Adressen, Zeichen, Nummern,
- Symbolen für Handhabung und Eigenschaften;
- alte Kennzeichen müssen entfernt oder unkenntlich gemacht sein.

(vgl. Zf. 6 ADSp 2017)

Zusätzlich muss die **Zusammengehörigkeit** mehrerer Packstücke zu einer Sendung deutlich gemacht werden.

Verpackungspflichten

Die Verpackung hat die Aufgabe, das Gut vor Beschädigungen während des Transportes, die beteiligten Personen, die Fahrzeuge und das beigeladene Gut zu schützen.

Zusätzlich schreibt die ADSp vor, dass das Gut so zu verpacken ist, dass „ein Zugriff auf den Inhalt ohne Hinterlassen äußerlich sichtbarer Spuren nicht möglich ist" (Zf. 6.2.2 ADSp 2017). Hier muss ein individuell gestaltetes Klebeband oder verschweißte Folie verwendet werden.

Speditionsauftragsformular (Beispiel)

1 Versender/Lieferant 2 Lieferanten Nr. D00001 3 Speditionsauftrag-Nr. 000100

Degener & Lutz
Maschinenfabrik
Holzheimer Weg 33
41464 Neuss

4 Nr. Versender beim Versandspediteur

5 Beladestelle

6 Datum 29.4.20.. 7 Relations-Nr. 1

8 Sendungs-/Ladungs-Bezugs-Nr.

9 Versandspediteur 10 Spediteur-Nr.

11 Empfänger 12 Empfänger-Nr.

SpedLog
Franziusstraße 86
44147 Dortmund

Weinhaus Fussbodentechnik KG
Heinrich-Heine-Allee 94
40213 Düsseldorf

Telefon: 0211 56742-0
Fax: 0211 56733

13 Bordero-/Ladeliste-Nr. 1

15 Versendervermerke für den Versandspediteur

14 Anliefer-/Abladestelle

16 Eintreff-Datum 04.05.20.. 17 Eintreff-Zeit 11:00 Uhr

18 Zeichen und Nr.	19 Anzahl	20 Packstück	21 SF	22 Inhalt	23 Lademittel – Gewicht in kg	24 Brutto – Gewicht in kg
DE 1–5	5	Kartons		Spezialfilter		125,0
Summe:	25 5	26 Rauminhalt cdm/Lademeter		Summen:	27	28 125,0

29 **Gefahrgut-Klassifikation**				Nettomasse kg/l	
UN-Nr.		Offizielle Benennung			
Nummer Gefahrzettelmuster		Verpackungsgruppe		Tunnelbeschränkungscode	

30 Frankatur	31 Warenwert f. Güterversicherung	32 Versender-Nachnahme
unfrei	12 742,00 €	

33 Datum/Unterschrift

34 Wir arbeiten ausschließlich auf Grundlage der Allgemeinen Deutschen Spediteurbedingungen 2017 (ADSp 2017). Die ADSp 2017 weichen in Ziffer 23 hinsichtlich des Haftungshöchstbetrages für Güterschäden (§ 431 HGB) vom Gesetz ab, indem sie die Haftung bei multimodalen Transporten unter Einschluss einer Seebeförderung und bei unbekanntem Schadenort auf 2 SZR/kg und im Übrigen die Regelhaftung von 8,33 SZR/kg zusätzlich auf 1,25 Millionen Euro je Schadenfall sowie 2,5 Millionen Euro je Schadenereignis, mindestens aber 2 SZR/kg, beschränken.

1.2.2.3 Spediteurpflichten

Weisungsgebundenheit/Auskünfte

Der Spediteur ist an die Weisungen des Versenders gebunden. Das gilt auch für nachträgliche Weisungen. Die Ausführung kann verweigert werden, wenn dadurch Nachteile für den Betrieb seines Unternehmens oder Schäden für die Auftraggeber oder Empfänger anderer Sendungen drohen (Zf. 9 ADSp 2017). Der Spediteur muss dem Versender auf Wunsch Auskünfte über den Stand des Geschäftes erteilen (Zf. 14 ADSp 2017).

Schnittstellenkontrolle

Der Spediteur muss an den Schnittstellen eine **Schnittstellenkontrolle** nach Zf. 7 ADSp 2017 vornehmen. Dabei müssen die Packstücke auf

- Vollzähligkeit,
- Identität,
- äußerlich erkennbare Schäden und
- Unversehrtheit von Labeln, Plomben und Verschlüssen geprüft werden. Unregelmäßigkeiten muss der Spediteur dokumentieren.

Schnittstellen liegen (**nach der Übernahme und vor der Ablieferung des Gutes** durch den Spediteur) bei der Übergabe des Gutes von einer Rechtsperson auf eine andere, bei jeder Umladung von einem Fahrzeug auf ein anderes und bei jeder (Zwischen-) Lagerung (Ein- und Auslagerung) vor.

Beispiel für Schnittstellen

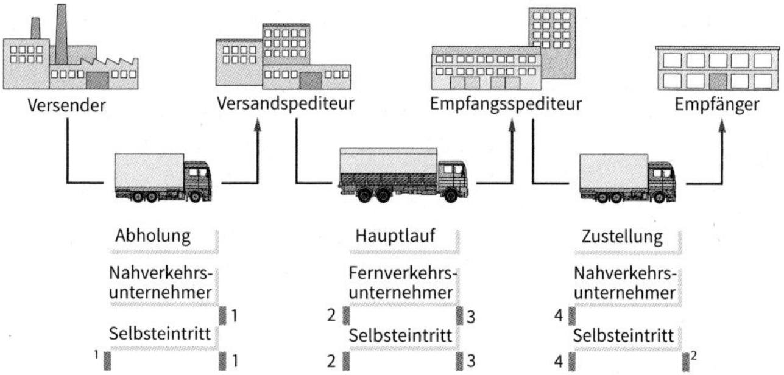

[1] *Bei der Übernahme stellt der Spediteur eine Quittung aus, nachdem er das Gut geprüft hat. Die Funktionen der Schnittstellenkontrolle sind daher auch erfüllt.*

[2] *Bei der Ablieferung stellt der Empfänger eine Quittung aus, nachdem er das Gut überprüft hat.*

Quittungen

Auf Verlangen des Versenders stellt der Spediteur eine **Empfangsbescheinigung** aus, in der er die Übernahme, die Anzahl und Art der Packstücke, nicht jedoch Inhalt, Wert oder Gewicht bestätigt.

Der Empfänger der Sendung muss eine **Ablieferquittung** ausstellen, damit die Ablieferung der Sendung bewiesen werden kann.

Die Sendung wird **an den Empfänger** abgeliefert. Die **Ablieferung** kann auch erfolgen:

a) „in der Wohnung an einen erwachsenen Familienangehörigen, eine in der Familie beschäftigte Person oder einen erwachsenen ständigen Mitbewohner/-in"
b) „in Geschäftsräumen an eine dort beschäftigte Person"
c) „in Gemeinschaftseinrichtungen an die Leitung der Einrichtung oder eine dazu ermächtigte Vertretung
es sei denn, es bestehen offenkundige Zweifel an deren Empfangsberechtigung." *(Zf. 13 ADSp 2017)*

Der Spediteur ist verpflichtet, einkassierte Beträge (Nachnahmen und Unfrei-Entgelte) dem Auftraggeber herauszugeben.

1.2.2.4 Entgelte

Der Versender ist nach § 453 HGB verpflichtet, das Speditionsentgelt zu bezahlen. Er kann (unter Angabe der **Frankatur „unfrei"**) die Zahlungspflicht auf den Empfänger überweisen. In diesem Fall erhält der Empfänger die Rechnung über das Speditionsentgelt vom Spediteur oder bezahlt das Speditionsentgelt beim Empfang der Sendung. Zahlt der Empfänger nicht, bleibt der Versender der Zahlungsverpflichtete (Zf. 10 ADSp 2017).

Der Versender kann dem Spediteur auch eine **Nachnahmeweisung** erteilen. Dann ist der Spediteur verpflichtet, den Nachnahmebetrag in bar „oder in Form eines gleichwertigen Zahlungsmittels[1]" (§ 422 HGB) vor Übergabe des Gutes zu kassieren.

Rechnungen des Spediteurs sind sofort **fällig**, wenn das Gut dem Frachtführer oder Verfrachter übergeben worden ist (§ 456 HGB). Der Versender gerät nach § 286 BGB in **Verzug**, wenn er

- eine Mahnung erhält oder

---

[1] *Gleichwertige Zahlungsmittel sind vor allem sogenannte „electronic cash", nicht dagegen Schecks.*

- wenn er nicht innerhalb von 30 Tagen nach Zugang einer Rechnung bezahlt. Bei Verbrauchern muss auf diese Regelung in der Rechnung hingewiesen werden.

Befindet sich der Versender in Verzug, werden **Verzugszinsen** in Höhe von 9 % über dem Basiszinssatz[1] (bei Verbrauchern 5 %) fällig (§ 288 BGB).

1.2.2.5 Fristen

Da Spediteure nur die Versendung organisieren, können sie normalerweise keine Lieferfristen gewähren. Allerdings besteht die Möglichkeit, Lieferfristen vertraglich zuzusagen. Dabei wird unterschieden zwischen:

- Zugesicherten **Lieferfristen**, deren Überschreitung zur Haftung nach HGB und ADSp führen. Diese Haftung unterliegt Höchstgrenzen und den Haftungsausschlüssen (insbesondere dem Ausschluss für „unabwendbare Ereignisse").
- Vereinbarten **„Lieferfristgarantien"**, die zu einer unbegrenzten, verschuldensunabhängigen Haftung des Spediteurs führen. Solche Garantieverkehre werden aber häufig mit eigenen allgemeinen Geschäftsbedingungen verbunden, die für die Haftung Begrenzungen einführen.

1.2.3 Haftung und Versicherung

Die wesentlichsten Vorschriften in HGB und ADSp 2017 betreffen die Haftung des Spediteurs bei Güter-, Güterfolge- und reinen Vermögensschäden. Da hier eine deutliche Haftungsbeschränkung vorgenommen wird, gibt es zum Schutz der Versender und des Spediteurs Vorschriften über eine Haftungs- und Güterversicherung in den ADSp.

1.2.3.1 Spediteurhaftung

HGB-Haftung

Das HGB regelt grundsätzlich (und auch nicht abdingbar) das **Haftungsprinzip**. Nach § 461 HGB haftet der Spediteur für

- **Güterschäden**, die in der Obhut des Spediteurs entstanden sind, verschuldensunabhängig nach dem **Gefährdungsprinzip**;
- **reine Vermögensschäden** nach dem **Verschuldensprinzip**, also nur, wenn ihn ein Verschulden trifft; Der Spediteur muss beweisen, dass ihn keine Schuld trifft (Verschuldenshaftung mit umgekehrter Beweislast)
- **Schäden ohne Obhut** ebenfalls nach dem Verschuldensprinzip.

---

[1] *Der Basiszinssatz beträgt zz. 3,62 % (ab dem 01.01.2024). Die Verzugszinsen betragen daher 12,62 % (8,62 %).*

Haftungshöchstgrenzen sind im HGB und in den ADSp unterschiedlich geregelt. Die **HGB-Höchstgrenzen für Güterschäden** sind für Speditions- und Frachtverträge gleich. Es werden

- der entstandene **Schaden**,
- höchstens der „**Wert** am Ort und zur Zeit der Übernahme zur Beförderung" bei Verlust bzw. die **Wertminderung** bei Beschädigung des Gutes (§ 429 HGB),
- höchstens 8,33 Sonderziehungsrechte (SZR) je Bruttokilogramm des verlorenen oder beschädigten Gutes

ersetzt. Sonderziehungsrechte sind eine künstliche Währung, die aus einem Währungskorb wichtiger Weltwährungen (USD, EUR, GBP, JPY und CNY) zusammengesetzt ist und für die täglich ein Kurs[1] bestimmt wird.

Für **Güterfolgeschäden** gibt es nach dem HGB keinen Schadenersatz, da das Wertersatzprinzip nach § 429 gilt.

Reine Vermögensschäden werden vollständig ohne Haftungshöchstgrenzen ersetzt, wenn der Spediteur am Schaden Schuld hat (§ 461 Abs. 2 HGB).

Da bei Güterschäden das Gefährdungsprinzip gilt, führt das HGB verschiedene **Haftungsausschlüsse** an, bei deren Vorliegen die Haftung des Spediteurs ausgeschlossen ist:

- Unabwendbare Ereignisse (§ 426 HGB)

  „Der Frachtführer ist von der Haftung befreit, soweit der Verlust, die Beschädigung oder die Überschreitung der Lieferfrist auf Umständen beruht, die der Frachtführer auch bei größter Sorgfalt nicht vermeiden und deren Folgen er nicht abwenden konnte."

- Weitere Ausschlüsse werden in § 427 HGB genannt:
  - Verladung auf offenen Fahrzeugen,
  - Verpackungsfehler,
  - Verlade-, Be- und Entladefehler,
  - Beschaffenheitsfehler,
  - Kennzeichnungsfehler,
  - Beförderung lebender Tiere.

[1] *Kurs am 14.06.2024: 1 SZR = 1,23303 €. Ein SZR entspricht der Summe von 0,57813 USD, 0,37379 EUR, 0,080870 GBP, 13,452 JPY und 1,0993 CNY*

ADSp-Haftung

Die ADSp unterscheiden zwischen Schäden, die während der Beförderung entstehen und Schäden aus Organisation und Umschlag[1]. Die ADSp verändern lediglich die Haftungshöchstgrenzen, nicht jedoch das Haftungsprinzip.

Bei Schäden während des Transportes verweisen die ADSp auf die gesetzliche Haftung (Zf. 22.1 ADSp 2017). Es gelten aber auch die Höchstgrenzen je Schadenfall (1,25 Mio. €) und je Schadensereignis (2,5 Mio. €) nach ADSp. Für reine Seetransporte und für multimodale Transporte gelten ebenfalls die HGB-Regelungen.

Bei **Güterschäden**, die **außerhalb des Transportvorganges** entstanden sind, beschränken die ADSp 2017 die Haftung auf

- den Schaden,
- maximal den Wert des Gutes (Zf. 22.2 ADSp 2017),
- maximal 8,33 SZR je kg (Zf. 23.1.1 ADSp 2017),
- maximal 1,25 Mio. € je Schadensfall (Zf. 23.1.3 ADSp 2017) und
- maximal 2,5 Mio. € je Schadensereignis (Zf. 23.5 ADSp 2017).

Die ADSp 2017 enthalten auch eine Regelung der Spediteurhaftung „für **andere als Güterschäden**“ (Zf. 23.4 ADSp 2017). Ersetzt wird bei diesen „reinen Vermögensschäden“

- der Schaden,
- maximal das Dreifache des Betrages, der bei Verlust des Gutes zu zahlen wäre (dreifaches Verlustentgelt),
- höchstens 125 000,00 € je Schadensfall.

Die Haftungshöchstgrenzen nach der ADSp und dem HGB entfallen bei **qualifiziertem Verschulden** nach Zf. 27 ADSp 2017 und § 435 HGB. Qualifiziertes Verschulden liegt vor, wenn der Schaden durch

- Vorsatz oder
- grobe Fahrlässigkeit (bzw. leichtfertig und in dem Bewusstsein, dass ein Schaden mit Wahrscheinlichkeit eintreten werde) oder
- durch Verletzung wesentlicher vertraglicher Pflichten des Spediteurs oder seiner Erfüllungsgehilfen entstanden ist. Bei Fixkostenspeditionen sind alle Beteiligten Erfüllungsgehilfen des Spediteurs.

---

[1] *Für Lagerverträge des Spediteurs gelten die Vorschriften der Zf. 24 ADSp 2017.*

1.2.3.2 Haftungs- und Güterversicherung des Spediteurs

Die beiden Versicherungsarten, die in den ADSp 2017 vorgesehen sind, sollen absichern, dass

- der Versender sich auf die Absicherung der eingeschränkten Spediteurhaftung gegen Zahlungsunfähigkeit des Spediteurs (**Haftungsversicherung** nach Zf. 29 ADSp 2017) verlassen kann;
- dem Versender eine Transportversicherung angeboten wird, die eine bestehende Deckungslücke zwischen Schaden und ADSp-Haftung des Spediteurs absichert (**Güterversicherung** nach Zf. 21 ADSp 2017).

Haftungsversicherung

Über die Haftungsversicherung sind die

- **Verkehrsverträge** (Fracht-, Seefracht-, Lager- und Speditionsverträge) des Spediteurs,
- die in der **Betriebsbeschreibung** angegeben sind
- und die auf der Basis der **ADSp** abgeschlossen wurden, versichert.

Nicht in der Betriebsbeschreibung enthaltene, neu aufgenommene Tätigkeiten sind bis zu einem bestimmten Maximalbetrag über die **Vorsorgeversicherung** abgedeckt, wenn sie innerhalb eines Monats der Versicherung gemeldet und innerhalb eines weiteren Monats in den Versicherungsvertrag aufgenommen werden.

Die **räumliche Geltung** der Versicherung ist häufig beschränkt. Bei Speditionsverträgen gilt die Versicherung weltweit, bei Lagerverträgen nur innerhalb Deutschlands und bei Frachtverträgen innerhalb des Europäischen Wirtschaftsraumes (EU- und EFTA-Staaten).

Der **Haftungsumfang** der Versicherung entspricht der ADSp-Haftung bzw. der Haftung nach den gesetzlichen Vorschriften (HGB), bzw. nach CMR, CIM, MÜ, Haager Regeln oder den FBL-Bedingungen.

In der Haftungsversicherung werden weitere Haftungshöchstgrenzen vereinbart:

- je **Schadensfall** (üblich bei Güterschäden 1 Mio. €, reinen Vermögensschäden 250 000,00 €, Inventurdifferenzen 50 000,00 €)
- je **Schadensereignis** (üblich 2 bis 5 Mio. €)
- im Jahr (**Jahresmaximum**) (üblich 4 bis 6 Mio. €)
- für „**qualifiziertes Verschulden**" (üblich 100 000,00 €/Schadensfall, 300 000,00 €/Jahr)

Mit dem Spediteur vereinbaren die Versicherungen eine **Selbstbeteiligung** (üblicherweise 15 %, mindestens 150,00 €, maximal 2 500,00 €).

Spediteure haften (als Fixkostenspediteure oder im Sammelgut) häufig für beauftragte Frachtführer, Lagerhalter oder andere Dienstleister. Die Versicherer gehen dann beim Verursacher der Schäden in Regress. Es gibt jedoch einen **Regressverzicht** beim Spediteur, der Versicherungsnehmer der Haftungsversicherung (Erstspediteur) ist.

Neben den Haftungsausschlüssen aus den Haftungsgrundlagen gibt es in den Versicherungsverträgen weitere Versicherungsausschlüsse:

1. unabwendbare und unverschuldete Ereignisse wie z. B. Naturkatastrophen, Krieg, Streik, behördliche Beschlagnahme
2. Schäden an besonderen Gütern wie z. B. Kunstgegenständen, Edelmetallen und Edelsteinen, Dokumenten, lebenden Tieren und Pflanzen
3. Schäden aus der Beschaffenheit der Güter, z. B. innerer Verderb, natürliche Verluste durch Verdunsten oder übliche Temperaturschwankungen
4. Ansprüche, die üblicherweise von anderen Versicherungen gedeckt werden (z. B. Betriebs-, Umwelt-, oder Kraftfahrzeugversicherung) oder die durch andere Versicherungen gedeckt sind
5. Ansprüche aufgrund unüblicher Vereinbarungen (Vertragsstrafen, Lieferfristgarantien, Haftungserhöhungen über die gesetzliche Höchstgrenze von 8,33 SZR/kg hinaus)
6. Schäden, die der Spediteur oder ein leitender Angestellter (Repräsentant) vorsätzlich herbeigeführt hat

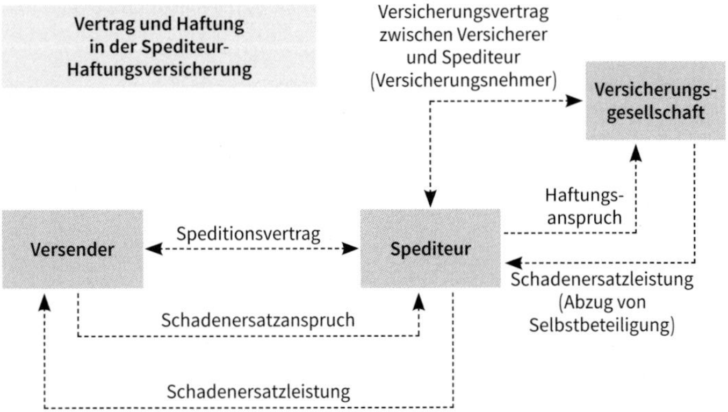

Güterversicherung

Der Spediteur ist nach Zf. 21 ADSp 2017 verpflichtet, eine Güterversicherung (Transportversicherung) als laufende Versicherung vorzuhalten, zu der die Versender angemeldet werden können. Die Anmeldung zur Güterversicherung erfolgt auf ausdrücklichen Wunsch des Versenders oder wenn dieser Wunsch vermutet werden darf. Das ist der Fall, wenn der Versender

- im Speditionsauftrag den Wert des Gutes deklariert oder
- die bisherigen Sendungen des Versenders immer versichert wurden.

Gegenstand der Versicherung

Güter, die mit einem Verkehrsvertrag des Spediteurs versendet werden, können gegen Gefahren des Transports und der Zwischenlagerung weltweit von Haus zu Haus versichert werden.

Versicherungsumfang

- Die Güter sind bis zum Güterwert (Versicherungswert) gegen die versicherten Gefahren abgesichert.
- Auf besonderen Wunsch wird der „imaginäre Gewinn“ (10 % des Versicherungswertes) abgedeckt, wie es z. B. im Incoterm CIF gefordert wird.
- Versichert sind ebenfalls die angefallenen Transportkosten und die
- Beiträge zur großen Haverei.

In den in Deutschland angebotenen Spediteurgüterversicherungen werden die versicherten Güter häufig in **Güterklassen** eingeteilt:

A Allgemeine Handelsgüter (ohne Rückfrage versicherbar)
B Besondere Handelsgüter (bis zu einer Wertgrenze versicherbar)
C Besonders gefährdete Handelsgüter (nur nach Rückfrage bei der Versicherung versicherbar)
D Nicht versicherbare Handelsgüter

Die Güterklassen A und B unterscheiden sich nach der verlangten Prämie. Die Prämie für die Güterklasse C wird individuell festgelegt.

Wiedereinschlussklauseln

In den DTV-Güterversicherungsbedingungen 2000/2011 und den ADSp 2017 ausgeschlossene Schäden können durch die Wiedereinschlussklauseln versichert werden.

Die Wiedereinschlussklauseln sind in der Spediteurgüterversicherung automatisch enthalten. Es handelt sich um die

- Klausel für die Mitversicherung von Lagerrisiken,
- Klausel für die Mitversicherung von politischen Risiken, Kriegsklauseln, Streik- und Aufruhrklausel,
- Vermögenschaden- und Güterfolgeschadenklausel.

Regressverzicht

Die Versicherung verzichtet auf Regressansprüche gegen den Spediteur als Versicherungsnehmer.

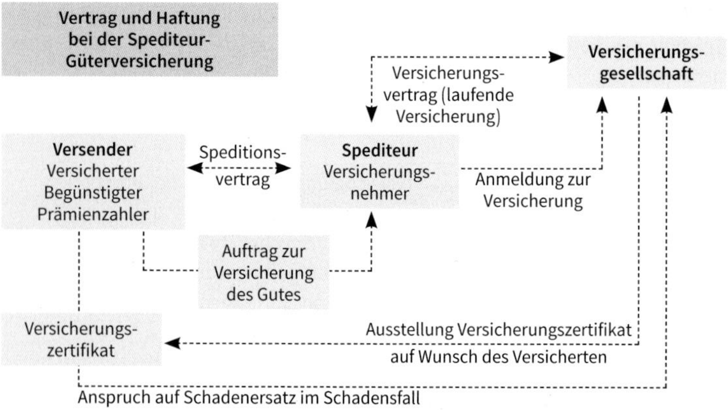

Über den Versicherungsvertrag stellt der Versicherer dem Spediteur eine sogenannte „Generalpolice“ aus. Für den einzelnen Verkehrsvertrag kann ein Vesicherungszertifikat ausgestellt werden. Versicherungszertifikate sind Wertpapiere. Nur der berechtigte Inhaber kann die Versicherungssumme im Schadensfall beanspruchen. Diese Zertifikate werden häufig vom Versender (Warenverkäufer) auf den Empfänger (Warenkäufer) übertragen.

2 Spediteursammelgut

Spediteursammelgut

Beteiligte und Verträge

- Definitionen
- Versender
- Versand- und Empfangsspediteur
- Briefspediteur

Papiere im Sammelgut

- Speditionsauftrag
- Abholauftrag
- Bordero
- Rollkarte

Tarife und Abrechnung

- Haustarife, Haus-Haus-Entgelt und Nebengebühren
- Rückrechnung
- Aufwands- und Ertragsrechnung

2.1 Beteiligte und Verträge

Das HGB gibt in § 460 eine **Definition** für Spediteursammelgut. Demnach ist Sammelgut

> „[...] die Versendung des Gutes zusammen mit dem Gut eines anderen Versenders auf Grund eines für seine Rechnung über eine Sammelladung geschlossenen Frachtvertrages". *(§ 460 Abs. 1 HGB)*

In der Praxis der Sammelladungsspediteure kommen noch weitere Merkmale für Sammelladungsverkehre hinzu. Spediteursammelgut ist die

- Zusammenfassung einzelner, kleinerer Sendungen
- der gleichen Relation (Zielgebiet) durch den Spediteur und
- die Versendung als Ladungsgut in eigenem Namen des Spediteurs
- an einen Empfangsspediteur, der die Sendungen für den Versandspediteur an die Endempfänger verteilt.

Die Beteiligten am Spediteursammelgutverkehr sind also der **Versandspediteur**, der den Sammelgutverkehr organisiert, die Sendungen abholt und umschlägt sowie der **Empfangsspediteur**, der die Sammelladung umschlägt und die Sendungen ausliefert. Beide Spediteure können die Abholung oder Ausrollung sowie den Hauptlauf selbst übernehmen oder **Frachtführer** mit diesen Aufgaben beauftragen. Wenn ein Sammelgutspediteur für eine Relation ein zu geringes Aufkommen hat, kann er einem befreundeten Versandspediteur die gesammelten Sendungen als **Beilader** übergeben. Der Empfangsspediteur liefert diese Sendungen dann an einen **Briefspediteur** (Empfangsspediteur des Beiladers) aus, der die Sendungen den Empfängern zustellt.

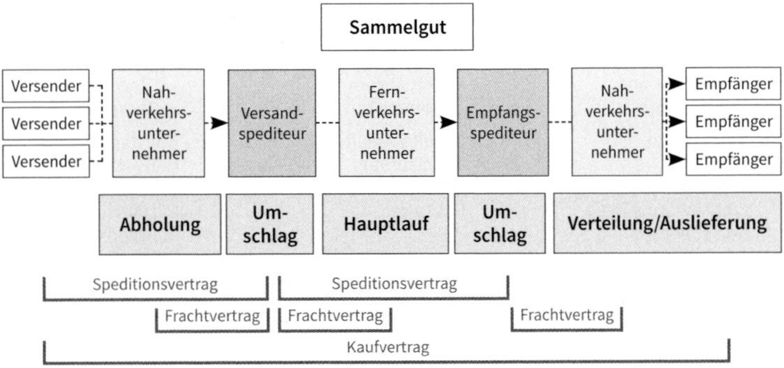

Der Hauptlauf zwischen Versand- und Empfangsspediteur wird häufig im **Begegnungsverkehr** durchgeführt. Dabei treffen sich die Sammelgut-Lkws des Versandspediteurs und des Empfangsspediteurs auf halber Strecke und tauschen die Wechselbrücken. Danach fahren die Lkw zurück zu ihrem Ausgangsort. Die Vorteile dieses Systems bestehen darin, dass sich der Fahrer und das Fahrzeug am Folgetag wieder am eigenen Standort befinden, Spesen eingespart werden und das Fahrzeug am Folgetag weiterverwendet werden kann.

Verträge

Der **Versandspediteur** schließt mit dem Versender einen Speditionsvertrag, in dem er verspricht, die Versendung des Gutes im Spediteursammelgutverkehr zu organisieren. Mit dem Nahverkehrsunternehmer schließt er einen Frachtvertrag über die Abholung des Gutes. Der Fernverkehrsunternehmer wird ebenfalls durch einen Frachtvertrag mit dem Transport der Sammelladung zum Empfangsspediteur beauftragt.

Der **Empfangsspediteur** erhält seinen Auftrag durch einen Speditionsvertrag mit dem Versandspediteur. Damit wird er beauftragt, die Sendungen umzuschlagen, die Ausrollung (Auslieferung) der Sendungen zu organisieren und bestimmte Nebenaufgaben (Inkasso, Abliefernachweise, Avisierungen, Nachlagerung etc.) abzuwickeln.

Der Empfangsspediteur beauftragt einen Nahverkehrsunternehmer mit einem Frachtvertrag, die Ausrollung der Sendungen vorzunehmen.

2.2 Papiere im Sammelgut

Beteiligte		Vertrag	Papiere
Versand-spediteur	Versender	Speditionsvertrag	Speditionsauftrag
	Nahverkehrsunternehmer	Frachtvertrag	Abholauftrag
	Empfangsspediteur	Speditionsvertrag	Bordero
	Fernverkehrsunternehmer	Frachtvertrag	Frachtbrief
Empfangs-spediteur	Nahverkehrsunternehmer	Frachtvertrag	Rollkarte

Das **Bordero** als Speditionsauftrag des Versand- an den Empfangsspediteur hat dabei folgende **Funktionen**:

- Beweis über Abschluss und Inhalt des Speditionsvertrages
- Übergabe der Sendungsdaten
- Weisungen an den Empfangsspediteur
- Inkassoanweisung
- Grundlage für die Rückrechnung des Empfangsspediteurs an den Versandspediteur

2.3 Hub-and-Spoke- oder Direktrelationenverkehre

Als **Direktrelationenverkehre** bezeichnet man Sammelgutverkehre, bei denen jeder beteiligte Sammelgutspediteur alle im Netz beteiligten Empfangsspediteure täglich mit Sammelgut bedient. Für Deutschland werden ca. 40 Sammelgutrelationen benötigt, damit das Aufkommen in einer Relation groß genug ist und die Auslieferungs- und Abholzeiten ausreichen, um 24-Stunden-Dienste zu gestalten.

Dabei werden dann (n · n – 1), also (bei n = 40) täglich 1 560 Fernverkehrstransporte benötigt. Nehmen mehr Spediteure an einem solchen Netz teil, steigen die Transportmengen exponentiell an (n = 50 = 2 450, n = 80 = 6 320).

Werden die benötigten Transportmengen nicht erreicht, weil die Durchschnittsgewichte der Sendungen zu gering sind (z. B. bei Paket- oder Expressdienstleistern), oder wird das Sammelgutnetz von einer großen Zahl kleinerer Spediteure betrieben, deren jeweiliges Relationengebiet relativ klein ist, kann der Sammelgutverkehr über ein **Hub-and-Spoke-Netz** organisiert werden.

Bei Hub-and-Spoke wird ein möglichst zentral gelegenes Umschlagslager unterhalten. Alle Teilnehmer versenden ihre gesammelten Sendungen an dieses zentrale Hub. Dort werden die Sendungen umgeschlagen und nach Relationen sortiert. Die Sendungen für den jeweiligen Empfangsspediteur werden den wartenden Fernverkehrs-Lkws wieder mitgegeben. Einige Sammelgutkooperationen arbeiten auch mit mehreren Hubs.

Der **Vorteil** in diesem System besteht darin, dass die beteiligten Spediteure nur jeweils mindestens einen Transport mit Sammelgut an das Hub senden. Daher sind auch Sammelgutverkehre mit sehr **kleinen Sendungsgrößen** und/oder **vielen** beteiligten **Spediteuren** möglich.

Nachteilig ist die Tatsache, dass die **Transportstrecken** für die einzelnen Sendungen erheblich ansteigen. So beträgt die Entfernung von Stuttgart nach München 234 km. Wird die Sendung über ein Hub (z.B. in Bad Hersfeld) geleitet, so beträgt die Transportstrecke (305 + 424 km) = 729 km. Für die größere Strecke und den Umschlag im Hub muss zusätzliche **Zeit** eingerechnet werden, was zu früheren Abholzeiten bei den Versendern führt. Der zusätzliche Umschlag der Güter im Hub stellt zudem auch eine Quelle von weiteren **Güterschäden** dar. Der längere Transportweg und der Umschlag im Hub führen auch zu erhöhten Kosten.

Direktrelationenverkehre

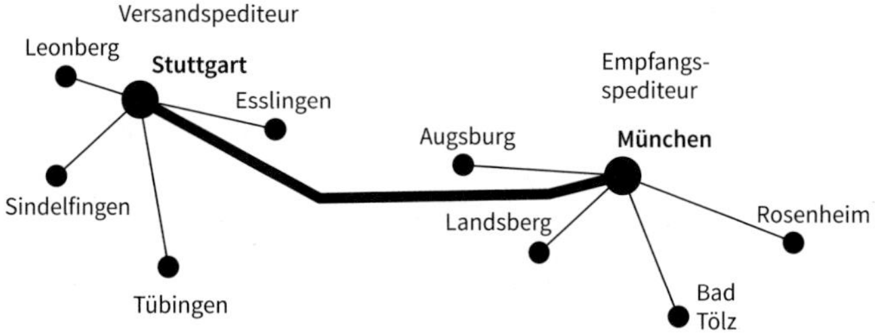

Hub-and-Spoke-Verkehre

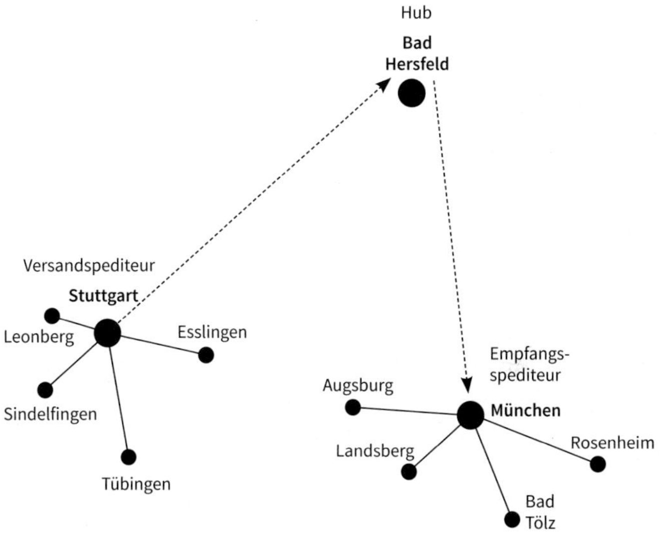

Kombination Direktrelationenverkehre und Hub-and-Spoke

In der Praxis streben die Sammelgutspeditionen an, die Masse der Sendungen über Direktrelationenverkehre abzufertigen. Das bringt hinsichtlich des Zeitbedarfs und der Streckenlänge erhebliche Vorteile.

Die Rentabilität einer Relation hängt aber direkt von der Auslastung der Fernverkehrsfahrzeuge ab. Bei schwachem Sendungsaufkommen, insbesondere in Relationen nach Randgebieten, wird eine Kombination von Direktrelationen und Hub-and-Spoke versucht. Häufig existieren ein (oder mehrere) Hubs, die bei schwacher Auslastung oder bei Sendungsüberhängen optional angefahren werden. Sind Relationen dauerhaft unterausgelastet, wird das Hub-and-Spoke-Verfahren für diese Relationen auch zum Standard.

2.4 Tarife und Abrechnung

Im Spediteursammelgutverkehr existieren **keine verbindlichen Tarife**. Jeder Spediteur kann daher eigene Haustarife mit seinen Kunden vereinbaren. Dabei sind unterschiedliche Tarifstrukturen möglich. Die Preise werden normalerweise als **Haus-Haus-Entgelt** ausgewiesen.

a) **Gewicht-Entfernungs-Matrix:** Bei der traditionellen Tarifstruktur sind Preise für die Versendung von der Entfernung und dem Gewicht der Sendung abhängig.
b) **Zonentarife:** Es werden (häufig nach Postleitzahlengebieten) Versandzonen (ab dem Versandspediteur) gebildet, in denen dann gewichtsabhängig ein einheitlicher Preis verlangt wird.
c) **Flatrate:** Es wird für definierte Versandstücke (Pakete, Paletten) ein von Gewicht und Entfernung unabhängiger Preis verlangt.

Beispiel *für einen Haustarif (Gewicht-Entfernungs-Matrix):*

Entfernung in km	Gewicht in kg					
	1–50	51–100	101–200	201–300	301–400	...
	€	€	€	€	€	€
1–100	31,50	53,40	75,60	109,60	140,50	...
101–200	34,10	59,00	86,90	128,30	166,60	...
201–300	34,70	60,10	88,60	131,40	171,00	...
301–400	34,80	60,50	89,40	133,10	173,20	...
401–500	35,00	61,00	90,50	134,60	175,40	...
501–600	35,70	61,90	92,20	137,50	179,60	...
601–700	36,30	63,80	95,90	143,70	188,50	...
701–800	36,90	64,70	97,80	146,90	192,60	...
801–1 000	37,50	66,50	101,50	153,20	201,70	...
...	...	...	...	...	...	...

Die Tabelle gibt die **Haus-Haus-Entgelte** wieder, die den Preis für die Transporte, die verschiedenen Umschlagstätigkeiten und die übliche büromäßige Bearbeitung darstellen.

Darüber hinausgehende Leistungen des Spediteurs werden über **„Nebengebühren"** abgerechnet. Übliche Nebengebühren sind z. B.:

Nachnahmegebühr	2 %, mindestens 15,30 €
Avisgebühr	pro Sendung 5,10 €
Beschaffung eines Ablieferungsnachweises	mindestens 6,10 €
Wiegen und Aufmessen	pro Sendung mindestens 2,60 €
Palettentauschgebühr ⇢ genormte Flachpaletten (EFP) ⇢ genormte Gitterboxpaletten (GIBO)	 je Palette 2,60 € je Palette 10,20 €
Gefahrgutzuschläge pro Sendung	bis 300 kg mindestens 10,20 € bis 1 000 kg mindestens 15,30 € über 1 000 kg mindestens 20,50 €

Bei der Abrechnung einer Sammelgutsendung muss auch die Frage der **Sperrigkeit** der Sendung berücksichtigt werden. Dafür wird in den Haustarifen ein Mindestgewicht je m^3, Europalette oder Lademeter angegeben. Dieses Mindestgewicht (Volumengewicht) kommt zur Anwendung, wenn das wirkliche Gewicht niedriger liegt. Üblich ist ein Mindestgewicht von 200 kg/m^3 bzw. 200 kg/stapelfähige EFP, 400 kg/nicht stapelfähige EFP, 1000 kg je Lademeter.

Beispiel *für eine Versenderabrechnung: 2 Paletten Maschinenteile (nicht stapelbar) mit einem Gewicht von 684 kg von Augsburg nach Esslingen. Die Entfernung beträgt 153 km. Es soll eine Nachnahme von 1 280,00 € kassiert werden. Die Sendung soll beim Empfänger avisiert werden, der Versender verlangt einen Ablieferungsnachweis.*

Die Sendung ist sperrig, da das Mindestgewicht von 400 kg/nicht stapelfähige Palette unterschritten wird.

Abrechnung

Haus-Haus-Entgelt (800 kg/153 km)		*318,00 €*
Palettentauschgebühr	*2,60 €*	*5,20 €*
Nachnahmegebühr	*(2 % von 1 280,00 €)*	*25,60 €*
Avisgebühr		*5,10 €*
Abliefernachweis		*6,10 €*
SUMME		*360,00 €*
USt.		*68,40 €*
Summe (brutto)		*428,40 €*

Rückrechnung

Der Empfangsspediteur rechnet seine Leistungen an den Versandspediteur zurück. Dabei werden folgende Leistungen berechnet:

- Entladen und Verteilen (für die Entladung des Fernverkehrs-Lkw und das Verteilen der Sendungen auf die Nahverkehrs-Relationenplätze im Umschlagslager)
- Nachlaufkosten (Verteilkosten/Rollgeld) für die Zustellung der Sendungen beim Empfänger
- Nebengebühren, soweit sie auf Leistungen des Empfangsspediteurs zurückzuführen sind (Nachnahmegebühr, Avisgebühr, Besorgen des Abliefernachweises, Nachlagerung)

Die dafür in Rechnung zu stellenden Entgelte müssen zwischen Versand- und Empfangsspediteur vereinbart werden.

Die vom Empfangsspediteur bei den Empfängern kassierten Unfrei-Entgelte und Nachnahmebeträge werden dem Versandspediteur gutgeschrieben.

Beispiel für eine Borderoabrechnung (Rückrechnung)

Der Empfangsspediteur belastet mit der Rückrechnung dem Versandspediteur die Kosten, die für seine Tätigkeit im Sammelguteingang entstanden sind. Zu diesen Kosten gehören:

- Die Verteilkosten (Nachlauf) für die Zustellung der Sendungen bei den Empfängern.
- Die Nebengebühren, die durch die Tätigkeit des Empfangsspediteurs entstanden sind (Avis, Abliefernachweis, Nachlagerung, Nachnahmegebühr).
- Die Gebühr für die Entladung des LKW im Hauptlauf und die Verteilung der Sendungen auf die Nahverkehrsrelationenplätze im Umschlagslager (EuV).

Der Empfangsspediteur erhält häufig auch die Aufgabe, bei bestimmten Sendungen die Unfrei-Entgelte oder Nachnahmen bei en Empfängern einzukassieren. Diese Beträge werden über die Borderoabrechnung dem Versandspediteur gutgeschrieben.

POS	ANZ	ART	INHALT	GEWICHT	VERSENDER	EMPFÄNGER	SF	FRANKATUR
001	4	EFP	Maschinenteile	1 750	Dall 40880 Ratingen	Wolfgang Meiser 10999 Berlin	0	frei Haus
002	3	EFP	Ersatzteile	456	Elmasch 47807 Krefeld	S. Fuchs GmbH 16515 Oranienburg	1	frei Haus NN 1.450,00
003	6	KI	Textilien	1 236	Fashion 41747 Viersen	Feld & Sohn 16225 Eberswalde		unfrei NN 750,00
004	3	KRT	Leuchten	410	Werner 42327 Wuppertal	ATS Beleuchtung 14473 Potsdam		frei Haus Nachlagerung 4 Tage
005	5	EFP	Autoradios	2 156	Walter 40667 Meerbusch	CAR HIFI GmbH 12169 Berlin-Steglitz	0	unfrei Avis, Abliefernachw.
				6 008				

	Hier werden die Unfrei-Entgelte eingetragen	Hier werden die Nachnahmebeträge eingetragen	Kosten für die Zustellung der Sendung beim Empfänger	Nebengebühren für Leistungen, die der Empfangsspediteur erbringt
	Vom Empfänger zu erheben		Rückrechnung	
Pos.	Steuerpfl.	Nicht steuerpfl.	Verteilkosten Nachlauf	Sonstiges
001			43,80 €	
002		1.450,00€	22,25 €	34,10 €
003	492,00 €	750,00 €	42,05 €	20,40 €

	Hier werden die Unfrei-Entgelte eingetragen	Hier werden die Nachnahmebeträge eingetragen	Kosten für die Zustellung der Sendung beim Empfänger	Nebengebühren für Leistungen, die der Empfangsspediteur erbringt
	Vom Empfänger zu erheben		Rückrechnung	
Pos.	Steuerpfl.	Nicht steuerpfl.	Verteilkosten Nachlauf	Sonstiges
004			21,00 €	20,50 €
005	513,00 €		49,95 €	11,20 €
Summe	1 005,00 €	2.200,00 €	179,05 €	86,20 €
Umsatzsteuer	190,95 €		86,20 €	
Zwischensumme	1 195,95 €		112,85 €	E u V
Nicht steuerpfl.	2 200,00 €		378,10 €	Zwischensumme
Summe gesamt	3 395,95 €		71,84 €	Umsatzsteuer
			449,94 €	Summe gesamt

Aufwands- und Ertragsrechnung

Der Versandspediteur kann nun für jede Sammelladung seinen Rohgewinn ermitteln.

Aufwendungen	Erträge
Abholung (Nahverkehrsunternehmer) Fernverkehrstransport Belastungen aus Rückrechnung --> Entladen und Verteilen --> Nachlauf --> Nebengebühren	Versenderrechnungen Gutschriften aus Rückrechnung (Unfrei-Entgelte)
ROHGEWINN	

Aus dem **Rohgewinn** muss der Versandspediteur seine eigenen Kosten (Organisation und Umschlag) abdecken. Im Rohgewinn ist dann auch der **Reingewinn** des Versandspediteurs enthalten.

3 Frachtgeschäfte: Güterkraftverkehr

Güterkraftverkehr

Grundlagen
- GüKG
- Erlaubnis, Lizenz, Genehmigungen
- Lenk- und Ruhezeiten

Frachtvertrag
- HGB
- CMR

Kalkulation
- variable Kosten (km-Satz)
- fixe Kosten (Tagessatz)
- Kalkulations-schema

Gefahrgut
- Rechtsgrundlagen
- Gefahrgutklassen
- Kennzeichnung
- Ausrüstung
- Gefahrgutpapiere
- Befreiung von Gefahrgutvor-schriften

3.1 Grundlagen

Der Güterverkehr auf der Straße mit Kraftfahrzeugen mit einem zulässigen Gesamtgewicht von mehr als 3,5 Tonnen wird in Deutschland durch das Güterkraftverkehrsgesetz (GüKG) geregelt. Das GüKG enthält Vorschriften über die

- Begriffsbestimmungen für den gewerblichen Güterkraftverkehr und den Werkverkehr,
- Freistellungsverkehre,
- Erlaubnispflicht (§ 3 GüKG) und Gleichstellung der Gemeinschaftslizenz,
- Mitführungspflicht von Zulassungen und Beförderungsdokumente;
- Güterschadenshaftpflichtversicherung (§ 7a GüKG),
- Organisation, Aufgaben und Befugnisse des Bundesamtes für Logistik und Mobilität.

3.1.1 Gewerblicher Güterkraftverkehr, Werkverkehr und Freistellungsverkehre

Unter **gewerblichem Güterkraftverkehr** versteht das GüKG die „geschäftsmäßige oder entgeltliche Beförderung von Gütern mit Kraftfahrzeugen, die einschließlich Anhänger ein höheres zulässiges Gesamtgewicht als 3,5 Tonnen haben." (§ 1 Abs. 1 GüKG). Dieser Güterkraftverkehr unterliegt der Erlaubnispflicht.

Das GüKG definiert demgegenüber den **Werkverkehr**, für den keine Erlaubnis- und Güterschadenhaftpflicht-Versicherungspflicht (§ 9 GüKG) gilt.

„(2) Werkverkehr ist Güterkraftverkehr **für eigene Zwecke** eines Unternehmens, wenn folgende Voraussetzungen erfüllt sind:

1. Die beförderten **Güter** müssen Eigentum des Unternehmens oder von ihm verkauft, gekauft, vermietet, gemietet, hergestellt, erzeugt, gewonnen, bearbeitet oder instand gesetzt worden sein.
2. Die **Beförderung** muß der Anlieferung der Güter zum Unternehmen, ihrem Versand vom Unternehmen, ihrer Verbringung innerhalb oder – zum Eigengebrauch – außerhalb des Unternehmens dienen.
3. Die für die Beförderung verwendeten **Kraftfahrzeuge** müssen vom eigenen Personal des Unternehmens geführt werden oder von Personal, das dem Unternehmen im Rahmen einer vertraglichen Verpflichtung zur Verfügung gestellt worden ist.
4. Die Beförderung darf nur eine **Hilfstätigkeit** im Rahmen der gesamten Tätigkeit des Unternehmens darstellen.“ *(§ 1 Abs. 2 GüKG)*

Das GüKG führt einige Verkehrsarten auf, die von der Geltung des GüKG befreit sind **(Freistellungsverkehr)**. Dazu gehören Gelegenheitsverkehre, Beförderungen durch Körperschaften, Anstalten und Stiftungen des öffentlichen Rechts, Beförderungen von Gütern für die Hilfeleistung in dringenden Notfällen, landwirtschaftliche Beförderungen und Beförderung von Postsendungen (§ 2 Abs. 1 GüKG).

3.1.2 Zulassungen im Güterkraftverkehr

3.1.2.1 Arten

⇢ **Erlaubnis**

Geltungsbereich	innerdeutsche Transporte
Geltungsdauer	jeweils 10 Jahre
Ausgabe	zuständige Behörde nach Landesrecht (NRW: Straßenverkehrsämter)
Anzahl	keine Kontingentierung
Voraussetzung	Berufszugangsverordnung für den Güterkraftverkehr (GBZugV) und Verordnung (EG) Nr. 1071/2009

Durch eine GüKG-Änderung wurde die Erlaubnis zum 01.01.2026 abgeschafft. Erteilte Erlaubnisse gelten aber weiter bis zum Ablauf ihrer Gültigkeit.

--> Gemeinschaftslizenz (EU-Lizenz)

Geltungsbereich	--> grenzüberschreitende Transporte zwischen den EU-Staaten sowie --> zwischen den EU[1]- und EFTA[2]-Staaten (EWR) --> zeitweilige Kabotage[3, 4] in den EU/EWR-Staaten --> innerdeutsche Transporte durch deutsche Unternehmer
Geltungsdauer	jeweils zehn Jahre
Ausgabe	zuständige Behörde nach Landesrecht (NRW: Straßenverkehrsämter)/wie bei der Erlaubnis
Anzahl	keine Kontingentierung
Voraussetzung	Berufszugangsverordnung für den Güterkraftverkehr (GBZugV) und Verordnung (EG) Nr. 1071/2009

--> Bilaterale Genehmigung/Drittstaatengenehmigung

Geltungsbereich	--> grenzüberschreitender Güterkraftverkehr zwischen Staaten, die einen bilateralen Vertrag geschlossen haben --> Transport- und Transitgenehmigungen --> Genehmigung ausländischer Unternehmer heißt Drittstaatengenehmigung --> keine Kabotage --> Dreiländerverkehr nur mit Transit durch das Heimatland
Geltungsdauer	Einzelfahrt- oder Zeitgenehmigungen
Ausgabe	--> BALM Berlin (Osteuropa) --> Regierung der Oberpfalz in Regensburg (Balkanstaaten und Türkei)
Anzahl	Kontingentierung
Voraussetzung	EU-Lizenz

---

1 *Belgien, Bulgarien, Dänemark, Deutschland, Estland, Finnland, Frankreich, Griechenland, Irland, Italien, Kroatien, Lettland, Litauen, Luxemburg, Malta, die Niederlande, Österreich, Polen, Portugal, Rumänien, Schweden, die Slowakei, Slowenien, Spanien, die Tschechische Republik, Ungarn und Zypern.*

2 *Island, Liechtenstein, Norwegen und die Schweiz*

3 *Kabotage bezeichnet den Transport von Gütern innerhalb eines Landes durch ein Transportunternehmen aus einem anderen Land. „Die Güterkraftverkehrsunternehmer sind berechtigt, im Anschluss an eine grenzüberschreitende Beförderung aus einem anderen Mitgliedstaat oder einem Drittland in den Aufnahmemitgliedstaat nach Auslieferung der Güter bis zu drei Kabotagebeförderungen mit demselben Fahrzeug […] durchzuführen. BeiKabotagebeförderungen erfolgt die letzte Entladung, bevor der Aufnahmemitgliedstaat verlassen wird, innerhalb von sieben Tagen nach der letzten Entladung der in den Aufnahmemitgliedstaat eingeführten Lieferung." (VERORDNUNG [EG] Nr. 1072/2009)*

4 *Kabotage ist in der Schweiz unzulässig.*

⇢ CEMT-Genehmigung

Geltungsbereich	⇢ grenzüberschreitender Verkehr[1] zwischen den Mitgliedstaaten der CEMT (Europäische Verkehrsministerkonferenz) ⇢ keine Kabotage ⇢ Dreiländerverkehr zulässig
Geltungsdauer	ein Jahr
Ausgabe	BALM (Bundesamt für Logistik und Mobilität)
Anzahl	Kontingentierung[2]
Voraussetzung	EU-Lizenz

3.1.2.2 Berufszugangsvoraussetzungen

Der Zugang zum Beruf des Güterkraftverkehrsunternehmers wird durch die Berufszugangsverordnung für den Güterkraftverkehr (GBZugV) und die Verordnung (EG) Nr. 1071/2009 geregelt.

Der Unternehmer (das Unternehmen) muss

a) eine tatsächliche und dauerhafte **Niederlassung** in der EU haben,
b) **zuverlässig** sein,
c) eine angemessene **finanzielle Leistungsfähigkeit** besitzen,
d) die geforderte **fachliche Eignung** besitzen,
e) einen **Verkehrsleiter** benennen.

Voraussetzungen für die Erlaubnis- bzw. EU-Lizenzerteilung

⇢ persönliche Zuverlässigkeit

- keine erheblichen Vorstrafen (Nachweis durch Führungszeugnis)
- keine schweren Verstöße gegen
  - das GüKG,
  - Lenk- und Ruhezeiten,
  - Verkehrs- und Betriebssicherheit,
  - abgabenrechtliche Pflichten,
  - die Versicherungspflicht,

---

1 *„Der Unternehmer hat dafür zu sorgen, dass höchstens drei aufeinander folgende Beförderungen ohne Befahren des Gebietes des Staates, in dem das Unternehmen seinen Sitz hat, durchgeführt werden.“ (§ 7a GüKGrKabotageV)*

2 *Im Jahr 2023 z. B. betrug das Kontingent der CEMT-Genehmigungen für Deutschland 1207 Jahresgenehmigungen und 3215 Kurzzeitgenehmigungen.*

  - Umweltschutzvorschriften,
  - Handels- und Insolvenzrecht
  - Nachweise durch Führungszeugnis, Auszug aus dem Gewerbezentralregister und dem Fahreignungsregister.

→ **finanzielle Leistungsfähigkeit**

- keine Zahlungsunfähigkeit
- Eigenkapital und Reserven mindestens 9 000,00 € für das erste Kraftfahrzeug, 5 000,00 € für jedes weitere Kraftfahrzeug (Nachweis durch Eigenkapitalbescheinigung)
- keine erheblichen Rückstände an Steuern oder Beiträgen zur Sozialversicherung (Nachweis durch Unbedenklichkeitsbescheinigungen)

→ **fachliche Eignung**

- Fachlich geeignet ist, wer über die Kenntnisse verfügt, die zur ordnungsgemäßen Führung eines Güterkraftverkehrsunternehmens erforderlich sind.
- Die fachliche Eignung wird grundsätzlich durch eine Prüfung vor der zuständigen Industrie- und Handelskammer nachgewiesen.

Der Nachweis kann auch mit einer mindestens zehnjährigen leitende Tätigkeit in einem Unternehmen in der EU, das Güterkraftverkehr betreibt, nachgewiesen werden. Diese Tätigkeit muss in dem Zeitraum von zehn Jahren vor dem 4. Dezember 2009 ohne Unterbrechung ausgeübt worden sein.

Als Fachkundenachweis gelten gleichwertige Abschlussprüfungen (Berufsausbildung Spedition, Fachwirt, Betriebswirt), wenn die Ausbildung vor dem 4. Dezember 2011 begonnen wurde.

→ **Güterschadenhaftpflichtversicherung nach § 7a GüKG**

- Der Lkw-Unternehmer muss (im innerdeutschen Verkehr mit einer Erlaubnis) eine Güterschadenshaftpflichtversicherung nachweisen.
- Mindestversicherungssumme von 600 000,00 €

Verkehrsleitung

Die Verkehrsleitung

→ ist eine natürliche Person,
→ leitet die Verkehrstätigkeiten des Unternehmens tatsächlich und dauerhaft,
→ steht in einer echten Beziehung zum Unternehmen (Unternehmer/-in, Geschäftsführer/-in, Angestellte, Anteilseigner etc.),
→ hat seinen ständigen Aufenthalt in der EU,

- ist zuverlässig und fachlich geeignet.
- Externe Verkehrsleitungen sind zulässig. Sie dürfen maximal vier Unternehmen mit zusammen 50 Fahrzeugen betreuen.

3.1.3 Lenk- und Ruhezeiten

Mit der Verordnung (EG) Nr. 561/2006 des Rates über die Harmonisierung bestimmter Sozialvorschriften im Straßenverkehr vom 15. März 2006 werden die Lenk- und Ruhezeiten geregelt.

Vorschriften

Lenkzeit	täglich	9 Stunden	(2-mal wöchentlich 10 Stunden)
	wöchentlich	56 Stunden	maximal
	Doppelwoche	90 Stunden	z. B. 45 + 45 Stunden, 50 + 40 Stunden, maximal 56 + 34 Stunden
Unterbrechung der Lenkzeit	nach einer Lenkzeit von	4,5 Stunden	mindestens 45 Minuten Lenkzeitunterbrechung (aufteilbar in Unterbrechungen von zuerst 15 Minuten und am Ende 30 Minuten Dauer)
Tagesruhezeit	jeweils innerhalb eines Zeitraumes von 24 Stunden (nicht pro Kalendertag)	11 Stunden (zusammenhängend)	Verkürzungen auf neun Stunden sind 3-mal wöchentlich zulässig.
	oder (wegen Wartezeiten beim Be- und Entladen oder an der Grenze, sofern echte Ruhezeit vorliegt)	12 Stunden (aufgeteilt)	Aufteilung in zwei Abschnitte ist zulässig. Der erste Abschnitt muss drei Stunden, der zweite Abschnitt neun Stunden betragen. (Bei Mehrfahrerbetrieb ist eine Tagesruhezeit von mindestens neun Stunden innerhalb eines 30-Stunden-Zeitraums zu nehmen.)

Wöchentliche Ruhezeit	Die wöchentliche Ruhezeit darf nicht in der Kabine des Fahrzeuges verbracht werden.	45 Stunden	Zusammenhängende Stunden nach spätestens sechs Tagen. Verkürzungsmöglichkeit auf 24 Stunden mit Ausgleich bis zum Ende der dritten Folgewoche. Es darf nur jede zweite Wochenruhezeit verkürzt werden.
Wochen-arbeitszeit	Arbeitszeitgesetz	48 Stunden	Sonderregelung nach § 21a ArbZG für „Beschäftigte im Straßentransport“. Die wöchentliche Arbeitszeit kann auf 60 Stunden verlängert werden, wenn innerhalb von vier Kalendermonaten oder 16 Wochen im Durchschnitt 48 Stunden nicht überschritten werden.

Kontrolle

Um die Einhaltung der Lenk- und Ruhezeiten zu kontrollieren, sind in den Lkw analoge oder digitale Kontrollgeräte vorgeschrieben. Seit 2006 ist in allen neu zugelassenen Lkws (mit einem zulässigen Gesamtgewicht über 3,5 t) der digitale Tachograf vorgeschrieben.

Das digitale Kontrollgerät zeichnet in einem versiegelten Speichermodul 365 Tage und auf einer personengebundenen Fahrerkarte (Chipkarte) 28 Tage die Lenk-, Arbeits-, Bereitschafts- und Ruhezeiten sowie deren Unterbrechungen, zurückgelegte Entfernungen und die gefahrenen Geschwindigkeiten auf. Bei Straßen- und Betriebskontrollen können diese Daten ausgelesen und ausgewertet werden.

Analoge Kontrollgeräte zeichnen diese Daten auf Schaublättern (Tachoscheiben) auf.

Durch die Fahrer/-innen mitzuführende Unterlagen	→ Fahrerkarte für den digitalen Tachografen → Bescheinigung über freie Tage → Tachoscheiben aus mechanischen Tachografen des laufenden Tages sowie der vorausgegangenen 28 Tage (wenn kein digitaler Tachograf vorhanden ist)

Aufbewahrungspflichten des Lkw-Unternehmers	→ Tachoscheiben aus analogen Kontrollgeräten: ein Jahr → spätestens alle 28 Tage die Daten von der Fahrerkarte kopieren und zwei Jahre im Betrieb sicher aufbewahren → alle drei Monate die Daten aus dem Massenspeicher des digitalen Kontrollgerätes kopieren und zwei Jahre im Betrieb sicher aufbewahren

Kontrollaufgaben des BALM

Neben der Polizei ist vor allem das BALM (Bundesamt für Logistik und Mobilität) für die Kontrolle der Lenk- und Ruhezeiten verantwortlich.

- Einhaltung des GüKG
  Einhaltung der Erlaubnispflicht (§ 3), Mitführung des Beförderungspapiers (§ 7) und Güterschaden-Haftpflichtversicherung (§ 7a)
- Einhaltung der Lenk- und Ruhezeiten
- sonstige Vorschriften
  Lkw-Abmessungen und Gewichte, Mautvorschriften, Gefahrgutvorschriften, Containersicherheit, Kraftfahrzeug- und Umsatzsteuer, Lebensmittelrecht, Abfallbeförderung, Abgas- und Lärmemissionen

Kontrollbefugnisse des BALM (§ 11–13 GüKG)

- Straßenkontrollen
  - an Straßen, Autohöfen und Tankstellen
  - Anhalte- und Auskunftsrecht
  - Möglichkeit, die Weiterfahrt zu verbieten
- Betriebskontrollen
- Betreten von Räumen, Einsicht in Papiere, Auskunftsrecht
- Beteiligte müssen Hilfsmittel stellen und Hilfsdienste leisten.

3.2 Frachtrecht

Die Vorschriften über den Frachtvertrag finden sich im Handelsgesetzbuch. Für innerdeutsche, gewerbliche Gütertransporte auf der Straße (Lkw und Eisenbahn), auf Binnengewässern und mit Luftfahrzeugen gelten die §§ 407–452d HGB. Für grenzüberschreitende Lkw-Transporte gilt vor allem das Übereinkommen über den Beförderungsvertrag im internationalen Straßengüterverkehr (CMR).

3.2.1 HGB-Frachtrecht

3.2.1.1 Frachtvertrag

Der Frachtvertrag wird zwischen dem **Absender** und dem **Frachtführer** geschlossen. Dabei übernimmt der Frachtführer die Pflicht, „das Gut zum Bestimmungsort zu **befördern** und dort an den Empfänger **abzuliefern**" (§ 407 Abs. 1 HGB). Der Absender muss die vereinbarte Fracht bezahlen.

Für den Vertragsabschluss ist keine bestimmte Form vorgeschrieben. Er kann also – wie der Speditionsvertrag – mündlich, schriftlich oder durch konkludentes Handeln zustande kommen.

3.2.1.2 Frachtbrief

Wenn der Frachtführer es verlangt, muss der Absender einen **Frachtbrief** ausstellen. Die Inhalte des Frachtbriefes regelt der § 408 Abs. 1 HGB. Grundsätzlich besteht also kein Frachtbriefzwang. Der Lkw-Unternehmer hat nach dem GüKG dafür zu sorgen, dass „ein Begleitpapier oder ein sonstiger Nachweis, in dem das beförderte Gut, der Be- und Entladeort und der Auftraggeber angegeben werden" *(§ 7 Abs. 1 Zf. 3 GüKG)*, mitgeführt wird.

Funktionen des Frachtbriefes

- Beweis über den Abschluss des Frachtvertrages
- Beweis über die Inhalte des Frachtvertrages (Instruktionspapier)
- Übernahme- und Ablieferquittung
- Begleitpapier
- Sperrpapier (wenn eine Sperrfunktion in den Frachtbrief eingetragen wird)

Form des Frachtbriefes

Der Frachtbrief wird in **drei Originalen** (für den Absender, den Frachtführer und für den Empfänger) ausgestellt (Beispiel siehe Seite 57) und vom Absender unterzeichnet. Auf Wunsch des Absenders unterschreibt auch der Frachtführer den Frachtbrief. Nachbildungen der Unterschriften können auch gedruckt oder gestempelt (Faksimile-Stempel) werden (§ 408 Abs. 2 HGB).

Besondere Beweiskraft des Frachtbriefes

Der von beiden Parteien unterschriebene HGB-Frachtbrief hat nach (§ 409 HGB) eine besondere **Beweiskraft**. Daher wird vermutet, dass Anzahl, Zeichen und Nummern sowie äußere Beschaffenheit des Gutes mit dem Frachtbrief übereinstimmen. Sollte eine Differenz auftreten, hat der Frachtführer bei der Übernahme einen „begründeten **Vorbehalt**“ in den Frachtbrief einzutragen.

3.2.1.3 Absenderpflichten

Informationspflicht	Angaben über Gefahrgut sind rechtzeitig schriftlich mitzuteilen.	§ 410 HGB
Verpackungs- und Kennzeichnungspflicht	Das Gut ist so zu verpacken, dass es vor Schäden geschützt ist und dem Frachtführer keine Schäden entstehen. Das Gut ist zu kennzeichnen, wenn es erforderlich ist.	§ 411 HGB
Papiere und Auskünfte	Papiere und Auskünfte für eine amtliche Behandlung sind dem Frachtführer zu übergeben.	§ 413 HGB
Haftung des Absenders	Der Absender haftet verschuldensunabhängig und unbegrenzt, wenn Verpackungs-, Kennzeichnungs- oder Informationspflichten verletzt oder unrichtige Angaben im Frachtbrief gemacht werden und daraus Schäden entstehen.	§ 414 HGB

Be- und Entladepflicht

Der Absender ist verpflichtet, die Güter **beförderungsicher** zu verladen, damit das Gut durch übliche Transportgefahren nicht beschädigt werden kann. Der Absender muss auch für die Entladung des Gutes sorgen. Der Frachtführer ist für die **betriebssichere** (verkehrssichere) Verladung verantwortlich (§ 412 HGB).

1 Absender (Name, Anschrift)	FRACHTBRIEF für den gewerblichen Güterkraftverkehr
SEIDLITZ GmbH Tierfuttererzeugung Engerstr. 45 47800 Krefeld	
2 Empfänger (Name, Anschrift)	3 Frachtführer (Name, Anschrift)
Futterkrippe Großhandels-GmbH Neumärker Str. 18 29410 Salzwedel	**EUROTRANS** **Internationale Transporte** **Völklinger Str. 21** **40221 Düsseldorf**
4 Meldeadresse	5 Nachfolgende Frachtführer (Name, Anschrift)
6 Übernahme des Gutes Versandort: 47800 Krefeld Beladestelle: Hafenstraße 18, Tor 2 8 Ablieferung des Gutes Ort: 29410 Salzwedel Entladestelle: Neumärker Str. 18 9 Beigefügte Dokumente Lieferschein	7 Vorbehalte und Bemerkungen der Frachtführer

10 Anzahl der Packstücke	11 Zeichen und Nummern	12 Art der Verpackung	13 Bezeichnung des Gutes	14 Bruttogewicht in kg	15 Volumen in m^3
26	Adresse	Euro-Flach-paletten	Tierfutter	16 240	

16 **Gefahrgut-Klassifikation**			Nettomasse kg/l	
UN-Nr.	Gefahrgut-Bezeichnung	Gefahrzettelmuster	Verpackungsgruppe	
				ADR

17 Weisungen des Absenders (Zoll- und sonstige amtliche Behandlungen des Gutes)

18 Nachnahme:		20 Besondere Vereinbarungen
19 Frankatur	Frei Haus	Ablieferung des Gutes bis spätestens am 16. Juli 2020 um 16:00 Uhr vereinbart.

21 Ausgefertigt in Krefeld	am 14. Juli 2020	Gut empfangen am 15.07.2020, 7:30 Uhr
SEIDLITZ GMBH Tierfuttererstellung Engerstr. 45 47800 Krefeld *Franz Meier* 22 Unterschrift und Stempel des Absenders	EUROTRANS Internationale Transporte Völklinger Str. 21 40221 Düsseldorf *Kowalski* 23 Unterschrift und Stempel des Frachtführers	24 Unterschrift und Stempel des Empfängers

	25 Amtl. Kennzeichen	26 Nutzlast in kg
Kfz	D-ET 1023	
Anhänger	D-ET 1064	25 450

Die Be- und Entladezeit wird zwischen den Frachtvertragspartnern vereinbart, oder es gilt eine „angemessene Ladezeit“[1]. Dauert die Ladezeit länger, so erhält der Frachtführer ein angemessenes „Standgeld“ (§ 412 HGB).

3.2.1.4 Weitere Frachtvertragsvorschriften

Lieferfristen (§ 423 HGB)

Im Frachtvertrag können Lieferfristen vereinbart werden. Ohne eine solche Vereinbarung gilt die Frist, die einem sorgfältigen Frachtführer unter Berücksichtigung der Umstände vernünftigerweise zuzubilligen ist. Bei einer Lieferfristüberschreitung haftet der Frachtführer für den entstandenen Schaden im Rahmen der Höchstgrenzen nach § 431 Abs. 3 HGB.

Frachtzahlung (§ 420 HGB)

Grundsätzlich ist der Absender zur Zahlung der Fracht verpflichtet. Er kann aber durch Angabe der Frankatur „unfrei“ den Frachtführer anweisen, die Fracht beim Empfänger zu kassieren. Sollte der Empfänger nicht bezahlen, bleibt der Absender zur Zahlung verpflichtet[2].

Nachnahme (§ 422 HGB)

Der Absender kann im Frachtbrief verfügen, dass die Sendung nur Zug-um-Zug gegen einen Nachnahmebetrag ausgeliefert werden darf. Dabei muss der Betrag in bar (oder gleichwertigem Zahlungsmittel) einkassiert werden.

Nachträgliche Verfügungen/Sperrfunktion (§ 418 HGB)

Der Absender hat während des Transportes ein Verfügungsrecht über das Gut. Er kann insbesondere verlangen, dass das Gut angehalten wird, es an einen anderen Bestimmungsort bzw. eine andere Ablieferungsstelle oder einen anderen Empfänger ausgeliefert wird.

---

1 *In den ADSp 2017 werden die Be- und Entladezeiten pro Lade- oder Entladestelle bei Fahrzeugen mit 40 Tonnen zulässigem Gesamtgewicht pauschal auf zwei Stunden für die Verladung bzw. die Entladung festgelegt (Ziff. 11.2).*

2 *Der Frachtführer darf das Gut nur Zug um Zug gegen Zahlung der Fracht abliefern. Nur bei einer Weigerung des Empfängers zur Frachtzahlung wird der Absender verpflichtet. In dem Fall liegt aber ein Ablieferungshindernis vor.*

> „Der Frachtführer ist nur insoweit zur Befolgung solcher Weisungen verpflichtet, als deren Ausführung weder Nachteile für den Betrieb seines Unternehmens noch Schäden für die Absender oder Empfänger anderer Sendungen mit sich zu bringen droht. Er kann vom Absender Ersatz seiner durch die Ausführung der Weisung entstehenden Aufwendungen sowie eine angemessene Vergütung verlangen; [...]“
> *(§ 418 HGB)*

Ist im Frachtbrief eine Sperrfunktion eingetragen, muss das Absenderexemplar des Frachtbriefes dem Frachtführer vorgelegt werden und die nachträgliche Verfügung in diesem Frachtbrief eingetragen werden.

Hindernisse (§ 419 HGB)

Treten während des Transportes Hindernisse auf, die die Weiterbeförderung des Gutes unmöglich machen (Beförderungshindernisse) oder tritt ein Hindernis bei der Ablieferung auf (Ablieferungshindernisse), so muss der Frachtführer den Absender informieren und Weisungen einholen.

Sind innerhalb angemessener Zeit keine Weisungen zu erhalten, so hat der Frachtführer die Maßnahmen zu ergreifen, die ihm im Sinne des Absenders als die besten erscheinen.

Eine im Frachtbrief eingetragene Sperrfunktion gilt auch bei den Hindernissen. Nur bei Annahmeverweigerung des Empfängers entfällt die Sperrfunktion und der Absender kann wieder über das Gut verfügen.

3.2.1.5 Haftung des Frachtführers

Der Frachtführer haftet für **Güterschäden** (Verlust und Beschädigung) und für **Lieferfristüberschreitung** während des Obhutszeitraumes verschuldensunabhängig (Gefährdungshaftung). Güterfolgeschäden werden nicht ersetzt.

Die **Haftungsausschlüsse** richten sich nach den §§ 426–427 HGB, die bereits im Zusammenhang mit der Spediteurhaftung auf Seite 30 beschrieben wurden.

Haftungshöchstgrenzen

- **Güterschäden**
  1. **Schaden** (§ 425 HGB)
  2. maximal der **Wert** des Gutes am Ort und zur Zeit der Übernahme (abzüglich evtl. enthaltener Beförderungskosten) bzw. die Wertminderung bei Beschädigung (§ 429 HGB) zuzüglich der Schadensfeststellungskosten (§ 430 HGB)

3. maximal **8,33 Sonderziehungsrechte** für jedes Kilogramm des Rohgewichtes (Bruttogewicht) des beschädigten oder in Verlust geratenen Gutes

Schadenersatz ist das Minimum der drei Haftungshöchstgrenzen.
Zusätzlich werden die Frachtkosten ersetzt, die der Geschädigte schon bezahlt hat (§ 432 HGB).

→ **Lieferfristüberschreitung**
- Ersetzt wird der Verspätungsschaden (§ 425 HGB),
- maximal die dreifache Fracht.

Sonstige Haftungsgründe

Vorschrift	Inhalt	Höchstgrenzen
§ 413 HGB	**Papiere** schuldhafter Verlust oder Beschädigung bzw. unrichtige Verwendung der dem Frachtführer übergebenen Urkunden	Haftungsbegrenzung auf den Betrag, der bei Verlust der Sendung zu zahlen wäre
§ 418 HGB	**Sperrfunktion** Nichtbeachtung der im Frachtbrief eingetragenen Sperrfunktion durch Annahme unberechtigter Weisungen	Haftung für den gesamten entstandenen Schaden ohne Haftungsbegrenzung
§ 422 HGB	**Nachnahmefehler** Nichteinkassierung des eingetragenen Nachnahmebetrages oder Kassierung eines falschen Betrages	verschuldensunabhängige Haftung bis zur Höhe des Nachnahmebetrages
§ 433 HGB	**Sonstige Vermögensschäden** Haftung für sonstige Verletzung von Nebenpflichten aus dem Frachtvertrag	Haftungsbegrenzung auf den dreifachen Betrag, der bei Verlust der Sendung zu zahlen wäre

Haftung für Leute und Dritte (§ 428 HGB)

Der Frachtführer haftet für „Handlungen und Unterlassungen seiner Leute“ wie für eigenes Handeln. Er haftet ebenfalls für die von ihm eingesetzten anderen Frachtführer. Diese Regelung gilt auch für einen Spediteur, der nach den §§ 458-460 HGB Frachtführereigenschaften hat.

Wegfall der Haftungsbefreiungen und -begrenzungen

Die im HGB „und im Frachtvertrag vorgesehenen Haftungsbefreiungen und Haftungsbegrenzungen gelten nicht, wenn der Schaden auf eine Handlung oder Unterlassung zurückzuführen ist, die der Frachtführer oder eine in § 428 genannte Person **vorsätzlich** oder **leichtfertig und in dem Bewußtsein, daß ein Schaden mit Wahrscheinlichkeit eintreten werde**, begangen hat." *(§ 435 HGB)*

3.2.1.6 Fristen

→ **Reklamationsfristen**
Offene Schäden müssen sofort, verdeckte Schäden spätestens innerhalb von sieben Tagen nach Ablieferung gemeldet werden. Lieferfristüberschreitungen müssen spätestens 21 Tage nach Ablieferung reklamiert werden (§ 438 HGB).

→ **Verlustvermutungsfrist**
Der Verlust des Gutes wird vermutet, wenn die Ablieferung nicht innerhalb der Lieferfrist und weiteren 20 Tagen erfolgt (§ 424 HGB).

→ **Verjährungsfrist**
- Die Verjährungsfrist beträgt ein Jahr.
- Bei Vorsatz oder einem dem Vorsatz gleichstehenden Verschulden beträgt sie drei Jahre.
- Beginn ist am Tag der Ablieferung oder (bei Verlust) am Ende der Lieferfrist (§ 439 HGB).

3.2.2 CMR-Frachtrecht

Die CMR (Übereinkommen über den Beförderungsvertrag im internationalen Straßengüterverkehr) ist die Rechtsgrundlage für Frachtverträge im grenzüberschreitenden Lkw-Transport.

3.2.2.1 CMR-Geltung

Die CMR gilt für die entgeltliche Güterbeförderung auf der Straße, wenn der Versand- und der Bestimmungsort in zwei verschiedenen Staaten liegen, von denen mindestens ein Staat die CMR gezeichnet hat (Art. 1 CMR).

Die CMR gilt nicht für Beförderung von Post, Leichen und Umzugsgut (Art. 1 CMR).

Werden Güter im kombinierten Verkehr (Huckepackverkehr) befördert, gilt die CMR für den ganzen Transport, wenn das Gut und das Fahrzeug ohne Umladung auf einer

Teilstrecke mit der Bahn, dem See- oder Binnenschiff oder dem Flugzeug transportiert wird (Art. 2 CMR).

Bei einem Schaden, der durch ein Ereignis eingetreten ist, das nur während und wegen der Beförderung durch das andere Beförderungsmittel eingetreten sein kann (Art. 2 CMR), wird nach den Regeln des anderen Beförderungsmittels gehaftet.

3.2.2.2 CMR- und HGB-Vorschriften

Die Vorschriften des HGB und der CMR sind sehr ähnlich ausgestaltet. Es gibt jedoch einige wichtige Unterschiede.

Frachtbrief (Art. 4–11 CMR)

Die CMR geht davon aus, dass regelmäßig ein Frachtbrief ausgestellt wird. Die **Funktionen** entsprechen denen des HGB-Frachtbriefes.

Die **Frachtbriefinhalte** stimmen überein. Zusätzlich muss jedoch die CMR-Klausel eingefügt werden. Die **CMR-Klausel** ist „die Angabe, daß die Beförderung trotz einer gegenteiligen Abmachung den Bestimmungen dieses Übereinkommens unterliegt" (Art. 6 Abs. 1 lit. k CMR). Damit wird die CMR zusätzlich zu der gesetzlichen Geltung (die CMR ist durch den Bundestag ratifiziert) auch vertraglich vereinbart. Das kann von Bedeutung sein, wenn eine gerichtliche Auseinandersetzung über den Frachtvertrag im Ausland erfolgt.

Nachträgliche Verfügung und Sperrfunktion (Art. 12 CMR)

Die CMR enthält die gleichen Regelungen zur nachträglichen Verfügung wie das HGB. Allerdings muss die **Sperrfunktion** in den Frachtbrief nicht eingetragen werden, da sie in der CMR immer gilt.

Nach der CMR ist es möglich, dass der Empfänger bereits während des Transports ein Verfügungsrecht über das Gut erhält. Diese Regelung muss in den Frachtbrief eingetragen werden. Auch in diesem Fall muss der Empfänger bei einer nachträglichen Verfügung das Absenderexemplar des Frachtbriefes vorlegen.

Haftung nach CMR (Art. 17–29 CMR)

Die Vorschriften der CMR über das Haftungsprinzip, die Haftungsausschlüsse und die Haftungshöchstgrenzen bei Güterschäden stimmen mit den Regeln im HGB überein.

Die Haftungshöchstgrenzen für **Lieferfristüberschreitungen** sind in der CMR abweichend geregelt. Hier wird nur maximal die einfache Fracht ersetzt.

Die CMR enthält auch zwei Möglichkeiten, die Haftungshöchstgrenzen zu erweitern:

- **Lieferwerteintragung** (Art. 24 CMR)
  Durch die Eintragung eines Lieferwertes kann die Höchsthaftung für Güterschäden über die 8,33 Sonderziehungsrechte je kg hinaus erhöht werden. Als Höchstgrenze gilt dann der eingetragene Lieferwert.
- **Lieferinteresse** (Art. 26 CMR)
  Der Absender kann im Frachtbrief ein Lieferinteresse deklarieren. In diesem Fall wird der Güterschaden[1], der Güterfolgeschaden und der reine Vermögensschaden bis zur Höhe des angegebenen Lieferinteresses ersetzt. Der Schadenersatz geht über die CMR-Haftungshöchstgrenzen hinaus.

Fristen

Die Reklamations- und Verjährungsfristen sind in der CMR genau wie im HGB geregelt. Die Verlustvermutungsfrist ist wegen den längeren Transportstrecken deutlich höher. Der Absender kann 30 Tage nach Ende der Lieferfrist bzw. 60 Tage nach Übernahme durch den Frachtführer den Verlust vermuten, wenn die Sendung noch nicht abgeliefert ist.

CMR-HGB-Vergleich		
CMR	HGB	*)
Art. 1 Geltung		☐
Art. 3 Haftung für Leute und Dritte	§ 428 Haftung für Leute und Dritte	☒
Art. 4 Frachtbrief: Ausstellung	§ 408 Frachtbrief	☐
Art. 5 Frachtbrief: Ausfertigungen	§ 408 Frachtbrief	☒
Art. 6 Frachtbrief: Inhalte	§ 408 Frachtbrief	☐
Art. 8 Prüfpflichten	§ 409 Beweiskraft des Frachtbriefs	☒
Art. 9 Beweisfunktion Frachtbrief	§ 409 Beweiskraft des Frachtbriefs	☒
Art. 10 Haftung des Absenders	§ 414 Haftung des Absenders	☒
	§ 412 Be- und Entladen	○
Art. 11 Begleitpapiere	§ 413 Begleitpapiere	☒

[1] *Das Lieferinteresse enthält also auch die Haftungserhöhung für Güterschäden, die mit der Lieferwerteintragung erreicht werden kann und darüber hinaus die Haftung für Güterfolge- und reine Vermögensschäden bis zum Lieferinteresse (Vgl. Koller, Ingo: Transportrecht, 10. Aufl. C. H. Beck: München, 2020, CMR Art. 26 Anm. 4 S. 1243).*

CMR-HGB-Vergleich		
CMR	**HGB**	***)**
Art. 12 Nachträgliche Verfügung	§ 418 Nachträgliche Verfügung	☐
Art. 14 Beförderungshindernisse	§ 419 Hindernisse	☒
Art. 15 Ablieferungshindernisse	§ 419 Hindernisse	☒
Art. 16 Kosten, Einlagern, Verkauf	§ 419 Hindernisse	☒
Art. 17 Haftung	§ 425 Haftung	☒
Art. 17 Haftungsausschlüsse	§ 426 Haftungsausschlüsse	☒
Art. 18 Beweislast/Ausschlüsse	§ 427 Haftungsausschlüsse	☒
Art. 19 Lieferfrist	§ 423 Lieferfrist	☒
Art. 20 Verlustvermutung	§ 424 Verlustvermutung	☐
Art. 21 Nachnahmefehler	§ 422 Nachnahme	☒
Art. 22 Gefahrgutinformation	§ 410 Gefahrgutinformation	☒
Art. 23 Schadenersatzhöhe	§ 429 Wertersatz	☒
	§ 430 Schadenfeststellungskosten	○
Art. 23 Höchstbeträge	§ 431 Höchstgrenzen	☐
Art. 23 Güterschäden	§ 431 Güterschäden	☒
Art. 23 Verspätungsschäden	§ 431 Verspätungsschäden	☐
Art. 24 Lieferwert		■
Art. 26 Lieferinteresse		■
Art. 29 Vorsatz	§ 435 Vorsatz	☒
Art. 30 Reklamationsfrist	§ 438 Schadenanzeige	☒
Art. 32 Verjährung	§ 439 Verjährung	☒

*) Vergleich der Vorschriften CMR/HGB (☒ = im Wesentlichen übereinstimmend, ☐ = nicht übereinstimmend, ○ = in der CMR nicht enthalten, ■ = im HGB nicht enthalten)

3.3 Fahrzeugkostenkalkulation

Im Lkw-Verkehr gibt es keine tariflichen Vorschriften. Um Preise festlegen zu können, muss der Lkw-Unternehmer seine Kosten kalkulieren.

3.3.1 Kostenarten

Folgende Kostenarten werden unterschieden:

- **variable Kosten (Kilometersatz)**
  Variable Kosten sind alle Kosten, die von den gefahrenen Kilometern abhängig sind. Dazu gehören z. B. die Kraftstoffkosten, Schmierstoffe/Öle, Reifenkosten und Reparaturen/Wartung. Auch die Autobahnmaut gehört zu den kilometerabhängigen Kosten, da die Maut je gefahrenem Autobahnkilometer berechnet wird[1]. Die variablen Kosten werden auf die gefahrenen Jahreskilometer umgerechnet (Kilometersatz).
  Die Abschreibung auf das Fahrzeug wird durch die Abnutzung und die Entwertung durch Veraltung und den ruhenden Verschleiß des Fahrzeuges verursacht. Daher wird die Abschreibung in Abnutzung und Entwertung aufgeteilt. Im Fernverkehr werden häufig 65 % der Abnutzung zugeordnet, im Nahverkehr sind das normalerweise 50 %. Die Abschreibung für Abnutzung zählt zu den variablen Kosten.
- **fixe Kosten (Tagessatz)**
  Die fixen Kosten sind nur zeitabhängig. Sie fallen als Jahreskosten an und werden auf den Einsatztag umgerechnet.
  - Fahrpersonalkosten:
    Zu den Fahrpersonalkosten gehören der Fahrerlohn (einschließlich Weihnachts- und Urlaubsgeld) und die Sozialaufwendungen (Arbeitgeberanteile). Diese Kosten müssen mit dem Personalfaktor multipliziert werden. Der Personalfaktor gibt an, wie viele Fahrerinnen und Fahrer für einen Lkw benötigt werden. Durch Urlaub, Krankheit und Mehrfahrerbesatzung reicht ein Fahrer bzw. eine Fahrerin je Lkw nicht aus.
    Auch die Spesen, die an den Einsatztagen an die Fahrerinnen und Fahrer ausbezahlt werden, gehören zu den Fahrpersonalkosten.
  - Feste Fahrzeugkosten:
    Zu den festen Fahrzeugkosten zählen die Abschreibung (Entwertung), Verzinsung, Kfz-Steuer, Kfz-Haftpflichtversicherung und die Kfz-Kaskoversicherung. Die Verzinsung ist die kalkulatorische Verzinsung auf das betriebsnotwendige Kapital. Das ist das durch den Betrieb eines Fahrzeugs im Unternehmen gebundene Anlagekapital und setzt sich aus dem durchschnittlich gebundenen Anlagevermögen (Anschaffungspreis mit Reifen/2) und dem notwendigen Umlaufvermögen zusammen.
  - Gemeinkosten:
    Zu den Gemeinkosten gehören vor allem die allgemeinen Verwaltungskosten

---

1 *Die Mauttabelle ist abrufbar unter www.toll-collect.de/de/toll_collect/bezahlen/maut_tarife/maut_tarife.html.*

(Overheadkosten). Die Verwaltungskosten werden als Prozentsatz auf die Fahrzeugeinsatzkosten berechnet.
Die Fahrzeugeinsatzkosten sind die variablen Kosten zuzüglich der Fahrpersonalkosten und der festen Fahrzeugkosten.
Auch der kalkulatorische Unternehmerlohn wird in die Gemeinkosten eingerechnet. Der kalkulatorische Unternehmerlohn wird bei eingetragenen Kaufleuten und bei Personengesellschaften angesetzt, um die Kosten mit den Kosten der Kapitalgesellschaften (die für Geschäftsführer und Vorstandsmitglieder Gehälter bezahlen) vergleichen zu können.
Die kalkulatorischen Wagnisse sind kalkulatorische Kosten, die für besondere Risiken (wie Haftung für Güterschäden) kalkuliert werden müssen.

3.3.2 Auswertung

Die variablen Kosten werden auf die Jahreskilometer umgerechnet. Daraus ergibt sich der Kilometersatz, der bei jedem Transportauftrag für die gefahrenen Kilometer angesetzt wird.

Die Fixkosten werden auf die Einsatztage umgerechnet und bei den Transportaufträgen für die benötigten Tage berechnet.

Zum Tagessatz und zum Kilometersatz wird noch ein angemessener Gewinnzuschlag addiert.

Beispiel: *Transport von 21 t Maschinenteile von Dortmund nach Rosenheim. Die Transportstrecke beträgt 678 km und dauert einen Einsatztag. Der Kilometersatz beträgt 61,35 Cent, der Tagessatz 385,00 €.*

Angebotspreis:

678 km	*61,35*	*Cent*	*415,95 €*
1 Tag	*385,00*	*€*	*385,00 €*
SUMME			*800,95 €*

3.3.3 Kalkulationsschema

Variable Kosten	Jahr	CT/KM
Abschreibung (Abnutzung)		
Kraftstoffkosten		
Schmierstoffe/Öle		
Reifenkosten		

Reparaturen/Wartung		
sonstige Betriebskosten		
Autobahnmaut		
km-abhängige Kosten		KILOMETERSATZ

Fixe Kosten	Jahr	Euro/Tag
Fahrpersonalkosten		
Fahrerlohn		
Weihnachtsgeld		
Urlaubsgeld		
Sozialaufwendungen		
Zwischensumme		
Personalfaktor		
Spesen		
Fahrpersonalkosten		

Feste Fahrzeugkosten	Jahr	Euro/Tag
Abschreibung (Entwertung)		
Verzinsung		
Kfz-Steuer		
Kfz-Haftpflichtversicherung		
Kfz-Kaskoversicherung		
feste Fahrzeugkosten		
Fahrzeugeinsatzkosten		
Gemeinkosten		
Verwaltungskosten		
kalkulatorischer Unternehmerlohn		
kalkulatorische Wagnisse		
Gemeinkosten		
fixe (zeitabhängige) Kosten		Tagessatz
Gesamtkosten		

3.3.4 LKW-Maut

In Deutschland sind alle Lastkraftwagen mit einer technisch zulässigen Gesamtmasse von mehr als 3,5 Tonnen mautpflichtig. Auch ausländische Fahrzeuge unterliegen der Mautpflicht. Die Mautpflicht gilt auf allen Autobahnen und auf allen Bundesstraßen.

Die Höhe der Maut ist abhängig von

- Schadstoffklasse des Fahrzeuges (EURO 0 – 6)
- der CO_2-Emissionsklasse
- dem Gewicht und der Achsanzahl
- der Entfernung auf mautpflichtigen Straßen

Es gelten folgende Mautsätze:

Lkw-Mautsätze in Cent pro Kilometer ab 1. Juli 2024							
Schadstoffklasse	CO_2-Emissionsklasse	> 3,5 t bis < 7,5 t	7,5 t bis < 12 t	12 t bis 8 t	> 18 t bis 3 Achsen	> 18 t ab 4 Achsen	> 18 t ab 5 Achsen
Euro 6	4	10,4	12,3	17,4	22,1	23,6	24,7
Euro 6	3	13,4	15,5	21,4	26,9	28,8	31,0
Euro 6	2	13,7	15,9	22,0	27,6	29,6	31,8
Euro 6	1	15,1	17,7	23,8	30,3	32,4	34,8
Euro 5	1	18,9	20,5	27,5	35,3	36,3	38,9
Euro 4	1	20,1	22,1	28,6	37,1	38,8	41,4
Euro 3	1	22,5	25,0	32,8	42,9	45,4	47,8
Euro 2	1	24,4	27,5	34,8	45,9	48,7	51,1
Euro 1 + 0	1	24,8	27,6	35,0	48,4	51,2	51,6

Für die Erfassung der Mautgebühren gibt es verschiedene Möglichkeiten. Am häufigsten wird die automatische Gebührenerfassung über ein im Fahrzeug eingebautes Gerät (**On-Board-Unit**, OBU), dass die mautpflichtigen Strecken über GPS ermittelt. Alternativ kann die Einbuchung auch manuell erfolgen, über das Internet oder eine spezielle App für das Smartphone.

3.3.5 LKW-Maße und Beladung

1. LKW-Abmessungen

Die Abmessungen von Lastkraftwagen (Lkw) werden im Wesentlichen durch die Straßenverkehrs-Zulassungs-Ordnung (StVZO) bestimmt. Dabei gelten folgende Abmessungen:

Parameter	StVZO	
Länge Einzel-LKW	12,00 Meter	
Länge Sattelzug	16,50 Meter	
Länge LKW mit Anhänger	18,75 Meter	
Breite Standard-LKW	2,55 Meter	Innen: 2,44 m
Breite Kühlfahrzeug	2,60 Meter	Innen: 2,44 m
Höhe	4,00 Meter	

Häufig werden Wechselbehälter (Wechselbrücken) im LKW-Verkehr verwendet. Die Brücken können auf Stelzen zum Be- und Entladen oder zum Fahrzeugwechsel beim Begegnungsverkehr vom Motorwagen und dem Anhänger getrennt werden.

Typ	Innenlänge	Innenbreite	Innenhöhe
7,15 m WB	7 150 mm	2 500 mm	2 500 mm
7,45 m WB	7 450 mm		
7,82 m WB	7 820 mm		
7,45 m Jumbo-WB	7 450 mm	2 500 mm	2 700 mm

2. Lademittel

Paletten sind ein zentraler Bestandteil moderner Logistik- und Transportsysteme. Sie dienen als standardisierte Lademittel, die den Transport, das Handling und die Lagerung von Waren erleichtern.

Paletten sind durch Gabelstapler unterfahrbar. Folgende Palettentypen werden hauptsächlich verwendet:

a) **Europalette (EPAL-Palette) / Euro-Flachpalette**
- Palette aus Holz
- **Maße:** 1 200 mm × 800 mm × 144 mm

b) **Industriepalette (ISO-Palette):**
   - Palette aus Holz, Kunststoff oder Metall
   - **Maße:** 1200 mm × 1000 mm × 144 mm

c) **Einwegpalette**
   - **Maße:** Variabel, oft angepasst an die Bedürfnisse des Versenders
   - **Material:** Holz, Pappe, Kunststoff

3. Lademeterermittlung / Beladung

Für die LKW-Disposition ist es notwendig, die für benötigten Lademeter für die zu disponierenden Sendungen zu ermitteln. Dafür gelten folgende Überlegungen:

a) Euroflachpaletten werden je Palette mit 0,4 Lademetern berechnet. Es gehen 3 EFP nebeneinander in den LKW, die dann 1,2 Lademeter beanspruchen. Werden nur 2 EFP quer gestellt, beanspruchen diese 0,8 Lademeter.
b) Industriepaletten haben 0,5 Lademeter je Palette. Es werden zwei Paletten nebeneinander gestellt, die dann zusammen einen Lademeter beanspruchen.
c) Einwegpaletten oder nicht palettierte Packstücke müssen nach den Maßen platzsparend gestellt werden.

Zu Berücksichtigen ist immer, dass Paletten oder Packstücke eventuelle gestapelt werden können (Stapelfaktor beachten)

Beispiele:

POS	Anz.	Art	Maße	SF	LM
1	3	EFP		0	1,20
2	10	EFP		1	2,00
3	4	IP		0	2,00
4	8	EWP	60*50 cm	1	0,50
					5,70

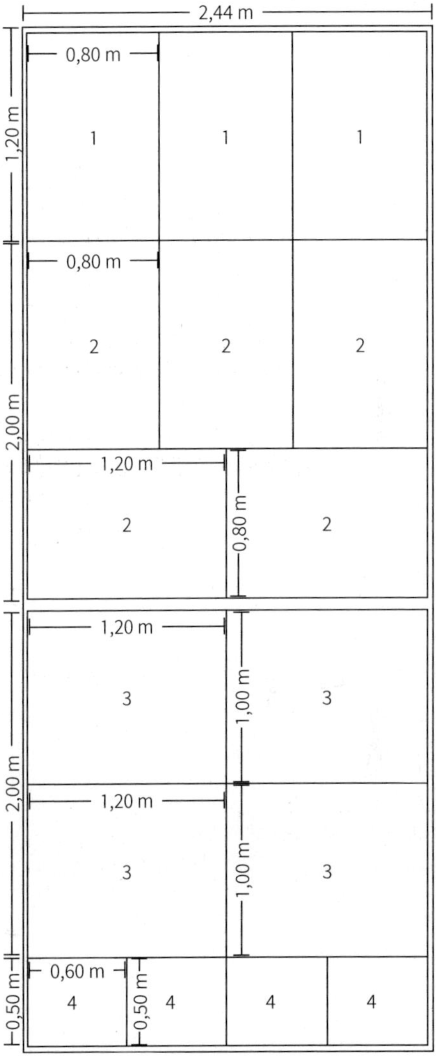
2,44 m
1,20 m
0,80 m
1
1
1
0,80 m
2
2
2
2,00 m
1,20 m
0,80 m
2
2
2,00 m
1,20 m
1,00 m
3
3
1,20 m
1,00 m
3
3
0,50 m
0,60 m
0,50 m
4
4
4
4

3.4 Gefahrgutvorschriften

Im Güterkraftverkehr werden häufig Gefahrgüter transportiert. Um die Bevölkerung und die Umwelt vor den Gefahren zu schützen, die von dieser Fracht ausgehen, gibt es umfangreiche Vorschriften für den Transport, den Umschlag und die Lagerung von Gefahrgut.

3.4.1 Rechtsgrundlagen

Grundlage für die Gefahrgutbeförderung ist die „Richtlinie 2008/68/EG der EU über die Beförderung gefährlicher Güter im Binnenland". In Deutschland gilt das „Gesetz über die Beförderung gefährlicher Güter" (Gefahrgutbeförderungsgesetz – GGBefG).

Auf dieser gesetzlichen Grundlage wurde die „Verordnung über die innerstaatliche und grenzüberschreitende Beförderung gefährlicher Güter auf der Straße, mit Eisenbahnen und auf Binnengewässern" (Gefahrgutverordnung Straße, Eisenbahn und Binnenschifffahrt – GGVSEB) erlassen.

In § 1 Abs. 1 Satz 1 der GGVSEB wird geregelt, dass für innerstaatliche Beförderungen auf der Straße die Vorschriften des „Europäischen Übereinkommens über die internationale Beförderung gefährlicher Güter auf der Straße" (ADR) gelten. Für den grenzüberschreitenden Straßenverkehr gilt das ADR als internationales Abkommen direkt.

3.4.2 Gefahrgutklassen

Die Gefahrgüter werden in neun Gefahrgutklassen eingeteilt:

Klasse 1	Explosive Stoffe und Gegenstände mit Explosivstoff
Klasse 2	Gase (entzündbar, nicht entzündbar, nicht giftig, giftig)
Klasse 3	Entzündbare flüssige Stoffe (brennbare Flüssigkeiten)
Klasse 4.1	Entzündbare feste Stoffe
Klasse 4.2	Selbstentzündliche Stoffe
Klasse 4.3	Stoffe, die mit Wasser entzündbare Gase entwickeln
Klasse 5.1	Entzündend (oxidierend) wirkende Stoffe
Klasse 5.2	Organische Peroxide
Klasse 6.1	Giftige Stoffe
Klasse 6.2	Ansteckungsgefährliche Stoffe
Klasse 7	Radioaktive Stoffe

Klasse 8	Ätzende Stoffe
Klasse 9	Verschiedene gefährliche Stoffe und Gegenstände

Die Zuordnung der Güter zu den Gefahrgutklassen erfolgt über das Verzeichnis der gefährlichen Güter (ADR Anlage A, Kapitel 3.2). Jedes Gut erhält ebenfalls eine vierstellige UN-Nummer zugeordnet.

Verzeichnis der gefährlichen Güter		
UN-Nummer	Benennung und Beschreibung	Klasse
1078	GAS ALS KÄLTEMITTEL, N.A.G. (Gemisch F 1) (Gemisch F 2) (Gemisch F 3)	2

3.4.3 Kennzeichnung

3.4.3.1 Kennzeichnung und Bezettelung der Packstücke

Alle Packstücke werden mit der UN-Nummer gekennzeichnet und mit den Gefahrzetteln (Kantenlänge 10 cm) für die jeweilige Gefahrgutklasse bezettelt. Die Nummern der Gefahrzettel sind ebenfalls im Verzeichnis der gefährlichen Güter enthalten.

3.4.3.2 Kennzeichnung der Fahrzeuge

Lkws, die Gefahrgut befördern, müssen mit orangefarbenen Warntafeln und Großzetteln (Gefahrzettel mit einer Kantenlänge von 25 cm) gekennzeichnet werden.

--> **Stückgutfahrzeuge**
- neutrale Warntafel vorne und hinten am Fahrzeug
- Großzettel (Placards) nur bei Klasse 7 und Klasse 1 an beiden Längsseiten und hinten

--> **Tankfahrzeuge**
- Einkammerfahrzeuge:
  - stoffbezogene Warntafel vorne und hinten am Fahrzeug oder neutrale Warntafeln vorne und hinten am Fahrzeug und stoffbezogene Warntafeln an beiden Seiten
  - Großzettel hinten und an beiden Seiten des Fahrzeuges

Gefahrzettel, Großzettel (Placards) und Kennzeichen:

Klasse 1
Unterklassen 1.1, 1.2 und 1.3

Klasse 1
Unterklasse 1.4

Klasse 1
Unterklasse 1.5

Klasse 1
Unterklasse 1.6

Entzündbare Gase

Nicht entzündbare, nicht giftige Gase

Giftige Gase

Entzündbare flüssige Stoffe

u.a. Entzündbare feste Stoffe

Selbstentzündliche Stoffe

Stoffe, die in Berührung mit Wasser entzündliche Gase bilden

Entzündend (oxidierend) wirkende Stoffe

Organische Peroxide

Giftige Stoffe

Ansteckungsgefährliche Stoffe

Radioaktive Stoffe
7A
Kategorie I

Radioaktive Stoffe
7B
Kategorie II

Radioaktive Stoffe
7C
Kategorie III

Radioaktive Stoffe
7D

Spaltbare Stoffe
7E

Ätzende Stoffe

Verschiedene gefährliche Stoffe

Lithiumbatterien

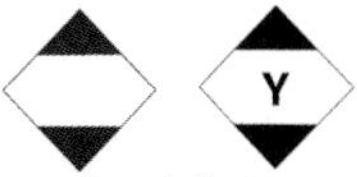

Begrenzte Mengen
(Y im Luftverkehr)

Freigestellte Mengen

Umweltgefährdende Stoffe

Kennzeichen für Lithiumbatterien

Erwärmte Stoffe

Erstickungsgefahr

Ausrichtungspfeile

Rangierzettel
Vorsichtig verschieben

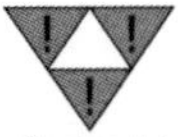

Rangierzettel
Abstoß- und Ablaufverbot

Transport nur in Frachtflugzeugen

Begaste Güterbeförderungseinheit

Ausgabe: 2022 Druck: Z 32 Druckerei des BMDV

- Mehrkammerfahrzeuge:
  - neutrale Warntafel vorne und hinten am Fahrzeug und stoffbezogene Warntafeln an beiden Seiten jeder Kammer
  - Großzettel hinten und an beiden Seiten jeder Kammer

→ **Container und Wechselbehälter im kombinierten Verkehr**

- Tankcontainer und Container mit Gefahrgut in loser Schüttung:
  - Stoffbezogene Warntafeln an beiden Seiten
  - Großzettel hinten und an beiden Seiten des Containers
- Sonstige Container:
  - keine Warntafeln am Container
  - Großzettel hinten und an beiden Seiten des Containers
- Wechselbehälter im kombinierten Verkehr:
  - keine Warntafeln am Wechselbehälter
  - Großzettel auf allen Seiten des Wechselbehälters

zusätzlich neutrale orangefarbene Warntafeln am Trägerfahrzeug

Orangefarbene Warntafel mit Nummer zur Kennzeichnung der Gefahr (zwei oder drei Ziffern, ggf. mit vorangestelltem Buchstaben „X" [reagiert mit Wasser]; eine Verdoppelung der Ziffer weist auf eine erhöhte Gefahr hin)

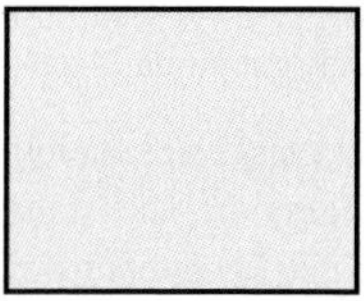

Neutrale orangefarbene Warntafel

3.4.4 Ausrüstung

Für Gefahrgutfahrzeuge sind bestimmte Ausrüstungsgegenstände vorgeschrieben.

→ Feuerlöschausrüstung

a) 2-kg-Feuerlöscher und zusätzlich
b) > 7,5 t zGG: Feuerlöscher mit zusammen 12 kg Pulver (davon ein Feuerlöscher mit 6 kg Pulver)
   > 3,5 t zGG: Feuerlöscher mit zusammen 8 kg Pulver (davon ein Feuerlöscher mit 6 kg Pulver)
   < 3,5 t zGG: Feuerlöscher mit zusammen 4 kg Pulver

→ sonstige Ausrüstung und persönliche Schutzausrüstung

- Für alle Gefahrzettel-Nummern:
  - für das Fahrzeug
    ein Unterlegkeil je Fahrzeug,

zwei selbststehende Warnzeichen,
Augenspülflüssigkeit.
- für jedes Mitglied der Fahrzeugbesatzung
  Warnweste,
  Handlampe (für jedes Mitglied der Besatzung),
  ein Paar Schutzhandschuhe,
  ein Augenschutz (z. B. Schutzbrille).
- Für bestimmte Klassen vorgeschriebene zusätzliche Ausrüstung:
  - für die Gefahrzettel-Nummer 2.3 oder 6.1 für jedes Mitglied der Fahrzeugbesatzung eine Notfallfluchtmaske
  - eine Schaufel
  - eine Kanalabdeckung
  - ein Auffangbehälter aus Kunststoff

3.4.5 Gefahrgutpapiere

Während des Transportes müssen verschiedene Gefahrgutpapiere mitgeführt werden, um das Gefahrgut eindeutig identifizieren zu können.

→ Beförderungspapier mit folgenden Mindestinhalten:
a) UN-Nummer (Buchstaben „UN“ vorangestellt)
b) offizielle Benennung des Gutes (Stoffname) laut ADR
c) Nummern der Gefahrzettelmuster oder Gefahrklasse
d) Verpackungsgruppe
e) Anzahl und Beschreibung der Packstücke
f) Volumen, Brutto- oder Nettomasse
g) Name und Anschrift von Absender
h) Name und Anschrift von Empfänger
k) Tunnelbeschränkungscode

Die Angabe in folgender Kurzform ist zulässig:
«UN 1098, ALLYALKOHOL, 6.1 (3), I,(C/D)»
«UN 1306, HOLZSCHUTZMITTEL, FLÜSSIG, 3, II,(D/E)»
„Die Stelle und die Reihenfolge der Angaben, die im Beförderungspapier erscheinen müssen, dürfen frei gewählt werden; a), b), c), d) und k) müssen jedoch in der oben angegebenen Reihenfolge (d. h. a), b), c), d), k)) ohne eingeschobene weitere Angaben mit Ausnahme der im ADR vorgesehenen angegeben werden.“ *(ADR 5.4.1)*

Beispiel: *Gefahrgutdokumentation im LKW-Frachtbrief*

1 Absender (Name und Anschrift)	
EKA-Pumpen Fischerstraße 12 46399 Bocholt	**FRACHTBRIEF** für den gewerblichen Güterkaftverkehr Frachtbrief-Nr. 2038/415
2 Empfänger (Name und Anschrift)	3 Frachtführer (Name und Anschrift)
Alpamare Freizeitbad Ludwigstraße 14 83646 Bad-Tölz	**A. Möller GmbH** Internationale Transporte Lützowstraße 6, 45141 Essen

10 Zeichen und Nummern der Packstücke	11 Anzahl der Packstücke	12 Art der Verpackung	13 Bezeichnung des Gutes	14 Bruttogewicht in kg	15 Volumen in m³
ALBA 1-6	6	Kisten	Wasserpumpen und Wasserfilter	14 350,0	
ALBA 7-10	4	Euroflachpaletten	Schwimmbad-Desinfektionsmittel, Chlor, flüssig UN 1791	1 242,0	

16 Gefahrgut-Klassifikation			Nettomasse kg/l	1 242 kg
UN-Nr.	Gefahrgut-Bezeichnung	Gefahrzettelmuster	Verpackungsgruppe	Tunnelbeschränkungscode
1791	HYPOCHLORITLÖSUNG	8	II	E

- → schriftliche Weisungen (Unfallmerkblatt)
  Die schriftlichen Weisungen nach dem Muster des ADR (ADR 5.4.3) sind „in der Kabine der Fahrzeugbesatzung an leicht zugänglicher Stelle“ mitzuführen. Der Frachtführer ist für die Mitführung des Unfallmerkblattes in der Sprache der Fahrzeugführer verantwortlich.
- → ADR-Bescheinigung (ADRCard)
  Gefahrgutfahrer/-innen müssen über eine gültige ADR-Bescheinigung verfügen. Die ADR-Bescheinigung wird durch die Industrie- und Handelskammer ausgestellt. Voraussetzung ist die Teilnahme an einer Gefahrgutschulung nach vorgeschriebenen Lehrinhalten und Bestehen einer Prüfung. Die Bescheinigung gilt fünf Jahre und kann mit Nachschulung verlängert werden.

3.4.6 Befreiung von Gefahrgutvorschriften

Befreiungsgrund	Befreiungen
In begrenzten Mengen verpackte gefährliche Güter (Limited Quantities/LQ) → keine Überschreitung der Höchstmengen je Packstück (Innen- und Außenverpackung, Innenverpackung in Trays) → LQ-Höchstmenge aus dem Verzeichnis der gefährlichen Güter (Spalte 7a) → Höchstmengen je Versandstück: für zusammengesetzte Verpackungen: 30 kg Bruttomasse, Trays in Dehn- oder Schrumpffolie: 20 kg Bruttomasse	→ Kennzeichnung mit dem LQ-Label → keine Geltung weiterer Vorschriften des ADR (Beförderungspapier, ADR-Bescheinigung, Ausrüstung, Kennzeichnung des Fahrzeuges etc.) → Beförderungseinheiten mit einem höchstzulässigen Gesamtgewicht über 12 t, mit denen mehr als 8 t Versandstücke mit gefährlichen Gütern in begrenzten Mengen befördert werden, müssen vorne und hinten mit einem Großzettel, nach dem Muster des Gefahrzettels LQ gekennzeichnet werden.
in freigestellten Mengen verpackte gefährliche Güter (Excepted Quantities/EQ) → keine Überschreitung der Höchstmengen je Packstück (Innen-/Außen) → EQ-Ziffer aus dem Verzeichnis der gefährlichen Güter (Spalte 7b) → Höchstmengen mit der EQ-Ziffer für freigestellte Mengen aus der EQ-Tabelle im ADR → Die Anzahl der Versandstücke in einem Fahrzeug oder Container darf 1 000 nicht überschreiten.	→ Kennzeichnung mit EQ-Label → Vermerk „GEFÄHRLICHE GÜTER IN FREIGESTELLTEN MENGEN“ und die Anzahl der Versandstücke im Beförderungspapier angeben → keine Geltung weiterer Vorschriften des ADR (Beförderungspapier, ADR-Bescheinigung, Ausrüstung, Kennzeichnung des Fahrzeuges etc.)

LQ-Label (weiß/schwarz): in begrenzten Mengen verpackte gefährliche Güter (mit Luftfrachtförderung zusätzlich ein „Y“ in der Mitte)

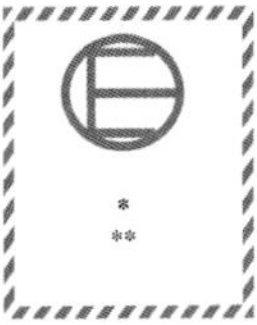

EQ-Label (weiß/rot): in freigestellten Mengen verpackte gefährliche Güter

Befreiungsgrund	Befreiungen
geringe Mengen je Beförderungseinheit --> eine Beförderungskategorie (nach Verpackungsgruppen): begrenzte Menge bei Unterschreitung der festgelegten Höchstgrenzen --> mehrere Beförderungskategorien: 1 000-Punkte-Regel, Multiplikatoren	--> keine Fahrzeugkennzeichnung --> keine Unfallmerkblätter --> keine ADR-Bescheinigung --> keine Beachtung der Tunnelbeschränkungscodes --> Fahrzeug muss nicht gefahrguttauglich sein **weiterhin erforderlich** --> Kennzeichnung der Packstücke --> Beförderungspapier mit Gefahrgutangaben --> Feuerlöschausrüstung nach StVZO (tragbares Feuerlöschgerät mit einem Mindestfassungsvermögen von 2 kg Pulver)

Beförderungskategorie	Höchstzulässige Gesamtmenge je Beförderungseinheit	Multiplikatoren
0	0	–
1	20	50
2	333	3
3	1 000	1

4 Frachtgeschäfte: Luftfracht

Luftfracht

ICAO/IATA	Frachtvertrag	Abrechnung	Haftung
→ ICAO → IATA → IATA-Agenturen	→ Rechtsgrundlagen → Beteiligte → Vertragsinhalte → Papiere → Luftfracht-Sammelgut	→ TACT → Abrechnung Luftfrachtsendungen	→ Rechtsgrundlagen → Haftung nach Montrealer Übereinkommen (MÜ) → Wertdeklaration und Versicherung

4.1 ICAO/IATA

Der internationale Luftverkehr wird im Wesentlichen von den beiden internationalen Organisationen ICAO und IATA bestimmt.

4.1.1 Mitglieder und Aufgaben

→ **ICAO:** International Civil Aviation Organization (Internationale Zivilluftfahrt-Organisation)

- Mitglied sind 193 Staaten (Stand Juli 2020), die Mitglied der UN sind und internationalen Luftverkehr betreiben.
- Die ICAO ist eine Sonderorganisation der Vereinten Nationen (UN).
- Die ICAO hat folgende Aufgaben:
  - Die ICAO strebt eine Ordnung der internationalen Zivilluftfahrt auf weltweiter Basis nach einheitlich gültigen Regeln an.
  - Regelungen für die technischen Probleme der zivilen Luftfahrt
  - Förderung der Entwicklung von Flugzeugen, Flugstrecken, Flughäfen und Luftverkehrseinrichtungen
  - Regelung von Überflug- und Landerechten für Fluggesellschaften (Freiheiten der Luft)

--> **IATA:** International Air Transport Association (Internationaler Luftverkehrsverband)

- Mitglieder der IATA sind große Luftverkehrsgesellschaften (Airlines), die internationalen und transkontinentalen Luftverkehr betreiben.
- Insgesamt sind 297 Airlines (Stand Juli 2020) aus 120 Staaten Mitglied der IATA.
- Aufgaben der IATA:
  1. Informations- und Erfahrungsaustausch
  2. einheitliche Beförderungspreise (TACT) und Transportbedingungen
  3. Abrechnung von Forderungen und Verbindlichkeiten der Airlines über das IATA-Clearing-House (ICH)
  4. Abstimmung der Flugpläne der einzelnen Fluggesellschaften
  5. einheitliche Beförderungsbedingungen
  6. Zulassung von IATA-Frachtagenten und IATA-Reisebüros
  7. Vereinheitlichung von Dokumenten (z. B. AWB) und Verfahren (Bordservice, Freigepäckgrenzen etc.)

Organisationen der IATA

IATA Clearing House (ICH)

--> zentrale Verrechnungsstelle, die Forderungen und Verbindlichkeiten der Fluggesellschaften untereinander ausgleicht
--> Ausgleichszahlungen monatlich
--> Mitgliedschaft im ICH ist freiwillig (nicht alle IATA-Mitglieder sind im ICH)

IATA Verkehrskonferenzen (TC)

1. Tarife und Raten festlegen
2. Flugpläne abstimmen
3. Agenturangelegenheiten entscheiden
4. Beförderungsbedingungen festlegen
5. Wettbewerbsfragen regeln

TC1	TC2	TC3
Nord-, Mittel- und Südamerika mit den benachbarten Inseln Grönland, Karibik und Hawaii	Europa, Afrika, Nahost (IATA-Definitionen)	Asien (außer TC2), Australien, Inseln im Pazifik

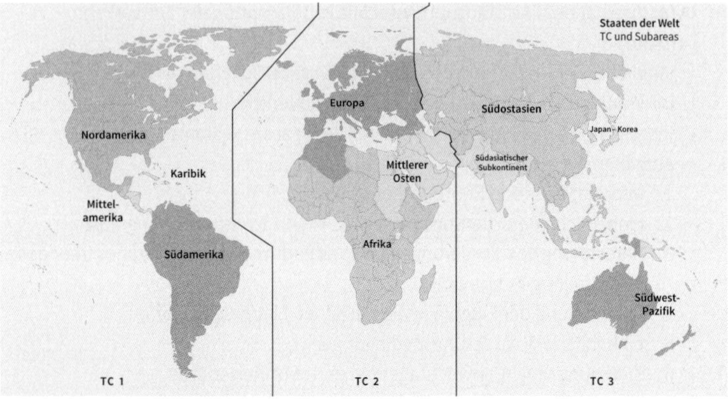

4.1.2 IATA-Agenturen

Eine IATA-Agentur vertritt die Airlines beim Abschluss des Luftfrachtvertrages mit dem Absender (Shipper). Sie sorgt für eine reibungslose Luftfrachtabfertigung.

Die IATA ernennt Speditionen und große Verlader zu IATA-Agenten. Sie müssen dazu folgende **Voraussetzungen** erfüllen:

1. finanzielle Leistungsfähigkeit
2. Räumlichkeiten für Vermittlung, Verkauf und Abfertigung und um das Gut „ready for carriage" zu stellen
3. sachkundiges Personal (Je zwei Mitarbeiter/-innen müssen einen Fracht-Grundlehrgang und einen DGR-Fachlehrgang absolviert haben.)
4. Der Firmenname darf nicht dem Namen eines Carriers ähnlich sein.
5. Probezeit bis zur Ernennung zum IATA-Agenten ohne Auszahlung der Provision

Die IATA-Agenturen müssen folgende **Aufgaben** erfüllen:

1. Marketing für den Luftverkehr betreiben
2. Frachtaufträge beschaffen
3. Luftfrachtbrief ausstellen
4. Versandfertigmachung der Luftfrachtsendung („**ready for carriage**"):
   - Begleitpapiere ausstellen (Luftfrachtbrief, Cargo Manifest)
   - weitere Begleitpapiere (Ausfuhranmeldung, Ursprungszeugnis, Handelsrechnung auf Vollständigkeit) prüfen
   - luftfrachtgerechte Verpackung, Maße und Gewicht prüfen

- Einhaltung der Gefahrgutvorschriften (DGR)
- Bekleben der Packstücke mit Etiketten des Carriers (belabeln), die Anzahl, Bestimmungsflughafen und Frachtbriefnummern enthalten
- auf Wunsch versichern

5. Frachteninkasso und Auskehrung an den Carrier
6. Berechnung der offiziellen IATA-Frachtraten (Tarifierung) im AWB

4.2 Luftfrachtvertrag

Für die Durchführung eines Luftfrachttransportes wird ein Luftfrachtvertrag zwischen dem Absender (Shipper) und dem Luftfrachtführer (Carrier) geschlossen.

4.2.1 Rechtsgrundlagen

Rechtsgrundlage	**HGB Handelsgesetzbuch** Frachtrecht des Handelsgesetzbuches	**MÜ Montrealer Übereinkommen** zur Vereinheitlichung bestimmter Vorschriften im Internationalen Luftverkehr (1999)	**WAK (n. F.) Warschauer Abkommen** ergänzt um das Haager Protokoll (1955)	**WAK (a. F.) Warschauer Abkommen** zur Vereinheitlichung der Regeln über den internationalen Luftverkehr (1929)
Geltung	innerdeutscher Flugverkehr	... wenn Ankunfts- und Abflugstaat das MÜ gezeichnet haben	... wenn Ankunfts- und Abflugstaat das WAK/HP gezeichnet haben	... wenn Ankunfts- und Abflugstaat das WAK gezeichnet haben
Allgemeine Geschäftsbedingungen	**Beförderungsbedingungen der Fluggesellschaften** Die Fluggesellschaften haben in enger Anlehnung an die IATA-Beförderungs- oder Vertragsbedingungen (Terms of carriage, Terms of contract) eigene AGB entwickelt (die Lufthansa-Cargo z. B. die ABB Fracht).			
Einzelvertragliche Regelung	Die Beteiligten am Luftfrachtvertrag können spezielle Fragen auch durch individuelle Vereinbarungen regeln.			

4.2.2 Abschluss und Beteiligte am Luftfrachtvertrag

Der Versender von Luftfracht schließt mit einem Spediteur, der zugleich IATA-Agent ist, einen Speditionsvertrag. Der IATA-Agent hat über die IATA einen Agenturvertrag mit den Airlines.

Der Spediteur schließt nun im Namen des Shippers (Absender), den er als Agent vertritt, den Luftfrachtvertrag mit dem Carrier. Der Spediteur vertritt bei diesem Vertragsabschluss auch den Luftfrachtführer (Agent des Carriers).

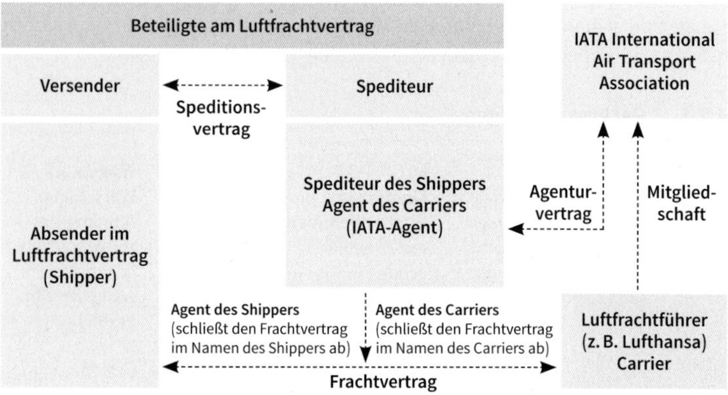

4.2.3 Luftfrachtbrief (Air Waybill, AWB)

Nach dem Montrealer Übereinkommen muss der Shipper einen Luftfrachtbrief in dreifacher Ausfertigung ausstellen (Art. 7 MÜ). In Art. 4 und 5 des MÜ werden die Mindestangaben aufgeführt. Üblich ist die Verwendung des IATA-Musters (siehe Seite 86) des AWB, das u. a. folgende Inhalte enthält:

- Adressen (Shipper, Consignee, IATA-Agent)
- Abflug- und Bestimmungshafen, Flugdaten
- Währung, Frankatur (collect, prepaid)
- Wertangabe, Versicherungswert
- Angaben zum Gut
- Sicherheitsstatus der Sendung
- Fracht, Nebengebühren, Versicherungsprämien nach Tarif
- Unterschriften (Shipper, Carrier oder Agent)

Der AWB hat die üblichen Frachtbrieffunktionen wie

- Vertragsdokumentation,
- Empfangsbescheinigung,
- Anerkennung der Vertragsbedingungen,
- Anweisungen des Absenders.

Zusätzlich enthält der AWB folgende Funktionen:

- Versicherungszertifikat (bei Angabe des Versicherungswertes)
- Sperrpapier (drittes Original)
- Wertdeklaration für die Haftungserhöhung
- Zollpapier (Zollanmeldung)
- Frachtrechnung

Der AWB ist kein Warenwertpapier. Warenwertpapiere sind Papiere, die vom Carrier ausgestellt werden und bei der Ablieferung des Gutes vom Empfänger vorgelegt werden müssen. Das Bill of Lading (in der Seeschifffahrt) ist ein Wertpapier.

Sicherheitsstatus der Sendung

In den „Handling Informationen" muss der Sicherheitsstatus der Sendung (z. B. SPX/KC, INTERSPED, LBA-Registration No. ...) angegeben werden.

Zulassung	Voraussetzungen	Aufgaben
Reglementierter Beauftragter (Regulated Agent/RA)	→ Lagerung in gesicherten Betriebsräumen → Sicherheitsbeauftragter → vorhandenes Luftfracht-Sicherheitsprogramm des Unternehmens	Als Reglementierte Beauftragte werden Agenturen, Spediteure oder sonstige Rechtssubjekte bezeichnet, die in geschäftlicher Beziehung mit einem Luftfahrtunternehmen stehen und Sicherheitskontrollen durchführen, die im Luftfrachtverkehr vorgeschrieben sind.
Bekannter Versender (Known Consignor/KC)	→ Sicherheitsbeauftragter mit Schulung und Zuverlässigkeitsüberprüfung → Betriebsstätte mit Zugangskontrollen → Schulung des Personals	Ist ein Versender als „Bekannter Versender" anerkannt, so gilt die von ihm an die Fluggesellschaft oder an einen Reglementierten Beauftragten übergebene Sendung als sicher (Status SPX/SCO).

Die Zulassung erfolgt über das Luftfahrt-Bundesamt (LBA).

020/DUS/8231 4566 **020-8231 4566**

Shipper's Name and Address	Shipper's Account Number	
WILSON ENGINEERING GMBH SCHORBERGER STR. 72 42699 SOLINGEN		**Not negotiable** **Air Waybill** (Air Consignment note) Issued by **Lufthansa Cargo AG** **Langer Kornweg 341, D-65451 Kelsterbach** **Lufthansa** Member of International Air Transport Association Copies 1, 2 and 3 of this Air Waybill are originals and have the same validity
Consignee's Name and Address	**Consignee's Account Number**	IT IS AGREED THAT THE GOODS DESCRIBED HEREIN ARE ACCEPTED IN APPARENT GOOD ORDER AND CONDITION (EXCEPT AS NOTED) FOR CARRIAGE SUBJECT TO THE CONDITIONS OF CONTRACT ON THE REVERSE HEREOF. ALL GOODS MAY BE CARRIED BY ANY OTHER MEANS INCLUDING ROAD OR ANY OTHER CARRIER UNLESS SPECIFIC CONTRARA INSTRUCTIONS ARE GIVEN HEREON BY THE SHIPPER AND SHIPPER AGREES THAT THE SHIPMENT MAY BE CARRIED VIA INTERMEDIATE STOPPING PLACES WHICH THE CARRIER DEEMS APPROPRIATE: THE SHIPPER'S ATTENTION IS DRAWN OF THE NOTICE CONCERNING CARRIER'S LIMITATION OF LIABILITY. SHIPPER MAY INCREASE SUCH LIMITATION OF LIABILITY BY DECLARING A HIGHER VALUE FOR CARRIAGE AND PAYING A SUPPLEMENT CHARGE IF REQUIRED
SPINNAKER INDUSTRIES INTERNATIONAL INC 828 BROAD STREET NEWARK NJ 07102 USA		
Issuing Carrier's Agent Name and City		**Accounting Information**
AirTrans Spedition GmbH Krahnenburgstraße 71 40472 Düsseldorf		
Agent's IATA Code	**Account No.**	
Airport of Departure (Addr. of First Carrier) and Requested Routing		**Reference Number** / **Optional Shipping Information**
DUS Düsseldorf		

To	By First Carrier (Routing and Destination)	To	By	To	By	Currency	CHGS Code	WT/VAL PPD	WT/VAL COLL	Other PPD	Other COLL	Declared Value for Carriage	Declared Value for Customs
EWR	Lufthansa					EUR		X		X		NVD	NCV

Airport of Destination	Requested Flight/Date		Amount of Insurance	INSURANCE – If Carrier offers insurance, and such insurance is requested in accordance with the conditions thereof, indicate amount to be insured in figures in box marked 'Amount of Insurance'
NEWARK	LH 408/ 9	23. 500, 00		

Handling Information

Commercial Invoice attached 3-f, SPX/KC, INTERSPED, LBA-Registration No. DE.RAC.0210
10 (ten) cartons

SCI

(For U.S.A. use only) These commodities, technology or software were exported from the United States in accordance with the Export Administration Regulations. Diversion contrary to USA law prohibited.

No. of Pieces RCP	Gross Weight	kg/lb	Rate Class	Commodity Item No.	Chargeable Weight	Rate / Charge	Total	Nature and Quantity of Goods (incl. Dimensions or Volume)
10	490	K	Q		500	2,47	1.235,00	electromotors DIMS: 10/30x40x50 cm 0,6 cbm
10	490						1.235,00	"V 100,0 k"

Prepaid	Weight Charge	Collect	Other Charges
1.235,00			AWA 10,00 CHA 30,00 MYC 245,00 SCC 73,50
	Valuation Charge		
	Tax		Insurance Premium INC 51,70
	Total Other Charges Due Agent		Shipper certifies that the particulars on the face hereof are correct and that **insofar as any part of the consignment contains dangerous goods, such part is properly described by name and is in proper condition for carriage by air a**
40,00			
	Total Other Charges Due Carrier		AirTrans Spedition GmbH, Krahnenburgstraße 71, 40474 Düsseldorf *Effers* Signature of Shipper or his Agent
370,20			
Total Prepaid		Total Collect	AirTrans Spedition GmbH, Krahnenburgstraße 71, 40474 Düsseldorf 08.07.20(0) *Effers* Executed on (date) at (place) Signature of Issuing Carrier or its Agent
1.645,20			
Currency Conversion Rates		CC Charges in Dest. Currency	
For Carrier's Use only at Destination		Charges at Destination	Total Collect Charges

COPY 8 (FOR AGENT)

Für die „Other Charges“ werden im AWB normalerweise Abkürzungen verwendet, z. B.:

AW	Air Waybill fee	HR	Human remains	RA	Dangerous goods fee
CH	Clearance and handling-origin	IN	Insurance premium	SC	Security charge
FC	Charges collect fee	LA	Live animals	SO	Storage – origin
GT	Government tax	MY	Fuel surcharge	SR	Storage – destination

Als dritter Buchstabe kommt das Zeichen für den Zahlungsempfänger (A für Agent bzw. C für Carrier) hinzu.

Flugpläne

Flugpläne werden (ausgehend vom Abgangsflughafen) in folgender Form dargestellt:

DÜSSELDORF GERMANY (DUS)										**0200**
RHEIN-RUHR (DUS) 6 mls/9 kms N of city centre MAIN STATION (QDU)										
Validy[1]		Days of Service[2]	Flight							
From	To		Dep[7]		Arr[7]		No.3	Acft[4]	Class[5]	Stops[6]
Mexico City MEX										
–	–	1234567	1315	DUS	1800	MEX	MX 3498	744	BC	0
–	–	1234567	1315	DUS	1800	MEX	LH 498	747	BC	0
–	9 Jun	1234567	1425	DUS	2155	MEX	LH 8240	M1F	AC	1
11 Jun		3 5	1425	DUS	2155	MEX	LH 8240	M1F	AC	1
–	–	1	2050	DUS	0425 +1	MEX	LH 8240	M1F	AC	1
Transfer Connection										
–	–	1234567	1925	DUS	2155	MAD	IB 3503	320	P	0
–	–		1230 +1	MAD	1645 +1	MEX	IB 6403	747	BC	0

[1] Gültigkeit der Verbindung (von ... bis)
[2] Tage des Services (1=Mo, 2=Di ...)
[4] Flugzeugtyp
320=Airbus A320-200; 34F=Airbus A340-600 F;
733=Boeing 737-300 QC; 744=Boeing 747-400;
777=Boeing 777-300; M1F=MD-11 F;
A124=Antonov 124
[6] Anzahl der Zwischenstopps

[3] Flugnummer
[5] Class
AC = reines Frachtflugzeug
BC = Passagierflugzeug mit Zulademöglichkeiten für Container und Paletten
P = Passagierflugzeug mit begrenzter Zulademöglichkeit
[7] Ankunft erst am Folgetag (+1)

4.2.4 Inhalte des Luftfrachtvertrages

- Verbindlichkeit der Beförderungspflicht
  - Die Zeiten aus den Flugplänen sind ohne Gewähr, es können Ersatzluftfahrzeuge oder andere Luftfrachtführer eingesetzt werden.
  - Der Luftfrachtführer kann einen Flug oder das Recht auf Weiterbeförderung streichen, beenden, verändern, verlegen oder einen Flug ohne oder mit nur einem Teil der Güter fortsetzen, wenn **nicht beeinflussbare Situationen vorliegen, unerwartete Regierungsanordnungen erlassen werden oder beim Frachtführer Mangel an Arbeitskräften, Betriebsstoffen oder Einrichtungen herrscht**. (ABB LH Cargo, Art. 6c)
- Verpackung, Auflieferung der Güter
  - Beförderung, Ein- und Ausfuhr dürfen nicht verboten sein.
  - Güter müssen in geeigneter Weise verpackt und gekennzeichnet und mit den erforderlichen Begleitpapieren versehen sein. (ABB LH Cargo, Art. 5.3)
- nachträgliche Verfügungen
  - Der Absender kann nachträgliche Verfügungen (NV) erteilen, wenn der Carrier oder andere Absender nicht geschädigt werden, er alle Kosten der NV trägt und die dritte Ausfertigung des AWB vorlegt.
  - In der NV kann der Absender die Rückgabe der Sendung, das Anhalten während einer Zwischenlandung, die Auslieferung an einen Dritten oder die Rückbeförderung verfügen. (ABB LH Cargo, Art. 7)
- Annahmeverweigerung

  Bei einer Annahmeverweigerung des Empfängers muss der Luftfrachtführer die Weisungen des Absenders auf dem Luftfrachtbrief befolgen; sind diese nicht vorhanden, wird der Absender informiert und der Carrier kann

  1. Sendungen zurückschicken, um im Absendeflughafen die Absenderanweisung abzuwarten oder
  2. nach mindestens 30-tägiger Lagerung privat oder öffentlich verkaufen. Bei leichtverderblichen Gütern ist auch Vernichtung, Einlagerung in Kühlhäusern oder sofortiger Verkauf möglich. (ABB LH Cargo, Art. 8)

4.2.5 Luftfracht-Sammelgut

Im Luftfrachtverkehr ist ein großer Teil der Sendungen relativ klein. Daher wird ein Großteil der Sendungen im Sammelgutverkehr befördert. Spezialisierte Luftfrachtspediteure (Consolidators) fassen Sendungen auf Paletten oder in Luftfrachtcontainern zusammen und versenden die Sammelladung per Luftfracht an einen Empfangsspediteur.

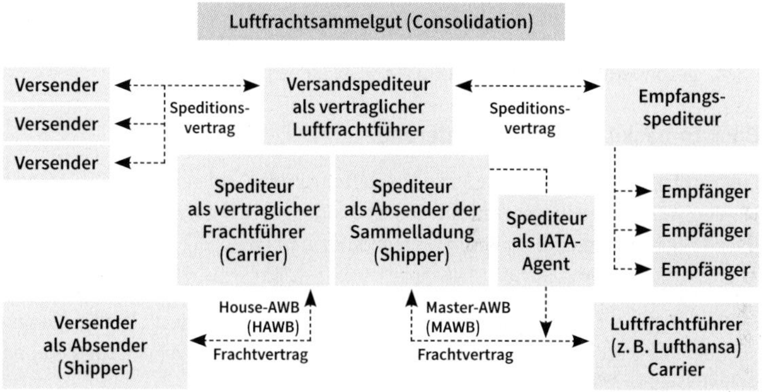

Neben den Sammelgutspediteuren (Consolidators) existieren im Bereich von Paket- und Expressdiensten auch Integrators, die für den Transport eigene oder gecharterte Flugzeuge einsetzen. Sie betreiben im Luftfrachtbereich weltweite Hub- and Spoke-Verkehre.

Papiere im Luftfrachtsammelgutverkehr

- **Master-AWB**
  Der Versandspediteur schließt den Frachtvertrag mit dem Carrier und stellt dabei den Luftfrachtbrief über die zusammengefasste Sammelsendung aus. Dabei ist der Versandspediteur der Shipper und IATA-Agent. Das Gut wird als „consolidated shipment per attached manifest“ bezeichnet.
- **Cargo-Manifest**
  Das Cargo-Manifest ist eine Ladeliste, die dem Master-AWB beigefügt wird und die einzelnen Sendungen auflistet. Es enthält die AWB-Nummer des Master-AWB.
- **US-Manifest**
  Die Daten der Sammelgutsendungen müssen als besonderes Cargo-Manifest an die US-Zollbehörde (Bureau of Customs and Border Protection, CBP) vor Ankunft des Flugzeuges in den USA elektronisch übermittelt werden.

- **House-AWB**

  Für jeden Versender in der Sammelgutsendung wird ein House-AWB ausgestellt. Der Luftfrachtspediteur ist dann „vertraglicher Frachtführer" (Contracting Carrier). Er wird daher als „Carrier" eingetragen. Einen IATA-Agent gibt es nicht, da der Spediteur ja selbst als Carrier fungiert.

  Für die Erfassung der Versenderabrechnung gibt es zwei Möglichkeiten:

  a) Im HAWB wird die Abrechnung mit dem Versender erfasst (nach dem Tarif des Versandspediteurs) oder

  b) es wird keine Abrechnung im HAWB erfasst, sondern dem Kunden eine gesonderte Rechnung erstellt (Total = „as agreed").

Back-to-back-Luftfrachtbeförderung

Luftfrachtsendungen können „prepaid" (frei Haus) oder „collect" (unfrei) befördert werden. Wenn die Fluggesellschaft Collect-Sendungen nicht akzeptiert, kann eine Back-to-back-Luftfrachtbeförderung vorgenommen werden.

Dabei wird die Einzelsendung wie eine Sammelgutsendung behandelt. Der Master-AWB wird prepaid gestellt. Im House-AWB ist die Frankatur „collect". Der Empfangsspediteur kassiert dann das Frachtentgelt und leitet es über den Versandspediteur an den Absender zurück.

4.3 Luftfracht-Gefahrgut

Die Rechtsgrundlage für den Transport gefährlicher Güter mit Flugzeugen sind die IATA-**D**angerous **G**oods **R**egulations, DGR). Sie gelten für alle Airlines, die der IATA angehören, sowie die IATA-Agenten und alle Absender, die Luftfracht mit diesen Fluggesellschaften transportieren.

Die Kennzeichnung der Güter mit Gefahrzetteln und der UN-Nummer entspricht den Vorschriften des ADR. Zusätzlich werden noch **DGR-Gefahrzettel** verwendet:

- CARGO AIRCRAFT ONLY (CAO) (nur in reine Frachtflugzeuge verladen)
- CRYOGENIC LIQUID (tiefgekühlte Flüssigkeit)
- MAGNETIZED MATERIAL (magnetisierendes Material)

Im Luftfrachtverkehr muss eine Versendererklärung für Gefahrgut (SHIPPER'S DECLARATION FOR DANGEROUS GOODS) beigefügt werden (siehe Seite 91), in der das Gut und seine Gefahrguteigenschaften deklariert werden.

SHIPPER'S DECLARATION FOR DANGEROUS GOODS

Shipper WAKIA-Chemie GmbH Industriestraße 88 41460 Neuss	Air Waybill No. Page 1 of 1 Pages Shipper's Reference Number *(optional)*
Consignee JBC INCORPORATED 2-7-4 Hamamuta-Cho Minuta-Ku Tokyo 106 Japan	
Two completed and signed copies of this Declaration must be handed to the operator.	**WARNING**
TRANSPORT DETAILS This Shipment is within the limitations prescribed for: *(delete non-applicable)* — ~~PASSENGER AND CARGO AIRCRAFT~~ / CARGO AIRCRAFT ONLY Airport of Departure: Düsseldorf	**Failure to comply in all respects with the applicable Dangerous Goods Regulations may be in breach of the applicable law, subject to legal penalties. This Declaration must not, in any circumstances and/or signed by a consolidator, a forwarder or an IATA cargo agent.**
Airport of Destination: Tokyo	Shipment type: *(delete non-applicable)* NON-RADIOACTIVE / ~~RADIOACTIVE~~

NATURE AND QUANTITY OF DANGEROUS GOODS

Dangerous Goods Identication							
Proper Shipping Name	Class or Division	UN or ID No.	Packing Group	Subsidiary Risk	Quantity and type of packing	Packing Inst.	Authorization
Extracts, flavouring, liquid	3	UN 1197	II		10 cans (3H1 · 33 kg)	307	

Additional Handling Information

I hereby declare that the contents of this consignment are fully and accurately described above by the proper shipping name, and are classied, packaged, marked and labelled/placarded, and are in all respects in proper condition for transport according to applicable international and national governmental regulations.	Name/Title of Signatory WAKIA-Chemie GmbH Place and Date Neuss, 20(0)-07-08 Signature *(see warning above)*

4.4 Abrechnung in der Luftfracht

Die IATA hat einen Tarif für die Luftfracht aufgestellt, nach dem die Abrechnung zwischen Carrier und Shipper erfolgt. Der Tarif heißt TACT „The Air Cargo Tariff".

4.4.1 TACT „The Air Cargo Tariff"

Die Raten des TACT sind aus kartellrechtlichen Gründen nicht verbindlich. Die tatsächlich gezahlten Raten sind sehr viel niedriger und werden ausgehandelt. Die Ratenvereinbarungen und die Airline-Tarife haben aber häufig die gleiche Ratenstruktur. Der TACT enthält folgende Tarife:

Ratenart		Beispiel	Erläuterung	
Minimum	M			
General Cargo Rates (Alllgemeine Frachtraten)	GCR	--> Normal-Rate --> Quantity-Rates	N Q45, Q100 ...	
Specific Commodity Rates (Spezialwarenraten)	SCR	--> 4204.100 --> 9709.45 --> 9709.100	ELECTRIC EQUIPMENT ... CHEMICALS CHEMICAL PRODUCTS ... (verbunden mit Quantity-Rates)	
Warenklassenraten (Class Rates)		--> Surcharges	Live Animals Valuable Cargo Human Remains	N* 250 % N* 160 % N* 400 %
		--> Reductions	Books for the blind Newspaper, Books	N* 50 % N* 67 %
ULD-Rates Container- und Palettenraten	ULD	/C	Rate je kg für das Overpivot-Gewicht	
		/B 5 /B 8	Rate für das Pivotgewicht des Containers (Typ 5/Typ 8)	

Sperrigkeit

Luftfrachtgüter sind sperrig, wenn das Volumengewicht (volume weight) höher als das wirkliche Gewicht (actual weight) der Sendung ist.

$$\text{Volumengewicht (kg)} = \frac{\text{Summe der Volumen in cm}^3 \text{ aller Packstücke}}{6\,000}$$

Die Fracht für sperrige Güter wird nach dem Volumengewicht, die für nicht sperrige Güter nach dem wirklichen Gewicht berechnet. Das frachtpflichtige Gewicht wird auf volle oder halbe Kilogramm aufgerundet.

4.4.2 Abrechnungsbeispiel

Beispiel: *Frankfurt/Montreal*

a) 1 Kiste	*Maschinenteile:*	*240 kg,*	*198 cm · 124 cm · 72 cm*
b) 2 Kisten	*chemische Produkte:*	*42 kg,*	*52 cm · 28 cm · 40 cm*
		28 kg,	*60 cm · 35 cm · 70 cm*
c) 1 Karton	*Bücher:*	*25 kg,*	*35 cm · 40 cm · 30 cm*
d) 1 Container	*Sammelgut:*	*2340 kg (Typ LD7 = 5)*	

TACT „The Air Cargo Tariff"

FRANKFURT				DE	FRA
EURO				€	KGS
MONTREAL	QC	CA		M	88,20
				N	4,90
				45	2,81
				100	2,76
				300	2,14
		9709		45	2,10
		9709		100	1,95
		4202		100	2,43
			/C		2,13
		5	/B	2000	8022,43
		8	/B	1000	4511,22

9709 CHEMICALS, CHEMICAL PRODUCTS, DRUGS, COSMETICS, PHARMACEUTICALS, ESSENTIAL OILS, RESINS, RUBBER INCLUDING PLASTIC ARTICLES, TOILET ARTICLES

4202 ELECTRIC EQUIPMENT, ELECTRIC APPLIANCES ... OFFICE MACHINERY

Warenklassenraten

Live Animals	N* 250 %	Books for the blind N* 50 %
Valuable Cargo	N* 160 %	Newspaper, Books N* 67 %
Human Remain	N* 400 %	

Lösung zu den Beispielen

a) actual = 240,0 kg, volume = 294,5 kg
Fracht = min{294,5 · 2,76; 300 · 2,14} = 642,00 € (Q300)

b) actual = 70,0 kg, volume = 34,0 kg
Fracht = min{70 · 2,10; 100 · 1,95} = 94,50 € (9709-45)

c) actual = 25,0 kg, volume = 7,0 kg
Fracht = min {25 · 4,90 · 67 %; 45 · 2,81} = 82,08 € (Class Rate books)

d) Gewicht 2340,0 kg

/B (Pivot 2000,0 kg)	8022,43 €
/C (Overpivot 340,0 kg je 2,13 €)	724,20 €
Summe	8746,63 €

4.5 Haftung und Versicherung in der Luftfracht

Die Haftung in der Luftfracht wird nach dem Montrealer Übereinkommen dargestellt, da dieses Abkommen für Deutschland in Kraft ist und für die überwiegende Zahl der Luftfrachttransporte angewendet wird.

4.5.1 Haftung nach dem Montrealer Übereinkommen (MÜ)

Der Frachtführer in der Luftfracht haftet für Güterschäden (Verlust und Beschädigung) nach dem Gefährdungsprinzip. Die Haftung ist verschuldensunabhängig, wenn der Schaden während der Luftbeförderung aufgetreten ist (Art. 18 MÜ).

Für Verspätungsschäden gilt die Haftung nach dem Verschuldensprinzip, allerdings mit Entlastungspflicht des Frachtführers (Art. 19 MÜ).

⇢ **Güter- und Verspätungsschäden**
- Ersetzt wird
  - der Schaden,
  - maximal 26 Sonderziehungsrechte[1] je kg brutto der betroffenen Frachtstücke (Art. 22 MÜ),
  - maximal der Wert des Gutes.[2]
  - Ausschluss von Folgeschäden durch die ABB Fracht (§ 13 ABB LH Cargo)
- Der Absender (Shipper) kann einen Lieferwert (declared value for carriage) in den Frachtbrief eintragen. Die Haftungshöchstgrenze von 26 SZR wird dann durch den eingetragenen Wert ersetzt (Art. 22 MÜ).

⇢ Über den AWB kann das Gut durch den Carrier auch versichert werden, wenn eine Versicherungssumme im Feld „Amount of Insurance" angegeben wird.

Schadensabwicklung

Der Empfänger einer Luftfrachtsendung (oder der Empfangsspediteur) quittiert den Empfang der Sendung. Wird dabei ein Güterschaden entdeckt, muss die Art und der Umfang des Schadens als Vorbehalt vermerkt werden. Es kann auch eine Tatbestandsaufnahme von der Luftfrachtführerin oder vom Luftfrachtführer verlangt werden. Es empfiehlt sich eine zusätzliche Schadendokumentation (z. B. durch Schadenfotos). Die Luftfrachtführerin oder der Luftfrachtführer ist schriftlich für den Schaden haftbar zu machen.

---

1 *Änderung von 22 auf 26 SZR am 28.12.2024.*

2 *Die Haftungshöchstgrenze gilt zwingend und wird auch bei qualifiziertem Verschulden (Vorsatz, grobe Fahrlässigkeit, bewusste Leichtfertigkeit, grobes Organisationsverschulden) nicht durchbrochen.*

Haftungsausschlüsse

Das MÜ sieht folgende Haftungsausschlüsse vor:

a) die Eigenart der Güter oder ein ihnen innewohnender Mangel
b) mangelhafte Verpackung der Güter durch eine andere Person als den Luftfrachtführer oder seine Leute
c) eine Kriegshandlung oder ein bewaffneter Konflikt
d) hoheitliches Handeln in Verbindung mit der Einfuhr, Ausfuhr oder Durchfuhr der Güter (Art. 18 MÜ).

Der Luftfrachtführer haftet für das Handeln seiner Leute wie für eigenes Handeln. Die Leute des Luftfrachtführers können sich auf die gleichen Ausschlüsse und Beschränkungen berufen wie der Luftfrachtführer selbst (Art. 30 MÜ).

4.5.2 Luftfrachtversicherung

Der Luftfrachtführer ermöglicht es dem Absender (Shipper), durch Eintragung einer Versicherungssumme in den AWB (Amount of Insurance) eine Transportversicherung über den Carrier abzuschließen.

Die Luftfrachtversicherung sichert die Schäden ab, die durch die Haftung nach MÜ nicht abgedeckt sind:

a) Güter- und Vermögensschäden über 22 SZR je kg
b) besondere Gefahren wie Krieg, Beschlagnahme u. Ä., die aber auch zum Teil durch Zusatzvereinbarungen abgedeckt werden müssen
c) Die Luftfrachtversicherung deckt auch Risiken von Haus zu Haus ab, obwohl die Haftung nach MÜ nur den Lufttransport umfasst.

5 Seefracht

Seefracht

Schiffe und Container
- Seeschiffe
- Container

Seefrachtvertrag
- Rechtsgrundlagen
- Beteiligte
- Vertragsinhalte
- Papiere

Abrechnung
- Ratenarten
- Zuschläge

Haftung und Versicherung
- Haftung
- Versicherung
- Haverei

5.1 Schiffe und Container

In der Seeschifffahrt werden die **Seeschiffe** nach Bauart und transportierten Gütern unterschieden. Die folgende Übersicht (Seite 96) zeigt die wichtigsten Schiffsarten (Stückgut- und Massengutschiffe).

Spediteure befassen sich überwiegend mit dem Stückgutverkehr über See. Dabei ist der überwiegende Teil der Stückgüter in Container verpackt. Nur solche Güter, die nicht in Container passen, werden in konventionelle Stückgutschiffe verladen. Häufig werden sperrige Güter auch auf „Platforms“ (Container ohne Seitenwände und Dach) oder „Flats“ (mit Stirnwänden) geladen, wobei mehrere dieser Platforms/Flats zusammengekoppelt werden können.

Container sind genormte Behälter zum Transport der Güter. In der Seeschifffahrt werden ISO-Container verwendet. Bei diesen Containern sind die Maße genormt, sodass sie ohne Raumverlust auf speziellen Containerschiffen verladen werden können.

Containermaße	Length			Width	Height	
	20’	40’	45’	8’	8’6”	9’6”
Dimensions	6058 mm	12192 mm	13716 mm	2438 mm	2591 mm	2896 mm
Minimum Internal Dimensions	5867 mm 19’3”	11998 mm 39’43/8”	13532 mm 44’43/4”	2197 mm 7’21/2”	2350 mm 7’81/2”	2655 mm 8’81/2”

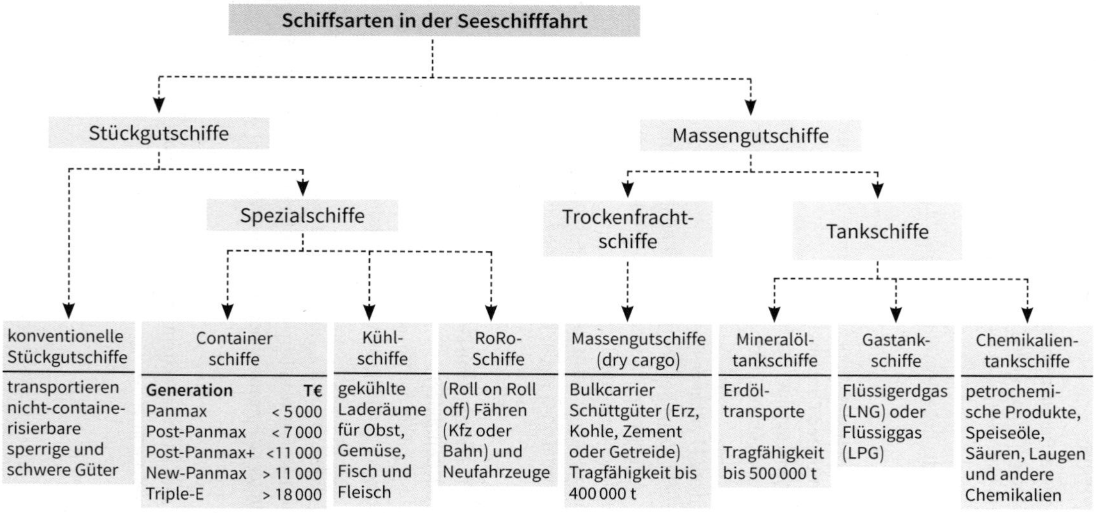
Schiffsarten in der Seeschifffahrt
Stückgutschiffe
Massengutschiffe
Spezialschiffe
Trockenfracht-schiffe
Tankschiffe
konventionelle Stückgutschiffe
transportieren nicht-containe-risierbare sperrige und schwere Güter
Container schiffe
Generation T€
Panmax < 5 000
Post-Panmax < 7 000
Post-Panmax+ <11 000
New-Panmax > 11 000
Triple-E > 18 000
Kühl-schiffe
gekühlte Laderäume für Obst, Gemüse, Fisch und Fleisch
RoRo-Schiffe
(Roll on Roll off) Fähren (Kfz oder Bahn) und Neufahrzeuge
Massengutschiffe (dry cargo)
Bulkcarrier Schüttgüter (Erz, Kohle, Zement oder Getreide) Tragfähigkeit bis 400 000 t
Mineralöl-tankschiffe
Erdöl-transporte
Tragfähigkeit bis 500 000 t
Gastank-schiffe
Flüssigerdgas (LNG) oder Flüssiggas (LPG)
Chemikalien-tankschiffe
petrochemi-sche Produkte, Speiseöle, Säuren, Laugen und andere Chemikalien

Merkmale der ISO-Container

- Standardcontainer (**General Purpose Container**)
  Geschlossener Container (mit Türen in den Stirnseiten und/oder den Seitenwänden); die Wände sind aus Stahl oder Aluminium.
- **Hardtop Container**
  Geschlossener Container, der mit einem abnehmbaren Stahldach ausgestattet ist.
- **Open Top Container**
  Das Dach besteht aus abnehmbaren Spriegeln und einer abnehmbaren Plane.
- Ventilierte Container (**Ventilated Container**)
  passiv (natürlich) belüfteter Container (Kaffeecontainer); Belüftung ist über Ventilationsöffnungen in den oberen und unteren Dachlängsträgern spritzwasserdicht
- **Kühlcontainer** (Refrigerated Container, Reefer)
  a) **Porthole-Reefer[1]:** Versorgung des Containers mit Kühlluft durch bordeigene Kühlsysteme, bei Lagerung oder Transport Kühlung durch Terminalkühlanlage oder „Clip-On-Units“ (Kühlaggregate)
  b) **Integral-Reefer:** Der Container besitzt ein eigenes Kühlaggregat. Auf dem Schiff müssen die Integral Units an das bordeigene Stromnetz angeschlossen werden.
- **Tank-Container**
  Enthalten einen Tank zum Transport von Flüssigkeiten und Gasen.
- Schüttgutcontainer (**Bulk Container**)
  Drei Einfüllöffnungen im Dach; an der Türseite sind zwei Ausschüttöffnungen oder Entladeklappen angebracht, durch die die Container entleert werden.
- **Flat**
  Hochbelastbare Bodenkonstruktion aus einem Stahlrahmen und einem Weichholzboden sowie zwei fest installierten oder klappbaren Stirnwänden; für den Transport bestimmter Ladungen können die Flats mit Rungen versehen werden.
- **Platform**
  Plattformen bestehen nur aus einer extrem belastungsfähigen Bodenkonstruktion ohne Seiten- und Stirnwände.

---

1 *Porthole = Seitenfenster, Bullauge. Diese Container haben auf einer Stirnseite zwei runde Öffnungen (Portholes) für Zu- und Abfuhr von Frischluft.*

Containerarten

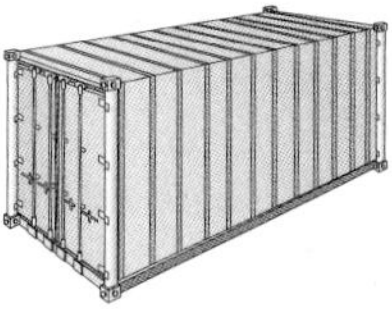	
General Purpose Container 20‘	General Purpose Container 40‘
	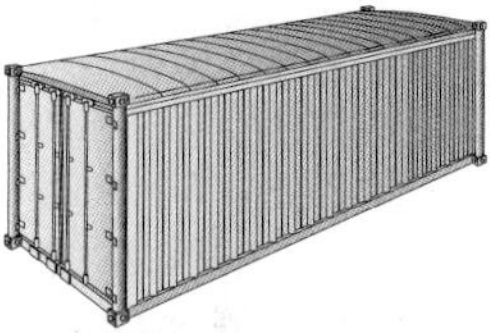
Hardtop Container 20‘	Open Top Container 40‘
	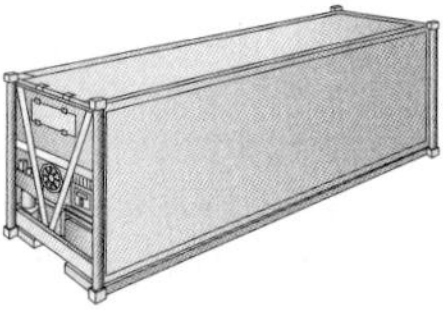
Ventilated Container 20‘	Refrigerated Container 40‘
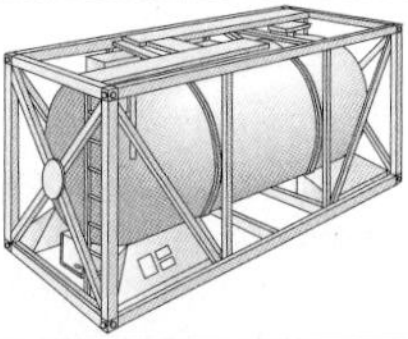	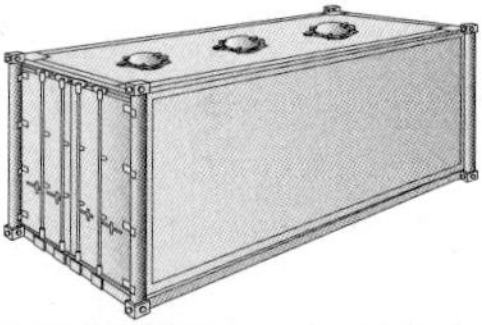
Tank Container 20‘	Bulk Container 20‘
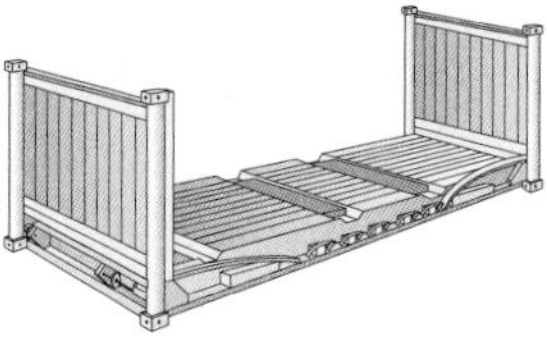	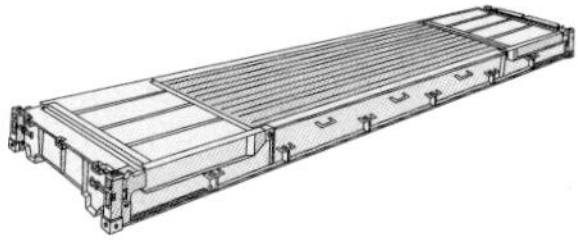
Flat 20‘	Platform 40‘

5.2 Seefrachtvertrag

Für den deutschen Außenhandel ist der Seegüterverkehr von erheblicher Bedeutung. Der internationale Seeverkehr ist Träger des Welthandels: Circa 90 % des Welthandels werden über die Meere abgewickelt. Auch ein Großteil der Waren des deutschen Außenhandels wird mit Schiffen transportiert. Im Jahr 2023 wurden 267,8 Mio. Tonnen Güter in deutschen Seehäfen umgeschlagen. Der Containerumschlag lag dabei bei 12,7 Mio. TEU[1].

5.2.1 Rechtsgrundlagen

Für den internationalen Stückgutverkehr mit Seeschiffen gelten verschiedene internationale Abkommen:

- Internationales Abkommen von 1924 zur Vereinheitlichung von Regeln über Konnossemente (**Haager Regeln**)
- Protokoll 1968 zur Änderung der Haager Regeln (**Visby-Regeln**)
- Die Vorschriften der Haager und der Visby-Regeln wurden in das deutsche **HGB-Seerecht** (§§ 476–619, geändert am 25.04.2013) eingearbeitet.

Die **Hamburg Regeln** von 1978 wurden von Deutschland nicht ratifiziert, die **Rotterdam Regeln** (United Nations Convention on Contracts for the International Carriage of Goods Wholly or Partly by Sea) von 2008 haben bisher wenige Unterzeichner und sind daher nicht in das HGB eingearbeitet.

5.2.2 Beteiligte

Stückgüter und Container werden über See auf der Basis von Frachtverträgen zwischen dem Befrachter (Shipper) und dem Verfrachter (Carrier) abgeschlossen. Diese Beförderungen sind in der Regel grenzüberschreitende Beförderungen.

---

[1] *Vgl. Statistisches Bundesamt: https://www.destatis.de/DE/Presse/Pressemitteilungen/2024/03/PD24_092_463.html*

Beteiligter	Definition	Pflichten nach HGB
Befrachter	Vertragspartner des Verfrachters im Seefrachtvertrag a) der Absender (Hersteller/Händler) b) der Spediteur als Befrachter in eigenem Namen	Zahlung der Fracht § 481 Übergabe des Gutes § 486 Informations-, Verpackungs- und Kennzeichnungspflicht §§ 482–484 Papiere übergeben § 487
Ablader	Unternehmen, das vom Befrachter beauftragt wird, die Sendung dem Verfrachter zu übergeben (an das Schiff abzuladen)	Abladung des Gutes § 513 Recht auf Konnossemente § 514 Zustimmung Decksverladung § 486 Haftung für Maße und Gewichte § 488
Verfrachter	Er übernimmt im eigenen Namen die Beförderung von Gütern über See. a) Reedereien (§ 476 HGB) b) Ausrüster betreibt Seeschifffahrt mit gecharterten Schiffen (§ 477 HGB).	das Gut über See zum Bestimmungsort befördern und abzuliefern § 481 see- und ladungstüchtiges Schiff § 485
Schiffsagent	Linienagent übernimmt die örtliche Vertretung einer oder mehrerer in- und ausländischer Linienreeder, die keine eigene Niederlassung im Hafen haben. Der Linienagent ist Handelsvertreter nach § 84 ff. HGB.	--> Akquisition von Ladungen --> Buchungen von Stückgutpartien --> Erstellung der Seefrachtverträge im Namen des Linienreeders --> Schiffsabfertigung --> Wahrnehmung der Interessen seines Auftraggebers

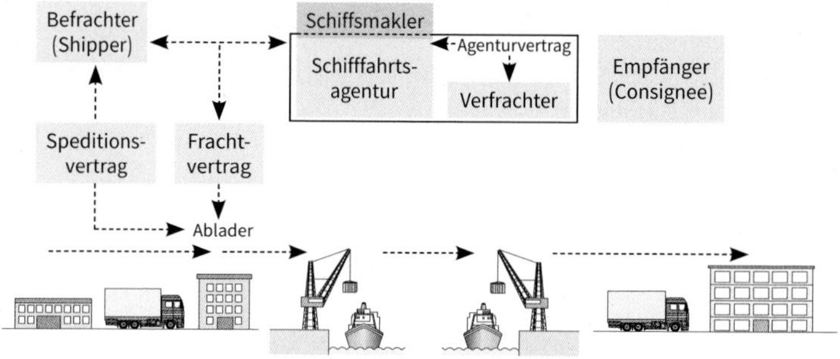

Abschluss des Seefrachtvertrages

NVOCC

Häufig treten Unternehmen als vertragliche Verfrachter auf, die keine eigenen Schiffe betreiben. Sie werden als NVOCC (Non Vessel Operating Common Carrier) bezeichnet. Diese Unternehmen buchen große Kontingente bei den Reedereien und verkaufen diese Plätze einzeln an die Befrachter. NVOCC stellen für die Seefrachtverträge eigene Konnossemente aus und treten als Carrier auf.

Arten der Buchung

- **feste Buchung**
  Die Buchung erfolgt beim Verfrachter oder Agent fest für ein bestimmtes Schiff und Abfahrtdatum. Es wird eine Buchungsnote (booking note) ausgestellt.
- **konditionelle Buchung**
  Der Befrachter bucht zu einem festen Preis mit der Möglichkeit, innerhalb des Buchungszeitraumes die Buchung ohne Begründung zurückzunehmen. Der Agent kann zu einem späteren Zeitpunkt eine Erklärung darüber verlangen, ob die konditionelle Buchung in eine feste Buchung umgewandelt werden soll.
- **Abladung ohne Buchung**
  Der Verfrachter kann auch ohne Buchung das Gut annehmen.

5.2.3 Vertragsinhalte

- **See- und Ladungstüchtigkeit**
  Grundsätzlich gilt, dass der Verfrachter die Pflicht hat, mit einem seetüchtigen Schiff zu transportieren. Das bedeutet, das Schiff befindet sich in

  > „[...] seetüchtigem Stand, gehörig eingerichtet, ausgerüstet, bemannt und mit genügenden Vorräten versehen“. *(§ 485 HGB)*

  Die Laderäume des Schiffes müssen ebenfalls geeignet und in gutem Zustand sein (Ladungstüchtigkeit).
- **Informationspflichten** des Befrachters (Shippers)
  Der Befrachter muss alle notwendigen Angaben über das Gut machen. Dazu gehören insbesondere Angaben über „Maß, Zahl oder Gewicht sowie über Merkzeichen und die Art des Gutes“ (§ 482 HGB).
  Bei gefährlichem Gut sind dem Verfrachter in Textform die Art der Gefahr und die notwendigen Vorsichtsmaßnahmen mitzuteilen (§ 483 HGB).

--> **Verpackungs- und Kennzeichnungspflichten**
Das Gut muss vom Befrachter so verpackt werden, dass es vor Verlust und Beschädigung geschützt ist und dem Verfrachter keine Schäden entstehen können. Der Befrachter hat bei Verwendung von Lademitteln und Containern die Pflicht zur beförderungssicheren Verladung im Container. Das Gut muss gekennzeichnet werden, wenn das für den Seetransport erforderlich ist (§ 484 HGB).

--> **Abladen, Laden und Löschen**
Grundsätzlich liefert der Befrachter das Gut an das Schiff. Der Verfrachter ist für die Verladung an Bord, für das Stauen und Sichern zuständig. Auch das Löschen des Gutes gehört zu den Pflichten des Verfrachters (§ 486 HGB).
Laden und Löschen werden in den Häfen von speziellen Betrieben (Stauerei, Containerterminal) vorgenommen, die im Auftrag des Verfrachters tätig sind.

--> **Sonstige Vertragsinhalte**
Der Befrachter hat dem Gut die notwendigen Urkunden und Auskünfte für eine amtliche (und zollamtliche) Behandlung mitzugeben (§ 487 HGB).

§ 488 HGB Haftung des Befrachters und Dritter
„(1) Der Befrachter hat dem Verfrachter Schäden und Aufwendungen zu ersetzen, die verursacht werden durch
1. Unrichtigkeit oder Unvollständigkeit der erforderlichen Angaben zum Gut,
2. Unterlassen der Mitteilung über die Gefährlichkeit des Gutes,
3. ungenügende Verpackung oder Kennzeichnung oder
4. Fehlen, Unvollständigkeit oder Unrichtigkeit der in § 487 Absatz 1 genannten Urkunden oder Auskünfte.

Der Befrachter ist jedoch von seiner Haftung befreit, wenn er die Pflichtverletzung nicht zu vertreten hat."

Der Befrachter kann nach § 491 HGB **nachträgliche Weisungen** über das Gut erteilen (Anhalten, anderer Bestimmungsort, anderer Empfänger etc.). Der Verfrachter kann (wie im Landfrachtrecht) die Verfügung ablehnen, wenn sie „Nachteile für den Betrieb seines Unternehmens" oder „Schäden für die Befrachter oder Empfänger anderer Sendungen" nach sich ziehen. Im Seefrachtbrief kann dieses Recht durch Eintragung einer Sperrklausel an die Vorlage des Frachtbriefes bei Verfügung gebunden werden.

Bei **Beförderungs- und Ablieferhindernissen** gelten die Regeln aus dem Landfrachtrecht. Der Verfrachter muss Weisungen beim Verfügungsberechtigten einholen und ansonsten „die Maßnahmen [...] ergreifen, die im Interesse des Verfügungsberechtigten die besten zu sein scheinen" (§ 492 HGB).

5.2.4 Papiere

In der Seeschifffahrt wird für Stückgüter und Container traditionell ein Konnossement (Bill of Lading) ausgestellt. Alternativ zum Konnossement kann auch ein Seefrachtbrief (Seaway Bill, Express-B/L) ausgestellt werden.

Konnossement (Bill of Lading, B/L)

Konnossemente sind Ladescheine (Warenwertpapiere), die vom Verfrachter ausgestellt werden und die Rechtsbeziehungen von Befrachter (Ablader), Verfrachter und Empfänger regeln.

- **Pflichten** der Verfrachters
  Der Verfrachter bestätigt die vollständige Übernahme des Gutes in ordnungsgemäßem Zustand. Er verpflichtet sich, die Güter zum Bestimmungsort zu befördern. Die Güter dürfen nur „dem aus dem Konnossement Berechtigten gegen Rückgabe des Konnossements" abgeliefert werden (§ 514 HGB). Nur dieser Berechtigte kann während des Transportes nachträgliche Weisungen gegen Vorlage des Originalkonnossementes erteilen (§ 520 HGB).
- **Inhalt** des Konnossements (§ 515 HGB)
  1. Ort und Tag der Ausstellung
  2. Name und Anschrift des Abladers
  3. Name des Schiffes
  4. Name und Anschrift des Verfrachters
  5. Abladungshafen und Bestimmungsort
  6. Name und Anschrift des Empfängers und eine etwaige Meldeadresse
  7. Art des Gutes und dessen äußerlich erkennbare Verfassung und Beschaffenheit
  8. Maß, Zahl oder Gewicht des Gutes und dauerhafte und lesbare Merkzeichen
  9. die bei Ablieferung geschuldete Fracht, bis zur Ablieferung anfallende Kosten sowie ein Vermerk über die Frachtzahlung
  10. Zahl der Ausfertigungen
- **Funktionen** des Konnossements
  a) Beweisfunktionen:
  Das Konnossement ist eine Beweisurkunde über Abschluss und Inhalt des Frachtvertrages. Es enthält eine Übernahmebestätigung des Verfrachters (Quittung).
  b) Frachtvertragsfunktionen:
  Der Verfrachter gibt mit dem Konnossement ein Beförderungsversprechen. Der legitimierte Besitzer hat einen Herausgabeanspruch. Das Konnossement enthält eine Wertpapier-Sperrfunktion. Die Auslieferung darf nur gegen Rückgabe eines Original-Konnossements erfolgen.

c) Übertragung des Konnossementes:
   - Konnossemente sind Warenwertpapiere (Traditionspapiere).
   - Order-Konnossemente: Übertragung durch Indossament
   - Namenskonnossemente: Übertragung durch Abtretung

→ **Arten** des Konnossements

Konnossementsarten		
Zeitpunkt und Ort der Gutübernahme	Bordkonnossement (Shipped B/L)	Verfrachter bescheinigt die Übernahme der Sendung an Bord des Schiffes.
	Übernahmekonnossement (Received B/L)	Verfrachter bescheinigt nur die Übernahme der Güter im Hafen, nicht deren Verladung an Bord des Schiffes.
Übertragungsmöglichkeiten/Bezeichnung des Empfängers	Namenskonnossement (Rektakonnossement)	Auf den Namen des Empfängers ausgestellt, der die Herausgabe der Güter verlangen kann; Übertragung des Herausgabeanspruchs durch Zession; eine Eigentumsübertragung muss zusätzlich zur Abtretung erfolgen.
	Orderkonnossement (Order-B/L)	handelsfähiges Warenwert-/Traditionspapier; Übertragung des Eigentums und aller Rechte am Gut durch Indossament
Zustand des Gutes bei Übernahme durch den Verfrachter	Unreines Konnossement (Foul B/L)	Konnossement mit Vorbehalten des Verfrachters über Menge und Zustand des Gutes
	Reines Konnossement (Clean B/L)	Konnossement ohne Vorbehalte des Verfrachters
Art der Transportdurchführung	Durchkonnossement (Through B/L)	a) „Einfaches Durchkonnossement“ für Güter, die während des Transportes auf mehrere Schiffe umgeladen werden; der (erste) Verfrachter haftet für den ganzen Transport. b) Bei einem „unechtem Durchkonnossement“ verspricht der Verfrachter nur die Neuaufgabe der Sendung als Ablader. c) Bei einem „gemeinschaftlichen Durchkonnossement“ versprechen beide Verfrachter die Auslieferung nur gegen Konnossement, die Haftung aber nur für ihre Teilstrecke.
	Kombiniertes Konnossement (Combined B/L)	Seekonnossemente, bei denen der Verfrachter auch die Haftung für Anschlussbeförderungen (oder Vorlauf) mit Bahn/Lkw übernimmt

Seefrachtbrief

Der Seefrachtbrief (Seaway Bill, Express B/L) ist im HGB in § 426 geregelt. Die Inhalte entsprechen denen des Konnossements. Der Frachtbrief ist aber ein vom Verfrachter unterzeichnetes Papier, das grundsätzlich eine Begleitfunktion hat. Der Befrachter erhält ein Original, mit dem der Verfrachter die Übernahme des Gutes bestätigt.

Carrier: Hapag-Lloyd Aktiengesellschaft, Hamburg **Bill of Lading** Multimodal Transport or Port to Port Shipment

Hapag-Lloyd

Shipper:
Hinrichs & Ullmann GmbH, Spedition
Tollerortweg 42
20457 Hamburg-Steinwerder

as Agent of
Walter & Sohn KG, Gravertkamp 7, 25524 Itzehoe

Carrier's Reference: 200043212 | B/L-No.: HL227-89-166 | Page:

Export References: REF#18748

Consignee (not negotiable unless consigned to order):
Jayprit International
Exporters & Importers
Gulmohar Cross Road no 9,
Mumbai - 400 055, INDIA

or to his order

Forwarding Agent:

Notify Address (Carrier not responsible for failure to notify; see clause 20 (1) hereof):
Chinubhai Kalidas & Bros.
International Freight Forwarders
Port-A-Cabin, Dronagiri,
Mumbai 400 001, INDIA

Consignee's Reference: REF#AF1874X5

Place of Receipt:

Vessel(s): KYOTO EXPRESS | Voyage-No.: 07E39

Place of Delivery:

Port of Loading: Hamburg

Port of Discharge: Mumbai/India

Container Nos., Seal Nos.; Marks and Nos.	Number and Kind of Packages, Description of Goods	Gross Weight	Measurement
HLCU 857 412-4	1 · 20´ STANDARD-CONTAINER, S.T.C. MACHINE TOOLS AKKREDITIV - NR. 1289/G/177 SHIPPED ON BOARD DATE OCT/23/20(0)	12 430 KOS	

Shipper's declared Value [see clause 7(2) and 7(3)]

Above Particulars as declared by Shipper. Without responsibility or warranty as to correctness by Carrier [see clause 11]

Total No. of Containers received by the Carrier: -1- | Packages received by the Carrier:

Movement: FCL/FCL | Currency:

Charge	Rate	Basis	Wt/Vol/Val	P/C	Amount

RECEIVED by the Carrier from the Shipper in apparent good order and condition (unless otherwise noted herein) the total number or quantity of Containers or other packages or units indicated in the box opposite entitled "Total No. of Containers/Packages received by the Carrier" for Carriage subject to all the terms and conditions hereof (INCLUDING THE TERMS AND CONDITIONS ON THE REVERSE HEREOF AND THE TERMS AND CONDITIONS OF THE CARRIER'S APPLICABLE TARIFF) from the Place of Receipt or the Port of Loading, whichever is applicable, to the Port of Discharge or the Place of Delivery, whichever is applicable. One original Bill of Lading, duly endorsed, must be surrendered by the Merchant to the Carrier in exchange for the Goods or a delivery order. In accepting this Bill of Lading the Merchant expressly accepts and agrees to all its terms and conditions whether printed, stamped or written, or otherwise incorporated, notwithstanding the non-signing of this Bill of Lading by the Merchant.

IN WITNESS WHEREOF the number of original Bills of Lading stated below all of this tenor and date has been signed, one of which being accomplished the others to stand void.

Place and date of issue: HAMBURG, OCT/23/20(0)

Freight payable at: HAMBURG | Number of original Bs/L: 3/3

Total Freight Prepaid	Total Freight Collect	Total Freight

For above named carrier
HAPAG LLOYD (HAMBURG) H. Bowmann

90147 345 L.V. 06/16

Muster

Beispiel (fiktive Daten), Formular von HAPAG-LLOYD, Hamburg

5.3 See-Sammelgutverkehre

In der Containerschifffahrt werden überwiegend **Komplettsendungen**, die einen ganzen Container ausfüllen, von einem Versender zu einem Endempfänger versendet. Das Gut wird bereits beim Versender in den Container geladen und bleibt über den Vorlauf zum Seehafen, dem Seetransport und dem Nachlauf vom Seehafen zum Endempfänger im Container. Es handelt sich um einen FCL/FCL-Transport (Full Container Load).

Kleinere Sendungen, die keinen ganzen Container ausfüllen, können im **Seesammelgutverkehr** befördert werden. Die Beladung des Containers erfolgt erst im Versandhafen durch einen Seehafenspediteur. Im Bestimmungshafen wird der Container vom Empfangsspediteur entladen und einzeln zum Empfänger verbracht. Es handelt sich dabei um einen LCL/LCL-Verkehr (Less than Container Load), nur während des Seetransportes ist das Gut containerisiert.

Die Reederei stellt bei LCL/LCL-Verkehren ein B/L oder einen Seefrachtbrief über den Hauptlauf und die gesamte Sammelladung aus. Der Versender der Einzelsendung kann einen Seefrachtbrief oder ein House-B/L des Spediteurs bekommen. Benötigt der Versender (wegen einer Akkreditivvereinbarung) ein echtes Konnossement, kann der Spediteur ein FBL ausstellen.

Das **FBL (Fiata Bill of Lading)** ist ein spezielles Konnossement, das von der FIATA (International Federation of Freight Forwarders Associations) entwickelt wurde. Es handelt sich um ein multimodales Transportdokument, das in erster Linie von Spediteuren genutzt wird und als Konnossement für den Transport von Gütern über mehrere Verkehrsträger (zum Beispiel Lkw, Schiff, Zug und Flugzeug) dient.

Der Spediteur haftet für Schäden auf der gesamten Transportstrecke. Nach dem Network-Prinzip ist die Haftungshöhe bei bekanntem Schadensort auf die Höchsthaftung des verursachenden Verkehrsträgers begrenzt. Der Spediteur kann beim verursachenden Frachtführer in Regress gehen. Bei unbekanntem Schadenort haftet der Spediteur nach Seerecht (2 SZR/kg bzw. 666,67 SZR je Packstück), wenn eine Seestrecke beinhaltet ist, sonst nach CMR-Recht.

5.4 Seefracht-Abrechnung

Für die Abrechnung von Seefrachtsendungen gibt es keine verbindlichen Tarife. Die Reedereien können nach folgenden Methoden abrechnen:

- Maß- und Gewichtsraten
  - Maß- und Gewichtsraten (M/G, W/M): Für jedes Packstück wird das Maß (in m^3) und das wirkliche Gewicht (in t) ermittelt. Der höhere Wert sind dann die Frachttonnen, die der Abrechnung zugrunde gelegt werden. Die Frachtrate ist das Entgelt je Frachttonne.
  - Gewichtsraten: Es wird nur nach dem Gewicht der Packstücke (in t) abgerechnet.
  - Maßraten: Nur das Volumen in m^3 wird für die Abrechnung verwendet.
- Wertraten (ad valorem rates)
  - Reine Wertraten: Als Fracht wird ein bestimmter Prozentsatz des Güterwertes berechnet.
  - Wertstaffel: Zusätzlich zu den Maß- und Gewichtsraten werden Wertraten nach einer Staffel berechnet.
- sonstige Raten
  - Containerraten/Commodity-Box-Rates (CBR): Pauschalfrachten für Seecontainer
  - FAK-Raten: warenartunabhängige Raten
  - Lupsum-Raten: Pauschalpreise für bestimmte Artikel (z. B. ein Pkw)

Zusätzlich zur Seefracht werden verschiedene Zuschläge zur Fracht erhoben. Die wichtigsten Zuschläge sind:

- BAF (bunker adjustment factor) für Preisschwankungen beim Treibstoff
- CAF (currency adjustment factor) für Währungsschwankungen
- ISPS Sicherheitszuschlag (International Ship and Port Facility Security)
- LA Längenzuschlag (long lenght additionals)
- HL Schwergewichtszuschlag (heavy lift additionals)

Beispiel 1: *Für folgende Sendung ist die Seefracht in Euro zu berechnen:*

1 Kiste	*1,30 m · 1,50 m · 1,00 m, 2,286 t*
1 Kiste	*7,45 m · 2,30 m · 1,95 m, 22,090 t*
1 Kiste	*1,70 m · 3,05 m · 2,00 m, 12,500 t*

Tarif: 94,50 USD M/G, H/L: Für Packstücke über 3 t : 8,50 USD je 1 000 kg, L/L: 5,40 USD je t für jeden über 7,00 m Länge hinausgehenden angefangenen Meter, CAF –4 % von der Grundfracht, BAF 22,70 M/G, Kurs USD 1,3210.

Anz.	Maße (m)			m³	Gewicht	FRT	USD 1,3210	USD	EUR
1	1,30	1,50	1,00	1,950 m^3	2,286 t	2,286 FRT	Grundfracht	4 554,81	
1	7,45	2,30	1,95	33,413 m^3	22,090 t	33,413 FRT	BAF	1 094,12	
1	1,70	3,05	2,00	10,370 m^3	12,500 t	12,500 FRT	Heavy lift	294,02	
						48,199 FRT	long lenght	119,29	
							CAF	–182,19	
							gesamt	5 880,04	4 451,21

Beispiel 2: *Seefrachtberechnung für einen 40‘-Container von Hamburg nach Ningbo (China)*

Containerrate 1 250,00 USD, BAF 890,00 USD, CAF 14 % auf die Grundfracht:

Grundfracht	1 250,00	
BAF	890,00	
CAF	175,00	
	2 315,00	1 752,46

5.5 Haftung, Versicherung und Haverei

5.5.1 Haftung

Die Haftung in der Seeschifffahrt ist im HGB in den Paragrafen 498 ff. geregelt. Die Haftung des Verfrachters gilt nur für Beschädigung und Verlust der Güter im Obhutzeitraum. Für Verspätungen sieht das Gesetz keine Regelung vor.

Das Haftungsprinzip ist die **Verschuldenshaftung** mit umgekehrter Beweislast. Der Verfrachter muss also nachweisen, dass „der Verlust oder die Beschädigung auf Umständen beruht, die durch die Sorgfalt eines ordentlichen Verfrachters nicht hätten abgewendet werden können“ (§ 498 HGB).

Das HGB sieht in § 499 einige **Haftungsausschlüsse** vor:

- Verschulden des Abladers oder Befrachters (Verpackungs- und Kennzeichnungsfehler)
- Beschaffenheitsfehler, Beförderung von Tieren

- Gefahren oder Unfälle der See, kriegerische Ereignisse, Unruhen, Streik, Aussperrung, Quarantäne
- Maßnahmen zur Rettung von Menschen auf Seegewässern oder Bergungsmaßnahmen auf Seegewässern

Haftungshöchstgrenzen

Es gilt das Wertersatzprinzip. Die Haftung ist auf den Wert des Gutes im Bestimmungshafen beschränkt, Güterfolgeschäden werden nicht ersetzt.

Die **Schadenersatzhöhe** ist auf den Wert des Gutes begrenzt. Eine weitere Höchstgrenze ist das Maximum von 666,67 SZR je Packstück oder 2 SZR je kg (§ 504 HGB).

Das HGB enthält auch die sogenannte **Containerklausel**:

> „Wird ein Container, eine Palette oder ein sonstiges Lademittel verwendet, das zur Zusammenfassung von Frachtstücken verwendet wird, so gilt jedes Stück und jede Einheit, welche in einem Beförderungsdokument als in einem solchen Lademittel enthalten angegeben sind, als Stück oder Einheit [...] Soweit das Beförderungsdokument solche Angaben nicht enthält, gilt das Lademittel als Stück oder Einheit." *(§ 504 HGB)*

Sind im Beförderungsdokument (Frachtbrief oder Konnossement) also 22 Paletten Maschinenteile mit 6 600 kg und einem Wert von 32 700,00 € als Inhalt des Containers angegeben, gelten folgende Höchstgrenzen (SZR 1,1449 €):

Wert					32 700,00 €
Packstück	22 Paletten	666,67	14 666,74 SZR	16 791,95 €	16 791,95 €
Kilogramm	6 600 kg	2,00	13 200,00 SZR	15 112,68 €	
Schadenersatz					16 791,95 €

5.5.2 Versicherung

Das Seerecht sieht keine Möglichkeit der Haftungserhöhung oder Wertdeklaration vor. Daher werden wertvolle Güter in der Regel versichert. Die Seeversicherung nach den DTV-Güterversicherungsbedingungen 2000/2011 entspricht der Güterversicherung des Spediteurs (siehe Seite 35).

Die Wiedereinschlussklauseln müssen allerdings im Versicherungsvertrag ausdrücklich gewählt werden und sind nicht automatisch enthalten. Die Seeversicherung wird häufig vom Befrachter selbst mit der Versicherung abgeschlossen. Bei Verwendung des Incoterm CIF muss die Sendung vom Verkäufer versichert werden. Es muss mindestens eine Versicherung über 110 % des Kaufpreises nach der Klausel C der Institute Cargo Clauses (englische Versicherungsbedingungen) abgeschlossen werden. Nach dem Incoterm CIP muss das Gut nach Klausel A (All Risk) versichert werden.

5.5.3 Haverei

In bestimmten Fällen sieht das Seerecht vor, dass die Ladungsbeteiligten die entstandenen Schäden untereinander aufteilen. Große Haverei (§ 588 ff. HGB) wird im HGB wie folgt definiert:

> „Werden das Schiff, der Treibstoff, die Ladung oder mehrere dieser Sachen zur Errettung aus einer gemeinsamen Gefahr auf Anordnung des Kapitäns vorsätzlich beschädigt oder aufgeopfert oder werden zu diesem Zweck auf Anordnung des Kapitäns Aufwendungen gemacht (Große Haverei), so werden die hierdurch entstandenen Schäden und Aufwendungen von den Beteiligten gemeinschaftlich getragen.“ *(§ 588 Abs. 1 HGB)*

In diesem Fall müssen alle Beteiligten (Schiffs- und Ladungseigentümer) einen Havereibeitrag bezahlen, auch wenn ihr Eigentum keinen Schaden erlitten hat.

Um den Havereibeitrag zu ermitteln, wird der Wert des Schiffes, des Treibstoffes, der Ladung und der Frachtforderungen ermittelt und zur Haftungsgrundlage addiert. Die Summe der Schäden und die Havereikosten werden auf die Haftungsgrundlage bezogen und ein Prozentsatz ermittelt. Damit werden dann die Havereibeiträge ermittelt, die von den Ladungsbeteiligten zu leisten sind.

Sendungen werden nur ausgeliefert, wenn über den Betrag ein Verpflichtungsschein abgegeben wird. Die Seeversicherung trägt die Havereibeiträge.

6 Frachtgeschäfte: Eisenbahn

Eisenbahngüterverkehr				
Infrastruktur und Verkehrsmittel	Rechtsgrundlagen	Leistungsangebot	Internationaler Eisenbahnverkehr	Kombiverkehr
Schienennetz, Güterwagen	HGB/ALB, Frachtbrief, Haftung	Beförderungsarten, Fahrpläne und Preise	Rechtsgrundlagen, Haftung	Grundlagen, Kombiverkehrsnetz, Vertragsgrundlagen

Ein großer Teil der Güter in Deutschland und Europa wird mit der Bahn transportiert. Im Jahr 2020 wurden 358,8 Mio. Tonnen Güter transportiert. Dabei wurde eine Transportleistung von 119,8 Mrd. tkm produziert. Der Anteil der Transportleistung im innerdeutschen Verkehr beträgt 17,8 %.

6.1 Infrastruktur und Verkehrsmittel

Zur Eisenbahninfrastruktur gehört das Schienennetz, die Güterbahnhöfe und Containerterminals und die Zugbildungsanlagen (Rangierbahnhöfe).

6.1.1 Infrastruktur

Die deutsche Bahn betreibt in Deutschland 2 329 (2020) Gleisanschlüsse bei Privatunternehmen. Das deutsche Schienennetz hat eine Gesamtlänge von 38 400 km (2020).

Die DUSS (eine Tochtergesellschaft der DB AG) betreibt 24 Containerterminals (Stand Juli 2020), weitere Terminals befinden sich in den See- und Binnenhäfen sowie bei großen Privatunternehmen.

In Deutschland betreibt die DB AG noch neun große Zugbildungsanlagen (Rangierbahnhöfe).

6.1.2 Güterwagen

Die deutsche Bahn verfügt über 2869 Lokomotiven (Elektro- und Dieselloks) und 80500 Güterwagen (2021). Folgende Güterwagentypen werden verwendet:

Gattung	Typ	Nutzlast	
E	Offene Wagen	19 t – 66 t	Kohle, Schrott etc.
F	Offene Schüttgut-wagen	19,5 t – 171 t	nässeunempfindliche Güter
H	Gedeckte Schiebe-wandwagen	18 t – 58 t	Stückgüter
K	Flachwagen	19 t – 55 t	Fahrzeuge, Güter mit großem Raumbedarf, überlange Güter
R	Drehgestellflach-wagen (4 Radsätze)	39 t – 65 t	schwere, lange Erzeugnisse der Eisen- und Stahlindustrie und Fertigbauteile, Holz, Kleineisen-zeug, Halbzeug, Steine, Fahrzeuge u. a. m.
S	Drehgestellflach-wagen (6 Radsätze)	38 t – 77 t	außergewöhnlich schwere Lasten
T	Gedeckte Schütt-gutwagen	18 t – 69 t	witterungsempfindliche Schütt-güter
U	Behälterwagen	21 t – 29 t	staubförmige und feinkörnige Güter
La/H	Kfz-Transport	21 t – 29 t	Fahrzeuge/Automobile
Sg	Kombinierter Verkehr	17,5 t – 107,5 t	Großcontainer, Wechselbehälter und Sattelauflieger
Z	Kesselwagen	21 t – 29 t	flüssige/gasförmige Erzeugnisse
Güterwagenkatalog der DB Cargo (siehe https://gueterwagenkatalog.dbcargo.com)			

Güterwagen werden von der Bahn zu Güterzügen zusammengestellt. Die maximale Güterzuglänge beträgt 740 m. Das Gesamtgewicht eines Güterzuges beträgt in Deutschland im Regelfall ca. 1 600 t.

6.2 Rechtsgrundlagen des nationalen Eisenbahngüterverkehrs

Der Frachtvertrag im innerdeutschen Eisenbahnverkehr wird auf der Grundlage des HGB abgewickelt. Die DB Cargo hat zusätzlich eigene allgemeine Geschäftsbedingungen (Allgemeine Leistungsbedingungen der DB Cargo AG).

6.2.1 Frachtvertrag

Die Frachtverträge im Eisenbahngüterverkehr werden zwischen den Absendern und der Eisenbahngesellschaft als Frachtführer geschlossen. Vertragsgrundlage ist das HGB-Frachtrecht (§ 407 ff. HGB). Transportaufträge sollen den Anforderungen des § 408 HGB entsprechen. Der Absender haftet für die Richtigkeit und Vollständigkeit der Angaben gemäß § 414 HGB.

6.2.2 Frachtbrief

Vom Kunden ist ein Frachtbrief nach dem Frachtbriefmuster der DB Cargo auszustellen. Der Frachtbrief besteht aus vier Blättern:

- Blatt 1: Versandblatt (bleibt beim Versandbahnhof)
- Blatt 2: Frachtbriefdoppel (erhält der Absender)
- Blatt 3: Empfangsblatt (Exemplar für den Empfangsbahnhof)
- Blatt 4: Frachtbrief (Empfängerexemplar)

Versandblatt

9

54 Verladebewilligung

10 Absender – Postanschrift

Tel. Fax

11 Kundennummer

12 Frachtzahler-Nr. Versand (13)

13 Erklärungen des Absenders (5), Begleitpapier (6)

14 a Referenz-Nr. des Absenders (7)

15 Empfänger – Postanschrift

Tel. Fax

16 Kundennummer

17 Frachtzahler-Nr. Empfang (13)

20 Tauschpaletten Anzahl ▶ EUR EUR

20 a Palettenschein-Nr.

21 Wagen (8)

55 Lastgrenze | 56 Achsen | 61 Bef.-Art | Code für Tü | Betriebl. Sonderbeh.

23 Für die Eisenbahn unverbindliche Absendervermerke (9)

24 Zahlungsvermerk (Zv) (10)

INCOTERMS

☐ unfrei ☐ frei

57 Code

29 Plz | Versandbahnhof

29 a Bahnstellen-Nr.

58 Bahnhof für Zoll- oder Steuerbeh.

29 b Ladestelle Versand

29 c Nr. Ladestelle Versand

60 a Spl.-/Zug-Nr. Abgangstag:

14 b Referenz-Nr. des Empfängers (7)

30 Plz | Bestimmungsbahnhof (11)

59 Bahnstellen-Nr.

60 Leitungsweg

30 b Ladestelle Empfang

30 c Nr. Ladestelle Empfang

31 Anzahl | Wagenladung | Inhalt – Bezeichnung des Gutes (12) (15)

32 (12) RID ☐ ja

34 Wirkliches Gewicht in kg

Vermerke des Ermittlungs-service

☐ Benachrichtigt

☐ Bereitgestellt

Datum/ Std.

◀ Summe

210 Ort und Tag der Ausstellung des Frachtbriefs/ Unterschrift des Absenders

26 Vereinbarte Preisliste

62 Vereinbarter NHM-Code

26 a Leistungsvertrag Nr.

82 Währung

39 (14) Nachnahme

50 RKOST

51 AKNr.

52 Container Z | G · 53 Wagen E | Gattung · 49 U.-Art V | E · 67 Preislisten-Nr. · 68 NHM-Code · 70 S · 72 Frachtber.-Gew. Koeffizient · 71 Frachts. Grundfr. · 71 a Fracht · 73 Freibetrag Code · 74 Überweisung Code

46 U-Steuer · 47 Land urspr. | endgültig · 48 · 76 km

Summe:

50 a

Fracht · Fracht

90 Summe Absender netto

91 Summe Empfänger netto

92 Tagesstempel Abgang

93 Tagesstempel Ankunft

94 Wiegestempel

96 Kontroll-Etikett

Bahnhof-Nr.

Versand-Nr.

6.2.3 Haftung

Die DB Cargo haftet grundsätzlich nach den Vorschriften des HGB. Für Güterschäden sind der Schaden, maximal 8,33 SZR je kg und maximal der Wert des Gutes maßgeblich. Für Lieferfristüberschreitungen wird der entstandene Schaden ersetzt. Der Schadenersatz für Verspätungsschäden ist auf den dreifachen Betrag der Fracht begrenzt.

Die ALB der DB Cargo begrenzen den Schadenersatz zusätzlich auf einen Betrag je Schadenfall von einer Million Euro oder auf zwei Rechnungseinheiten für jedes Kilogramm, je nachdem, welcher Betrag höher ist.

6.3 Leistungsangebot

Der Eisenbahngüterverkehr wird als Ganzzug- oder Einzelwagenverkehr durchgeführt. Die Bahn hat die Stückgut- und Expressgutverkehre aus ihrem Angebot gestrichen und den Spediteuren überlassen. Diese Güter werden nur noch über Wechselbrücken im kombinierten Verkehr transportiert.

Im Ganzzugverkehr werden ganze Züge von einem Absender beladen und zum Empfänger transportiert. Es finden keine weiteren Rangiervorgänge während des Transports statt, bei denen Wagen zum Zug hinzugefügt oder vom Zug entfernt werden. Das ist die schnellstmögliche Transportart im Bahnverkehr. Diese Transportform wird häufig im Massengutverkehr (Kohle, Erz, Mineralöl oder Chemikalien sowie in der Automobilindustrie) eingesetzt. Auftraggeber sind Großunternehmen, die normalerweise über Privatgleisanschlüsse verfügen.

6.3.1 Beförderungsarten

Die DB Cargo bietet folgende Produkte im **Ganzzugverkehr** an:

- **DBplantrain:** regelmäßiger Transport großer Mengen auf festen Relationen zu festen Verkehrstagen und -zeiten
- **DBflextrain:** Last-Minute Ganzzug (Kurzfristige Festlegung von Transportmengen, Relationen und Verkehrszeiten)

Für kleinere Sendungen können Bahntransporte im **Einzelwagenverkehr** eingesetzt werden. Bei dieser Produktform werden einzelne Güterwagen oder kleine Wagengruppen von den Absendern aufgegeben. Die Einzelwagen bzw. Wagengruppen müssen über Zugbildungsanlagen zu Zügen zusammengestellt werden. Dafür wird sehr viel Zeit benötigt.

Im **kombinierten Verkehr** (Transport von Wechselbehältern, Containern und Sattelaufliegern mit der Bahn) werden häufig Shuttlezüge eingesetzt. Diese Züge haben eine feste Wagenanzahl und pendeln zwischen zwei Terminals.

6.3.2 Fahrpläne und Preise

Güterzüge verkehren nach einem festgelegten Fahrplan. Der Fahrplan kann im Internet abgerufen werden (siehe https://planner.dbcargo.com/). Der Güterfahrplan im Internet enthält die Verbindungen für den Gütertransport im Einzelwagen-System.

Neben diesen Verbindungen gibt es auch den Fahrplan der Kombiverkehr (https://www.kombiverkehr.de/de/verkehr/#fahrplan), die direkte Transporte von Containern und Wechselbrücken zwischen vielen Terminals in Deutschland und dem europäischen Ausland anbietet.

Den Hinterlandverkehr aus den Westhäfen und den deutschen Seehäfen mit Containern organisiert die Tochtergesellschaft TRANSFRACHT der DBCARGO. (Hier werden Nachtzugverbindungen nach vielen deutschen, österreichischen und schweizer Containerterminals angeboten: https://eservices.transfracht.com, eservices/Fahrplan)

Für Ganzzüge kann mit der Bahn auch ein **Logistikzug** vereinbart werden, bei dem ein individueller Fahrplan für den Kunden entwickelt wird.

Tarife der Bahn

Grundsätzlich bestehen für die Transporte der Bahn feste Tarife. Die Tarife sind im Internet abrufbar (www.dbcargo.com; Suche nach „Tarife“).

Neben den allgemeinen Preislisten existieren noch Branchenpreislisten (BPL) für bestimmte Marktbereiche und Preislisten für den kombinierten Verkehr, die als Pauschalpreise für Ladeeinheiten gestaltet sind.

Die Tarife der DB Cargo sind nicht zwingend. Bei Ganzzügen und Großkunden werden auch individuelle Preise angeboten.

6.4 Internationaler Eisenbahngüterverkehr

Der Eisenbahngüterverkehr ist häufig auch grenzüberschreitend. Im Rahmen der EU wurden Eisenbahnverkehrskorridore definiert, über die der europäische Eisenbahngüterverkehr zwischen den Ballungszentren und Seehäfen abgewickelt wird (siehe https://rne.eu/rail-freight-corridors/rail-freight-corridors-general-information/).

6.4.1 Rechtsgrundlagen

Grenzüberschreitender Eisenbahnverkehr unterliegt dem Recht internationaler Verträge. Hier gelten die „Einheitlichen Rechtsvorschriften für den Vertrag über die internationale Eisenbahnbeförderung von Gütern (ER/CIM)". Diese Vorschriften gelten zwingend für Transporte, die mindestens zwei Staaten betreffen, die dem Abkommen beigetreten sind. Mitgliedstaaten sind die Staaten Westeuropas und einige Staaten in Nordafrika. Die CIM ähnelt in ihren Vorschriften dem deutschen Frachtrecht.

6.4.2 Haftung

Unterschiede gibt es bei den Haftungsvorschriften. Güterschäden werden nach HGB und ALB bis zu 8,33 SZR (Maximalwert des Gutes) ersetzt. In den ALB der DB Cargo AG ist zudem eine Höchsthaftung von 1 Million EUR bzw. 2 SZR/kg vorgesehen.

Die CIM beschränkt die Haftung auf 17 SZR/kg. Die CIM ermöglicht (wie die CMR) die Angabe eines Lieferwertes, der zur Haftungserhöhung führt. Die Haftung für Lieferfristüberschreitung ist nach der CIM auf das Vierfache der Fracht beschränkt.

6.5 Kombinierter Verkehr Lkw/Bahn

Der Transport von Gütern mit zwei oder mehr Verkehrsträgern ohne Wechsel des Transportgefäßes wird als „kombinierter Verkehr" bezeichnet. Beim Kombiverkehr Straße-Schiene werden Sattelauflieger, Wechselbrücken oder Container auf dem größeren Teil der Strecke mit der Bahn befördert. Werden Last- oder Sattelzüge auf der Schiene transportiert, wird diese Transportform als „Rollende Landstraße" bezeichnet.

6.5.1 Grundlagen

In der Praxis sind zwei Verkehrsarten im Kombinierten Verkehr von großer Bedeutung:

- der Seehafenhinterlandverkehr und
- der Kontinentale Kombiverkehr

Im **Seehafenhinterlandverkehr** verknüpft die Bahn die Nord- und Westhäfen mit den Wirtschaftsregionen im europäischen Hinterland. Dabei werden Seecontainer transportiert.

Mit dem Produkt AlbatrosExpress werden z. B. mit rund 300 Zügen in der Woche die deutschen Seehäfen mit Zielregionen in Deutschland, Österreich und der Schweiz verknüpft. Auch Wirtschaftszentren in Ost-, Süd- und Südosteuropa werden an die Häfen angebunden.

Im **Kontinentalen Verkehr** werden Container, Wechselbrücken und Sattelauflieger sowohl im innerdeutschen Verkehr (de.NETdirekt+) als auch im grenzüberschreitenden Verkehr (eu.NETdirekt+) in Shuttlezügen befördert.

Der Umschlag der Ladeeinheiten erfolgt in **Umschlagterminals**. Die Ladeeinheiten (Wechselbrücken, Container, Sattelauflieger) werden mit Portalkränen auf die Eisenbahnwagen verladen. Alternativ werden auch Reach-Stacker verwendet, die einzelne Container aufnehmen können. Eine weitere Möglichkeit bieten Containerstapler.

6.5.2 Verladetechniken im Kombiverkehr

Kombitechnik A Last- oder Sattelzüge fahren auf einen Niederflurwagen. Die Fahrer/-innen fahren im Liegewagen mit und können am Zielort sofort weiterfahren.	Kombitechnik B Es werden nur die Sattelanhänger mit Kran auf Taschenwagen verladen.	Kombitechnik C Die Wechselbehälter und Container werden mit Kran oder mobilen Umschlagsgeräten (Reach Stacker, Forklift Truck) auf Tragwagen verladen.
begleiteter Kombiverkehr	unbegleiteter Kombiverkehr	unbegleiteter Kombiverkehr

Technische Voraussetzungen der Ladeeinheit

ISO-Container müssen mit Eckbeschlägen zur Handhabung mit Kränen ausgerüstet sein. Sattelauflieger und Wechselbrücken müssen über verstärkte Stellen am Außenrahmen, sogenannte Greifkanten, verfügen.

Der kombinierte Verkehr Straße-Eisenbahn wird in Deutschland von dem Unternehmen „Kombiverkehr" getragen. Das Unternehmen betreibt die Entwicklung, Organisation und Vermarktung marktgerechter Beförderungsleistungen im Kombinierten Verkehr Schiene-Straße. Die „Kombiverkehr Deutsche Gesellschaft für kombinierten Güterverkehr mbH & Co KG" wird in gleichberechtigter Partnerschaft von 230 Speditionen und der DB Mobility Logistics AG getragen.

6.5.3 Kombiverkehrsnetz

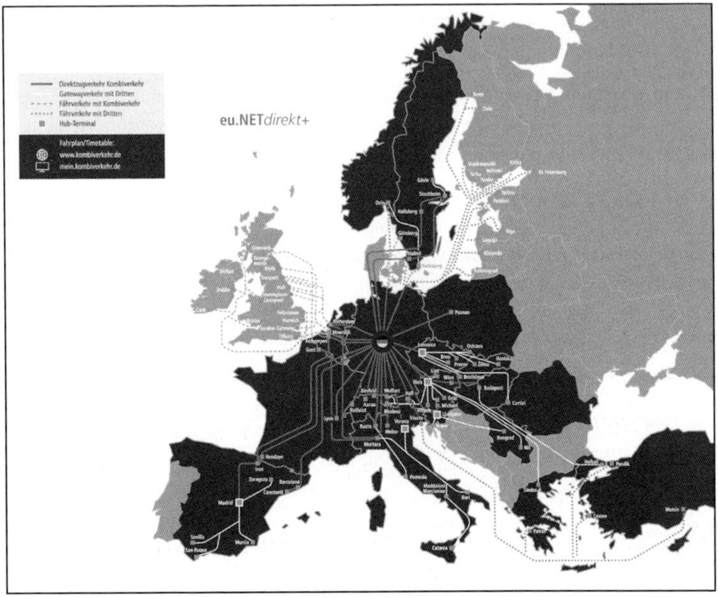

7 Frachtgeschäfte: Binnenschifffahrt

Binnenschiffsgüterverkehr			
Infrastruktur und Verkehrsmittel	Rechtsgrundlagen Binnenschifffahrt	Beteiligte und Vertragsrecht	Preisbildung in der Binnenschifffahrt
Wasserstraßen, Häfen, Binnenschiffe	Zulassung, Aufsicht HGB, IVTB (national) CMNI (international)	Beteiligte, Frachtvertrag, Papiere	Preisbestandteile, Kalkulation

7.1 Infrastruktur und Verkehrsmittel

Binnenschifffahrtstransporte erbringen eine Verkehrsleistung von 46 338 Mio. tkm. Das entspricht einem Anteil von 6,9 % (2020). Es werden 188,0 Mio. t (2020) – Anteil 4,1 % – befördert. Der Anteil der Binnenschifffahrt an der Verkehrsleistung ist von 12,6 % (1999) auf 6,9 % gesunken.

Der Schwerpunkt der Beförderung in der Binnenschifffahrt liegt in der Massengutbeförderung. Hier ist der Anteil des Verkehrsträgers Binnenschifffahrt auch entsprechend höher.

Gütergruppen	Verkehrsaufkommen	Anteil
Erze, Steine, Erden	55,1 Mio. t	24,9 %
Kokerei- und Mineralölerzeugnisse	37,3 Mio. t	16,9 %
Kohle, rohes Erdöl, Erdgas	34,8 Mio. t	15,7 %
Chemische Erzeugnisse	24,9 Mio. t	11,2 %
Alle Güterarten	221,3 Mio. t	5,2 %

Der Anteil der Containertransporte zu den Westhäfen mit Binnenschiffen im Rheingebiet nahm in den letzten Jahren stark zu, ist aber im Vergleich zum Lkw- und Eisenbahnverkehr gering.

7.1.1 Infrastruktur

Binnenschifffahrt wird auf Flüssen und Kanälen zwischen Binnenhäfen betrieben. **Binnenwasserstraßen** werden vom Bund unterhalten (Bundeswasserstraßen). Die Häfen befinden sich in unterschiedlichen Eigentumsformen. Viele **Binnenhäfen** gehören dem jeweiligen Bundesland oder entsprechenden Gemeinden. Sie sind überwiegend in eine privatrechtliche Form überführt, an denen die öffentliche Hand das Eigentum besitzt.

Wasserstraßen	Schiffbar	Wasserstraßenklasse
Rhein und Nebenflüsse	1 797 km	
Rhein	623 km	VI
Neckar	201 km	Va
Main	388 km	Va/Vb
Main-Donau-Kanal	171 km	Vb
Mosel	242 km	Vb
Saar	105 km	Vb
Lahn	67 km	
Wasserstraßen zwischen Rhein und Elbe	1 437 km	
Ruhr	12 km	Va
Rhein-Herne-Kanal	49 km	Vb/IV
Wesel-Datteln-Kanal	60 km	Vb
Datteln-Hamm-Kanal	47 km	IV
Dortmund-Ems-Kanal	303 km	IV
Küstenkanal und Untere Hunte	95 km	IV
Mittellandkanal	326 km	Vb
Elbe-Seitenkanal	115 km	Vb
Weser und Unterweser	430 km	
Weser (unterhalb Bremen)		VIb
Weser (oberhalb Bremen)		IV
Elbegebiet	1 049 km	
Nord-Ostsee-Kanal	109 km	VIb
Elbe-Lübeck-Kanal und Kanaltrave	88 km	IV
Elbe und Unterelbe	728 km	Va/VIb
Saale	124 km	IV
Wasserstraßen zwischen Elbe und Oder	916 km	
Berliner Haupt- und Nebenwasserstraßen	189 km	II/IV
Havel-Oder-Wasserstraße	485 km	IV/Va
Spree-Oder-Wasserstraße	242 km	IV
Oder	162 km	IV
Gewässer an der Ostseeküste	526 km	
Donau[1]	213 km	VIa/b
Sonstige Bundeswasserstraßen	1 376 km	
Gesamt	7 476 km	

[1] Donau: Passau bis Budapest VIa/VIb

Diese Tabelle gibt die Umschlagsmengen (in t/im TEU) in deutschen Binnenhäfen an:

Güterumschlag 2018 (1 000 t)		
Rang	Hafen	Umschlag
1	Duisburg	48 130
2	Hamburg	9 794
3	Köln	8 860
4	Neuss	7 656
5	Mannheim	7 525
6	Karlsruhe	6 414
7	Ludwigshafen	6 052
8	Frankfurt a. M.	4 747
9	Wesel (Kies)	4 300
10	Gelsenkirchen	3 908
11	Kehl	3 907
12	Bremen	3 710
13	Hamm	3 483
14	Brunsbüttel	3 360
15	Krefeld	3 333
16	Mainz	3 222
17	Marl	3 139
18	Bottrop	3 028
19	Saarlouis	2 913
20	Salzgitter	2 766

Containerumschlag 2018 (1 000 TEU)		
Rang	Hafen	Umschlag
1	Duisburg	541
2	Wörth am Rhein	181
3	Neuss	129
4	Hamburg	127
5	Germersheim	121
6	Mainz	108
7	Mannheim	94
8	Emmerich	92
9	Bremerhaven	86
10	Düsseldorf	86
11	Köln	77
12	Ludwigshafen	73
13	Bremen	66
14	Bonn	64
15	Braunschweig	60
16	Voerde	59
17	Frankfurt	57
18	Krefeld	48
19	Koblenz	35
20	Kehl	33

7.1.2 Binnenschiffe

Die Größe der Binnenschiffe ist abhängig von den Wasserstraßenklassen, auf denen diese Schiffe verkehren. Nach den Transportgütern werden **Trockenfracht- und Tankschiffe** (für Massengüter und Mineralöl/Gas) unterschieden. Daneben sind auch **Containerschiffe** und RoRo-Schiffe (für Schwergut) im Einsatz.

Die Ausgestaltung der Binnenschifffahrtswege bestimmt die maximalen Größen der Binnenschiffe. Die Wasserstraßen sind in Europa einheitlich klassifiziert.

Auf den niedrigen Wasserstraßenklassen verkehren nur **Motorgüterschiffe**. Auf den Wasserstraßenklassen IV bis VII können auch Koppel- und Schubverbände eingesetzt werden. **Koppelverbände** sind Motorgüterschiffe, die seitlich mit einem Leichter (Schiff ohne eigenen Antrieb) verbunden werden. **Schubverbände** setzen sich aus einem Schubschiff und einem oder mehreren Leichtern zusammen.

7.2 Rechtliche Rahmenbedingungen

7.2.1 Erlaubnis

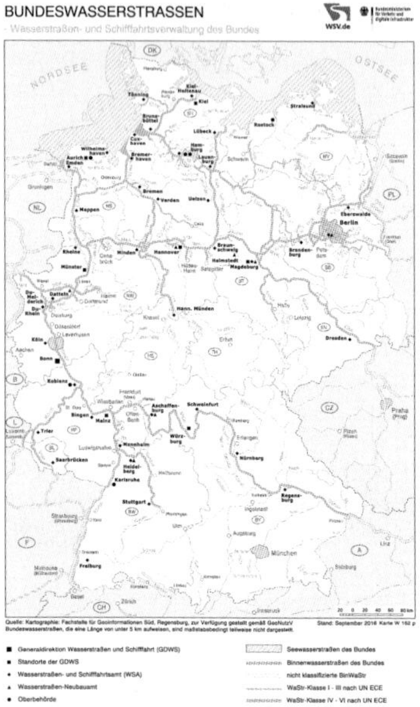

Die Anzahl der Binnenschiffe auf den schiffbaren Wasserstraßen ist nicht kontingentiert. Wer Binnenschifffahrt gewerblich betreiben möchte, benötigt allerdings eine Erlaubnis. „Natürliche Personen oder Unternehmen, die den Beruf des Unternehmers im Binnenschiffsgüterverkehr mit Schiffen ausüben, [...] bedürfen zur Ausübung der Tätigkeit einer Erlaubnis" (§ 2 BinSchZV). Die Voraussetzung für den Berufszugang ist die fachliche Eignung des Unternehmers.

Die Erlaubnis berechtigt aber nicht zum Führen eines Schiffes. Dafür ist ein Binnenschifferpatent erforderlich. Die Binnenschifffahrt ist durch eine Vielzahl weiterer Vorschriften über die Besatzung, Schiffssicherheit, Schiffsuntersuchungen etc. geregelt.

7.2.2 Aufsicht

Das Bundesministerium für Verkehr-, Bau- und Stadtentwicklung (BMVBS) unterhält als Aufsichtsbehörde für die Bundeswasserstraßen die Wasser- und Schifffahrtsverwaltung (WSV) des Bundes. Die WSV hat folgende Aufgaben:

- Regelung des Schiffsverkehrs (Schifffahrtspolizeibehörde)
- Verwaltung der Bundeswasserstraßen
- Sicherung der Befahrbarkeit, Beschilderung
- Unterhaltung von Schleusen
- Verwaltung und Genehmigung für den Aus- und Neubau
- Unterhaltung einer Schadbekämpfungsflotte

Auf internationalen Wasserstraßen werden die Rechtsverhältnisse durch verschiedene Abkommen geregelt. Für den Rhein ist das die „Revidierte Rheinschiffahrtsakte (Mannheimer Akte) vom 17.10.1868 i. d. F. vom 11.03.1969". Daneben gibt es das „Übereinkommen über die Regelung der Schifffahrt auf der Donau" und den „Moselvertrag".

7.3 Beteiligte und Vertragsrecht

7.3.1 Beteiligte

Frachtverträge werden zwischen dem Absender und dem Frachtführer geschlossen. Die Frachtführer in der Binnenschifffahrt sind **Reedereien**, die mit angestellten Schiffsführern Transporte durchführen und **Partikuliere**. Der Partikulier ist in der Regel Eigentümer eines Schiffes, das er auch selbst als Schiffsführer betreibt. Aufträge erhält der Partikulier von Reedereien oder über Transportgenossenschaften.

Betriebsformen (Verkehrsarten) in der Binnenschifffahrt			
Werkverkehr	Gewerblicher Verkehr Verkehr für fremde Unternehmen gegen Entgelt		
	Reedereien	Partikuliere	Befrachter
Verkehr für das eigene Unternehmen mit eigenen Schiffen	gewerbsmäßig, mit eigenen u/o fremden Schiffen, Trennung von kfm. Organisation und techn; Durchführung, wird von Land aus geleitet	Einzel- oder Kleinschiffer, Eigentümer oder Ausrüster (Charterer eines Schiffes ohne Besatzung); Kleinbetrieb (1–3 Schiffe); keine kfm. Organisation an Land	schließen Frachtverträge ab, ohne eigenen Schiffsraum zu besitzen; haben Rechte und Pflichten eines Frachtführers und lassen den Transport durch Unterfrachtführer durchführen, die ihre Erfüllungsgehilfen sind

7.3.2 Rechtsgrundlagen Frachtvertrag

Für innerdeutsche Transporte gelten die Frachtvertragsvorschriften des **HGB**. Ergänzt werden die Vorschriften durch das Binnenschifffahrtsgesetz **(BinSchG)**. Für die **Lade- und Löschzeiten** in der Binnenschifffahrt wurde die „Verordnung über die Lade- und Löschzeiten sowie das Liegegeld in der Binnenschifffahrt (BinSchLV) erlassen.

In der Binnenschifffahrt werden den Frachtverträgen normalerweise die **IVTB (Internationale Verlade- und Transportbedingungen)** als Allgemeine Geschäftsbedingungen zugrunde gelegt. Es handelt sich um umfangreiche Regelungen zum Frachtvertrag, die bei innerdeutschen Verträgen das dispositive Frachtrecht des HGB ergänzen und teilweise ersetzen. Die Haftung ist als Gefährdungshaftung mit maximal 2 SZR je kg ausgestaltet.

Für grenzüberschreitende Transporte gilt das „Budapester Übereinkommen" über den Vertrag über die Güterbeförderung in der Binnenschifffahrt **(CMNI)**. Dieses Übereinkommen enthält insbesondere bei der Haftung deutlich vom HGB abweichende Regelungen. Das CMNI ist zwingendes Recht und kann nicht durch einen Vertrag oder AGB abgeändert werden.

Haftung nach dem CMNI (Artikel 16–20)	
Haftungsgrundsatz:	vermutete Verschuldenshaftung
Haftungsumfang:	Güterschäden (Verlust, Beschädigung) und Verspätungsschäden
Haftungsgrenzen:	**Güterschäden:** 666,67 SZR je Packung bzw. Ladungseinheit bzw. 2 SZR je kg
	Container: 26 500 SZR je Container, (1 500 SZR für den Container und 25 000 SZR für die Güter)
	Lieferfristüberschreitung: Schadenersatz bis zur Höhe der Fracht
Haftungserhöhung:	Wertdeklaration, Interessendeklaration

Reklamationsfristen nach dem CMNI

Offene Schäden müssen bei Ablieferung, äußerlich nicht erkennbare Schäden innerhalb von 7 Kalendertagen reklamiert werden. Lieferfristüberschreitungen müssen innerhalb von 21 Tagen beim Frachtführer angezeigt werden (CMNI Artikel 23).

7.3.3 Papiere in der Binnenschifffahrt

Grundsätzlich ist über den Transport ein Frachtbrief nach HGB (§§ 408-409) auszustellen. Im HGB ist vorgesehen, dass auch ein Ladeschein (§§ 443-448) ausgestellt werden muss. Der **Ladeschein** ist ein Warenwertpapier, das vom Frachtführer ausgestellt wird.

Frachtbrief	Ladeschein (Flusskonnossement)
Begleitbrief der Sendung, Empfangsquittung über die Sendung, Beweis Vertragsabschluss	Auslieferung nur gegen Rückgabe des Ladescheins, Herausgabeversprechen an den berechtigten Inhaber, Empfangsbescheinigung des Schiffers über die Sendung, Beförderungsversprechen und Dokumentation des Vertragsabschlusses

Inhalt	Namensladeschein	Orderladeschein
Bezeichnung der Güter, Absender/Empfänger, Gewicht, Frankaturen, Kosten, Nachnahmen etc.	**Empfänger** ohne Order, Abtretung des Herausgabeanspruches möglich **(Zession)**, keine Eigentumsübertragung, es werden nur die Rechte übertragen, die der Empfänger noch hat	lautet **„an Order“**, Weitergabe per **Indossament**, Eigentumsübertragung durch Orderladeschein möglich, Anspruch aus dem Orderladeschein entspricht dem Inhalt des Ladescheins

Der Schiffer darf das Gut nur zurückgeben, wenn der Empfänger den Ladeschein vorlegen kann. Im CMNI werden die Papiere als Frachturkunde oder als Konnossement bezeichnet. In der Binnenschifffahrt wird überwiegend der Ladeschein verwendet.

7.4 Preisbildung in der Binnenschifffahrt

Der Preis für Binnenschiffstransporte ist zwischen Absender und Frachtführer frei verhandelbar. Es bestehen keine zwingenden Tarife.

7.4.1 Preisbestandteile für Binnenschiffstransporte

Bei der Preisfestlegung sind folgende Preisbestanteile zu berücksichtigen:

1. Transportkosten für das Binnenschiff:
   a) Bereithaltungskosten/Fixkosten (Abschreibung, Personalkosten, Zinsen etc.)
   b) Fortbewegungskosten/variable Kosten (Treibstoff, Schmierstoffe)
2. Schifffahrtsabgaben:
   a) Befahrungsabgaben (für Kanäle und bestimmte Flüsse, Befahrung von Rhein und Donau ist abgabenfrei)
   b) Schleusengebühren
3. Binnenhafenkosten (Ufergeld)
4. Umschlagskosten
5. Vor- und Nachlaufkosten

7.4.2 Kalkulation in der Binnenschifffahrt

Beispiel: *Transport von Stahlblechen mit einem Gesamtgewicht von 1 247 t Dillingen/Saar nach Gyor/Gönyü (Ungarn/Donau) mit dem Motorgüterschiff GMS Marjan (Nutzlast: 1 288 t); Entfernung 1 260 km, 12 km/h, Betriebszeit 14 h/täglich, Lade- und Löschzeit: jeweils ein Tag*

Allgemeine Angaben		Anmerkungen
Kaufpreis	1 500 000,00	
Nutzungsdauer	30	Jahre
Umlaufkapital	20 000,00	
betriebsnotwendiges Kapital	770 000,00	½ Kaufpreis + Umlaufkapital
Reparatur und Pflege	30 000,00	
Gasölverbrauch	60,00	l/Std.
Gasölpreis	0,82	EUR/l
Einsatztage	300,00	
Stunden/Tag	14,00	
Bereithaltungskosten	**Jahr**	**Anmerkungen**
Abschreibung	25 000,00	50,0 %
Verzinsung	34 650,00	4,5 %
Reparatur und Pflege	6 000,00	20,0 %
Versicherungen	20 000,00	
Gemeinkosten	16 000,00	
Personalkosten	96 000,00	
Lohnnebenkosten	43 200,00	45,0 %
ZWISCHENSUMME	240 850,00	
Unternehmerlohn	19 268,00	8,00 %
GESAMTKOSTEN	260 118,00	
	61,93	je Stunde
Fortbewegungskosten	**Stunde**	**Anmerkungen**
Abschreibung	5,95	50,0 %
Gasölkosten	49,20	
Schmierstoffe	4,92	10,0 %
Reparatur und Pflege	5,71	80,0 %
ZWISCHENSUMME	65,79	
Unternehmerrisiko	5,26	8,0 %
GESAMTKOSTEN	71,05	
Frachtberechnung	**Kosten**	**Anmerkungen**
Transportzeit	105,00	Stunden
Bereithaltungskosten	6 502,95	
Fortbewegungskosten	7 460,21	
Schifffahrtsabgaben	2 300,00	
GESAMTKOSTEN	16 263,16	
Kosten je t	13,04	

Zusätzlich wird durch den Frachtführer ein Gewinnzuschlag berechnet. Bei Niedrigwasser wird auch ein Kleinwasserzuschlag erhoben.

8 Incoterms® und Akkreditive

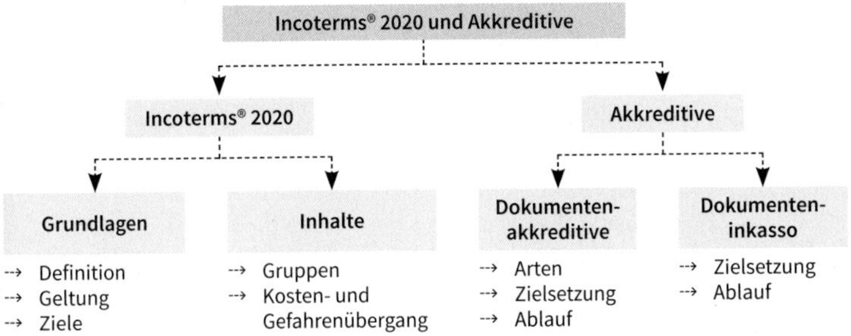

8.1 Incoterms® 2020

Die Incoterms® 2020 werden durch die internationale Handelskammer in Paris (International Chamber of Commerce/ICC) herausgegeben und aktualisiert. Es gelten die Incoterms® 2020, die die Incoterms® 2010 abgelöst haben.

8.1.1 Grundlagen

Die Incoterms® 2020 (**In**ternational **Co**mmercial **Terms**) enthalten einheitliche Regelungen (Klauseln) für internationale **Kaufverträge**. Es werden die Rechte und Pflichten von Käufer und Verkäufer festgelegt, die durch Einbeziehung des jeweiligen Incoterm in den Kaufvertrag aufgenommen werden.

Mit der Einbeziehung der Incoterms® 2020 in Kaufverträge erreichen die Vertragspartner eine international einheitliche Auslegung bestimmter Pflichten von Käufer und Verkäufer und verringern die Gefahr von Missverständnissen.

8.1.2 Inhalte der Incoterms® 2020

Es gibt insgesamt elf Incoterms® 2020, bei denen der Gefahren- und Kostenübergang und die weiteren Rechte und Pflichten unterschiedlich geregelt sind.

„Incoterms®“ ist eine eingetragene Marke der Internationalen Handelskammer (ICC). Incoterms®2020 ist einschließlich aller seiner Teile urheberrechtlich geschützt. Die ICC ist Inhaberin der Urheberrechte an den Incoterms®2020. Bei den vorliegenden Ausführungen handelt es sich um inhaltliche Interpretationen zu den von der ICC herausgegebenen Lieferbedingungen durch die Autoren. Diese sind für den Inhalt, Formulierungen und Grafiken in dieser Veröffentlichung verantwortlich. Für die Nutzung der Incoterms® in einem Vertrag empfiehlt sich die Bezugnahme auf den Originaltext des Regelwerks. Dieser kann über ICC Germany unter www.iccgermany.de und www.incoterms2020.de bezogen werden.

Gruppe	Code	Englisch	Deutsch
E	EXW	Ex Works ... (named place)	Ab Werk ... (benannter Ort)
F	FCA	Free Carrier ... (named place)	Frei Frachtführer ... (benannter Ort)
	FAS	Free Alongside Ship ... (named port of shipment)	Frei Längsseite Seeschiff (benannter Verschiffungshafen)
	FOB	Free On Board ... (named port of shipment)	Frei an Bord ... (benannter Verschiffungshafen)
C	CFR	Cost and Freight ... (named port of destination)	Kosten und Fracht ... (benannter Bestimmungshafen)
	CIF	Cost, Insurance and Freight ... (named port of destination)	Kosten, Versicherung und Fracht ... (benannter Bestimmungshafen)
	CPT	Carriage Paid To ... (named place of destination)	Frachtfrei ... (benannter Bestimmungsort)
	CIP	Carriage and Insurance Paid to ... (named place of destination)	Frachtfrei versichert ... (benannter Bestimmungsort)
D	DAP	Delivered at Place ... (named place of destination)	Geliefert am Ort ... (benannter Bestimmungsort)
	DPU	Delivered at Place Unloaded ... (named place of destination)	Geliefert benannter Ort entladen (benannter Bestimmungsort)
	DDP	Delivered Duty Paid ... (named place of destination)	Geliefert verzollt ... (benannter Bestimmungsort)

Die Incoterms® 2020 können nach unterschiedlichen Kriterien in Gruppen eingeteilt werden.

- Gruppe E – Abholklausel (EXW)
- Gruppe F – Absendeklauseln ohne Übernahme der Kosten für den Haupttransport durch den Verkäufer (FCA, FAS, FOB)
- Gruppe C – Absendeklauseln mit Übernahme der Kosten für den Haupttransport durch den Verkäufer (CFR, CIF, CPT,CIP)
- Gruppe D – Ankunftsklauseln (DAP, DPU, DDP)

Incoterms können auch danach unterschieden werden, für welchen Verkehrsträger sie geeignet sind:

- allgemeine Klauseln für alle Verkehrsträger (EXW, FCA, CPT, CIP, DAP, DPU, DDP)
- Schiffsklauseln, die für Binnenschiffs- und Seeverkehrstransporte geeignet sind (FAS, FOB, CFR, CIF)

Kosten- und Gefahrenübergang

	Gefahrenübergang Verkäufer → Käufer	Kostenübergang Verkäufer → Käufer
EXW	nach der Bereitstellung der Ware im Werk des Verkäufers vor der Verladung auf das abholende Beförderungsmittel	
FCA	bei Übergabe der Ware an den Frachtführer am benannten Ort	
FAS	nach der Bereitstellung in dem benannten Verschiffungshafen Längsseite des vom Käufer benannten Schiffs	
FOB	nach Lieferung an Bord des vom Käufer benannten Schiffs im benannten Verschiffungshafen	
CFR	nach Lieferung an Bord des vom Käufer benannten Schiffs im benannten Verschiffungshafen	Verkäufer trägt die Fracht- und Entladekosten bis zum Bestimmungshafen
CIF	nach Lieferung an Bord des vom Käufer benannten Schiffs im benannten Verschiffungshafen	Verkäufer trägt die Fracht-, Versicherungs-[1] und Entladekosten bis zum Bestimmungshafen.
CPT	bei Übergabe an den ersten Frachtführer am (vereinbarten) Lieferort	Verkäufer trägt die Frachtkosten bis zum Bestimmungsort.
CIP	bei Übergabe an den ersten Frachtführer am (vereinbarten) Lieferort	Verkäufer trägt die Fracht- und Versicherungskosten[2] bis zum Bestimmungsort.
DAP	auf dem ankommenden Beförderungsmittel unentladen am benannten Bestimmungsort (unverzollt)	
DPU	am Ort der Lieferung am benannten Hafen oder am benannten Bestimmungsort (entladen/unverzollt)	
DDP	auf dem ankommenden Beförderungsmittel unentladen am benannten Bestimmungsort (verzollt)	

8.2 Dokumentenakkreditive und Dokumenteninkasso

Für den Verkäufer im internationalen Handel besteht das Problem, eine Sicherheit über die Zahlung des Kaufpreises zu erhalten. Lässt sich ein Käufer auf die Vorauszahlung des Kaufpreises ein, möchte er eine Sicherheit über die tatsächliche Lieferung

1 Versicherung von 110 % des Kaufpreises mit der Mindestdeckung (Klausel C der Institute Cargo Clauses).
2 Versicherung von 110 % des Kaufpreises mit der All-Risk-Deckung (Klausel A der Institute Cargo Clauses).

der Ware erhalten. Diese Probleme werden über Akkreditive und Inkassovereinbarungen als Zug-um-Zug-Geschäfte gelöst.

8.2.1 Dokumentenakreditive (L/C)

Die Grundidee des Dokumentenakkreditivs (Letter of Credit, L/C) besteht darin, dass der Verkäufer die Ware erst versendet, wenn er über eine Bank die Zusage über die Zahlung des Kaufpreises gegen die Vorlage eines Warenwertpapiers erhalten hat. Der Käufer hat die Sicherheit, dass die Bank den Kaufpreis erst herausgibt, wenn ein Dokument vorgelegt wird, das den unwiderruflichen Versand der Ware bestätigt.

Ablauf des Dokumentenakkreditivs

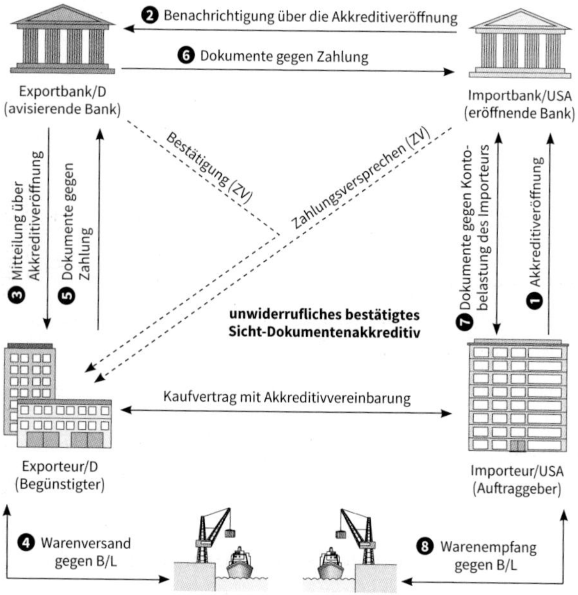

Als Dokumente werden im L/C normalerweise das Seekonnossement und ein Versicherungszertifikat bzw. eine Versicherungspolice vorgeschrieben. Es werden auch Handelspapiere wie die Handelsrechnung, die Konsulatsfaktura, das Ursprungszeugnis bzw. Präferenzpapier und eine Packliste verlangt.

Entscheidend ist das Seekonnossement. Der Befrachter kann nur gegen Vorlage des Konnossements nachträglich verfügen und der Empfänger erhält die Ware (nur) gegen Vorlage des Originalkonnossements.

Akkreditivarten

--> **Bestätigung**

- Bestätigte Akkreditive:
  Die eröffnende Bank (Importbank) und die avisierende Bank (Exportbank) geben beide dem Begünstigten ein „abstraktes Zahlungsversprechen".
- Unbestätigte Akkreditive:
  Nur die eröffnende Bank gibt ein Zahlungsversprechen.

--> **Widerruflichkeit**

- Unwiderrufliche Akkreditive:
  Das Akkreditiv kann nach der Eröffnung während der Laufzeit des Akkreditivs nicht widerrufen werden. Das ist auch der Normalfall für Akkreditive.
- Widerrufliche Akkreditive:
  Die Bank kann das Akkreditiv jederzeit widerrufen.

Üblich sind „bestätigte, unwiderrufliche Dokumentenakkreditive".

8.2.2 Dokumenteninkasso (D/P, D/A)

Der Verkäufer versendet die Ware gegen ein Konnossement an den Empfänger. Danach beauftragt er seine Bank (Einreicherbank), den Kaufpreis vom Empfänger gegen die Aushändigung der Dokumente (Konnossement) einziehen zu lassen. Die Einreicherbank beauftragt eine Bank beim Empfänger (Inkassobank) mit dem Inkasso.

Der einkassierte Geldbetrag (bei „Documents against Payment", D/P) oder ein entgegengenommenes Wechselakzept (bei „Documents against Acceptance", D/A) werden an den Auftraggeber weitergeleitet.

Beim Dokumenteninkasso trägt der Verkäufer das Risiko, dass die präsentierten Dokumente vom Käufer nicht eingelöst werden. Dann sind die Transportkosten verloren, der Verkäufer kann aber weiter über das Gut verfügen.

9 Zollabwicklung

Zollabwicklung

- **Ausfuhr**
  - Definition
  - Verfahren
  - Vereinfachungen
- **Einfuhr**
  - Internetzollanmeldung
  - Zolltarif
  - Zollwert- und Zollermittlung
  - EUSt.-Ermittlung
  - Präferenzpapiere, Ursprungszeugnisse und Ursprungserklärung
- **Versandverfahren**
  - Arten von Versandverfahren
  - Zielsetzung
  - Ablauf von T1/T2 und Carnet TIR/ATA
- **weitere Verfahren**
  - Zollgutlagerung
  - Veredelungsverfahren

9.1 Ausfuhrverfahren

Unter „Ausfuhr“ versteht man die Verbringung von Gütern aus der Europäischen Union in Drittstaaten. Drittstaaten sind alle Staaten, die nicht Mitglied der EU sind.

Die Ausfuhren sind grundsätzlich zollfrei. Es fallen auch keine Verbrauchssteuern und Umsatzsteuern an. Sie werden aber staatlich kontrolliert. Ziel der Ausfuhrkontrolle ist

- die Überprüfung der Zulässigkeit der Ausfuhr (Vorliegen von Verboten und Beschränkungen – VuB),
- eine detaillierte statistische Erfassung der Ausfuhr und die
- Bescheinigung der tatsächlichen Ausfuhr für Umsatzsteuerzwecke. Exportgüter sind umsatzsteuerfrei. Mit dem „Ausgangsvermerk“ kann der Exporteur die Ausfuhr nachweisen.

Ablauf des Zollverfahrens

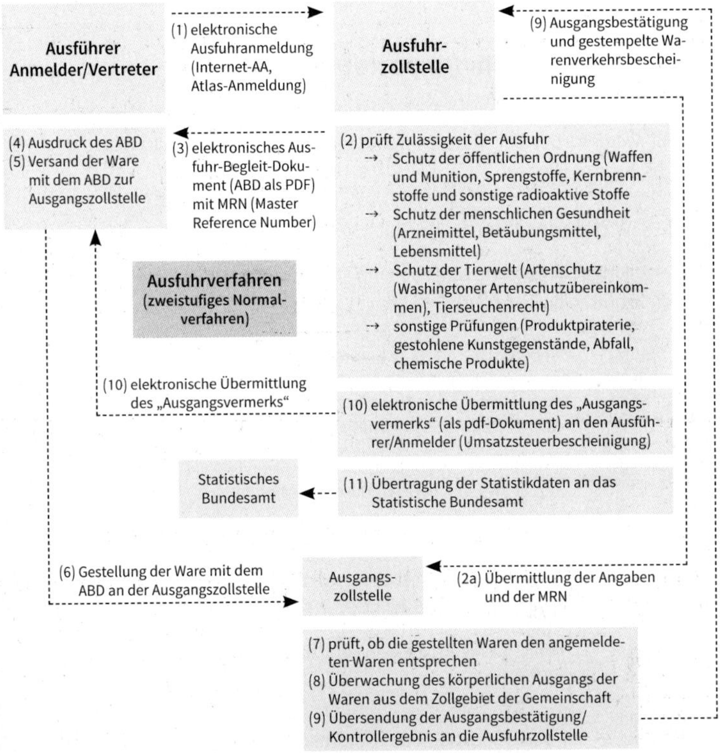

Vereinfachungen des Ausfuhrverfahrens

Das Normalverfahren ist das zweistufige Verfahren, bei dem Ausfuhr- und Ausgangszollstelle beteiligt sind. Wenn der Wert des Gutes unter 3 000,00 € liegt, kann das ganze Verfahren direkt bei der Ausgangszollstelle vorgenommen werden. Die Ausgangszollstelle übernimmt dann auch die Aufgaben der Ausfuhrzollstelle.

Sofern der Wert der Sendung 1 000,00 € bzw. eine Eigenmasse von 1 000 kg nicht übersteigt und die Waren keinen Verboten oder Beschränkungen oder sonstigen besonderen Förmlichkeiten bei der Ausfuhr unterliegen, kann die Sendung mündlich direkt bei der Ausgangszollstelle angemeldet werden. Dabei müssen die notwendigen Unterlagen (z. B. Rechnung) vorgelegt werden.

9.2 Wareneinfuhr (Importe)

Werden Waren aus Drittstaaten in die EU (Nicht-Unionswaren) eingeführt, müssen sie verzollt werden. Bei der Verzollung werden Zölle, Einfuhrumsatzsteuer und Verbrauchssteuern erhoben.

9.2.1 Verfahrensablauf

Die Verzollung (Überlassung zum zoll- und steuerrechtlich freien Verkehr) wird in folgenden Schritten durchgeführt:

Summarische Eingangsmeldung	Der Beförderer hat eine Summarische Eingangsmeldung (ESumA) bei der ersten Einganszollstelle abzugeben. Das muss erfolgen, bevor die Ware ankommt (bei Containern z. B. 24 Stunden vor dem Verladen im Abgangshafen). Bei Ankunft ist eine Ankunftsmeldung abzugeben.
Gestellung	Mitteilung an das Zollamt, dass die Waren in das Zollgebiet verbracht wurden und sich bei der Zollstelle befinden
Zoll-anmeldung	Bestimmung des Zollverfahrens unter Beifügung der notwendigen Unterlagen → Einheitspapier/elektronische Zollanmeldung → Zollwertanmeldung (D.V.1) → Handelsrechnung → Warenverkehrsbescheinigung bzw. Ursprungszeugnis/Ursprungserklärung
Zollbeschau auf Wunsch der Zollstelle	Prüfung der Menge und Beschaffenheit der angemeldeten Waren → Darlegungspflicht des Zollbeteiligten → Recht auf Probeentnahmen (Duldungspflicht des Zollbeteiligten) → Über die Zollbeschau wird ein Zollbefund erlassen.
Abgaben-berechnung	a) Zollwert und Einfuhrumsatzsteuer-Wert b) Berechnung von • Zoll • EUSt. • Verbrauchsabgaben c) Zollbescheid

Zahlung der Zollschuld	→ Barzahlung der Zollschuld → Überweisung, Scheck oder Abbuchung (Zahlungseingang ist entscheidend) → auf Antrag laufender Zahlungsaufschub gegen Sicherheit (Bürgschaft); Aufschub für eigene („E") oder fremde („F") Abgabeschulden
Freigabe des Zollgutes	Nach Begleichung oder Aufschub der Zollschuld wird das Gut zum freien Verkehr zugelassen.

Zollanmeldung über das Atlas-System

Mit diesem System können die Zollanmeldungen für die verschiedenen Zollverfahren elektronisch erfasst und den Zollbehörden übermittelt werden. Der Anmelder erhält die Entscheidung der Zollstelle und den Bescheid über Einfuhrabgaben bzw. die Festsetzung/Anerkennung von Bemessungsgrundlagen anschließend ebenfalls auf elektronischem Weg. Der Anmelder muss über ein Zollprogramm mit Zugang zum Atlassystem verfügen.

Neben dem Anmelder ist auch ein Vertreter möglich (direkte oder indirekte Vertretung). Der direkte Vertreter handelt im Namen und für Rechnung des Anmelders. Er erledigt nur die Förmlichkeiten. Der indirekte Vertreter handelt in eigenem Namen aber für die Rechnung eines anderen und wird neben dem Importeur ebenfalls Anmelder und Zollschuldner.

Für Importeure, die nicht an Atlas angeschlossen sind, besteht auch die Möglichkeit, Zollanmeldungen über das Internet an die Zollbehörden zu senden.

9.2.2 Zolltarif

Der Zolltarif ist von der EU für alle Mitgliedsstaaten vereinheitlicht. Die Europäische Gemeinschaft hat den Tarif als TARIC (Tarif Intégré des Communautés Européennes) herausgegeben. In Deutschland ist der Tarif als Elektronischer Zolltarif (EZT) ins Internet eingestellt.

Warentarifnummer

Alle Waren haben eine Zolltarifnummer, die weltweit einheitlich ist. Die Warennomenklatur ist wie folgt aufgebaut:

Kap. 85	ELEKTRISCHE MASCHINEN, APPARATE, GERÄTE UND ANDERE ELEKTROTECHNISCHE WAREN [...]			
	8501	Elektromotoren und elektrische Generatoren, ausgenommen Stromerzeugungsaggregate		
	8502	Stromerzeugungsaggregate und elektrische rotierende Umformer		
		8502 11	Stromerzeugungsaggregate, angetrieben durch Kolbenverbrennungsmotor mit Selbstzündung (Diesel- oder Halbdieselmotor)	
		8502 11	mit einer Leistung von 75 kVA oder weniger	
			8502 1120	mit einer Leistung von 7,5 kVA oder weniger
				8502 1120 10 0 für zivile Luftfahrzeuge
				8502 1120 90 0 andere
			8502 11 80	mit einer Leistung von mehr als 7,5 kVA bis 75 kVA
				8502 1180 10 0 für zivile Luftfahrzeuge
				8502 1180 90 0 andere
		8502 12	mit einer Leistung von mehr als 75 kVA bis 375 kVA [...]	
		8502 13	mit einer Leistung von mehr als 375 kVA	

Ein Stromerzeugungsaggregat aus den USA mit einer Leistung von 25 kVA würde in der Tarifierung die Zolltarifnummer 8502 1180 90 0 erhalten, wenn es nicht für Luftfahrzeuge bestimmt ist.

Zollhöhe

Die Höhe des Zolls für dieses Gerät ist dem Zolltarif zu entnehmen. Dafür müssen die Zolltarifnummer und das geografische Herkunftsgebiet eingegeben werden. Danach ist der zutreffende Zollsatz (2,7 %) abzulesen. Es muss daher ein Zoll von 2,7 % auf den Zollwert bezahlt werden.

Zollwertberechnung

Der Zollwert ist der Kaufpreis des Gutes.

- Sollte der Kaufpreis nach E- oder F-Klauseln nach den Incoterms© gebildet werden, müssen die Transport- und Versicherungskosten bis zur EU-Außengrenze zum Kaufpreis hinzuaddiert werden.
- Vom Kaufpreis werden die Aufwendungen für Transport und Versicherung abgezogen, die nach Ankunft des Gutes in der EU entstanden und im Kaufpreis enthalten sind (D-Klauseln). Ist der Transportpreis als Gesamtpreis für einen grenzüberschreitenden Transport angegeben, muss die Fracht in einen EU- und

Nicht-EU-Anteil aufgeteilt werden. Bei Luftfrachtsendungen wird der Anteil der in der EU entstandenen Luftfracht nach dem Anhang 23-01 der Durchführungsverordnung des Zollkodex (UZK IA) ermittelt.

--> Bei einem Kauf nach CIP oder CIF entspricht der Zollwert dem Kaufpreis.

Beispiel 1: *Kauf eines Stromaggregates mit einem Kaufpreis von 12 000,00 € FOB New York. Es fallen Transportkosten von 2 700,00 € für den Transport von New York nach Rotterdam an. Die Seetransportversicherung kostet 4 ‰ vom Kaufpreis.*

Berechnung

Zollwert: *12 000,00 € + 2 700,00 € + 48,00 € = 14 748,00 €*

Zoll: *14 748,00 € · 2,7 % = 398,20 €*

Beispiel 2: *Kauf CIF Rotterdam zu 14 200,00 €*

Berechnung

Zollwert: *14 200,00 €*

Zoll: *14 200,00 € · 2,7 % = 383,40 €*

Beispiel 3: *Kauf DAP Düsseldorf zu 15 200,00 €. Die Transportkosten von Rotterdam nach Düsseldorf betragen 580,00 €. Für die Entladung des Schiffes (THC) sind 130,00 € fällig.*

Berechnung

Zollwert: *15 200,00 € – 580,00 € – 130,00 € = 14 490,00 €*

Zoll: *14 490,00 € · 2,7 % = 391,23 €*

EUSt.-Berechnung[1]

Für importierte Waren wird in Deutschland die Einfuhrumsatzsteuer (EUSt.) erhoben, die in ihrer Höhe der deutschen Umsatzsteuer entspricht und auch als Vorsteuer von der Umsatzsteuerschuld des Importeurs abgezogen werden kann.

Der **EUSt.-Wert** ist der Wert des Gutes am ersten inländischen Bestimmungsort in Deutschland. Im Beispiel 3 ist der erste inländische Bestimmungsort Düsseldorf. Der Wert in Düsseldorf beträgt 15 200,00 €, die EUSt. wird daher mit 2 888,10 € berechnet.

Wird das Gut über einen deutschen Hafen importiert, ist dieser Hafen der erste inländische Bestimmungsort und die EUSt. wird ohne den Nachlauf berechnet. Wird der Nachlauf mehrwertsteuerfrei durchgeführt, kann der Nachlauf (bis zu einem weiteren Bestimmungsort) zum EUSt.-Wert hinzugerechnet werden.

---

1 *Intrastat bei Ein- und Ausgang*

Zollpräferenzen

Für Waren aus bestimmten Herkunftsländern existieren ermäßigte Zollsätze oder es besteht eine Zollfreiheit. Kommen die Stromaggregate aus Nigeria, existiert eine Zollpräferenz, mit der die Güter zollfrei eingeführt werden können.

Voraussetzung ist ein Präferenznachweis. Dafür wird eine Erklärung des registrierten Exporteurs (REX) auf der Handelsrechnung benötigt.

Präferenzpapiere (Warenverkehrsbescheinigungen)

→ **EUR.1**
- EFTA-Staaten, Israel, Westjordanland, Gaza-Streifen
- BCMS (Kroatien, Bosnien-Herzegowina, Serbien), Mazedonien, Albanien, Montenegro, Südafrika, Mexiko, Chile)
- Mittelmeerländer (Tunesien, Marokko, Jordanien, Ägypten, Algerien, Libanon, Syrien)
- AKP-Staaten (afrikanische, karibische und pazifische Staaten)
- ÜLG (überseeische Länder und Gebiete) der EU-Staaten
- Weitere Staaten, mit denen die EU Freihandels-, Präferenz- bzw. Kooperationsabkommen abgeschlossen hat

→ **ATR** (Türkei)

Beispiel einer Rechnung mit einem REX-Vermerk

<table>
<tr><td>Cooperative
Kagera/Bukoba</td><td colspan="2">Cooperative
Kagera/Bukoba</td></tr>
<tr><td rowspan="2">Exporter
Kagera Cooperative Union Ltd.
Sokoine Raod
Bukoba, Tanzania</td><td>Invoice No & Date
KCU 05/1.720
20(0)-07-04</td><td>Exporter's Ref.
KCU EX 1720 GER</td></tr>
<tr><td colspan="2">Buyers Order No. & Date
CR 22785-05 20(0)-05-12</td></tr>
<tr><td>Declaration
The exporter TZ REX 4158 0310 of the products covered by this document declares that, except where otherwise clearly indicated, these products are of IN preferential origin according to rules of origin of the Generalized System of Preferences of the European Union and that the origin criterion met is „P“</td><td colspan="2">Signature & Date
Kagera Cooperative Union Ltd.
20(0)-07-04
David Okonkwo
- Chief Executive -</td></tr>
</table>

Präferenzpapiere werden von den Zollbehörden der Herkunftsländer ausgestellt. Für verschiedene Güter verlangen die Bestimmungsländer ein Ursprungszeugnis (UZ) oder eine Ursprungserklärung (UE) auf der Rechnung. Ursprungzeugnisse werden von den Handelskammern ausgestellt. Bei geringwertigen Gütern (3000,00/6000,00 €) ersetzen UZ/UE auch das Präferenzpapier.

9.3 Versandverfahren

Importsendungen werden an der EU-Außengrenze den Zollbehörden gestellt. Von da an befinden sie sich unter Zollkontrolle. Wenn diese Waren zwischen zwei Zollbehörden der EU (oder der EFTA) transportiert werden, um z. B. erst bei der Bestimmungszollstelle einer Zollbehandlung unterworfen zu werden, müssen sie mit einem besonderen Zollverfahren (dem Zollversandverfahren) befördert werden.

EU-Versandverfahren

Verschiedene Zollversandverfahren werden unterschieden:

⇢ **Unionsversandverfahren**
- Externes Unionsversandverfahren (T1):
  Der Ursprung der Güter liegt außerhalb der EU. Der Versand findet zwischen zwei Zollstellen der EU statt.
- Internes Unionsversandverfahren (T2):
  Es handelt sich um Unionswaren (Ursprung in der EU). Beim Versand zwischen EU-Staaten benötigt man kein Versandverfahren, da es sich nicht um Zollgut handelt. Führt der Versand aber durch einen EFTA-Staat, die Türkei, Nordmazedonien, Serbien, Großbritannien oder die Ukraine, wird er mit einem T2 durchgeführt. Es handelt sich vorwiegend um Transporte durch die Schweiz nach Südeuropa.

⇢ **gemeinsame Zollversandverfahren**
- Externes gemeinsames Versandverfahren (T1):
  Versand von Gütern aus EFTA-Staaten, der Türkei, Nordmazedonien, Serbien, Großbritannien oder die Ukraine in einen EU-Staat. Die Güter aus diesen Staaten sind Nicht-Unionswaren.
- Internes gemeinsames Versandverfahren (T2):
  Versand von Gütern aus EU-Staaten nach den EFTA-Staaten, der Türkei, Nordmazedonien, Serbien, Großbritannien oder die Ukraine

Beispiel *zum Ablauf von EU-Versandverfahren:*
Eine Sendung aus den USA kommt über den Hafen Rotterdam in die EU. Die Sendung ist für Berlin bestimmt. Der Versand zwischen Rotterdam und Berlin erfolgt über ein „externes Unionsversandverfahren (T1)".

Ablauf
(1) Gestellung
(2) Versandanmeldung NCTS (New Computerized Transit System)
(3) Zollbeschau
(4) Nämlichkeitssicherung
(5) Wiedergestellungsfrist
(6) Druck des Versandbegleitdokumentes
(7) Transport zur Empfangszollstelle
(8) Wiedergestellung bei der Bestimmungsstelle Zollamt Berlin oder Entladung bei zugelassenem Empfänger (mit Ankunftsanzeige und Freigabe)
(9) Erledigung der T1

Die Zollbehörden sind berechtigt, eine **Zollbeschau** vorzunehmen. Der Zollbeteiligte muss das Gut dem Zoll vorführen (Darlegungspflicht) und evtl. die Probeentnahme zulassen (Duldungspflicht).

Mit dem Gut muss eine **Nämlichkeitssicherung** vorgenommen werden. Es gibt drei Methoden der Nämlichkeitssicherung:

1. Raumverschluss (Verplombung des Fahrzeuges oder des Containers)
2. Packstückverschluss (Verplombung des Packstücks)
3. genaue Warenbezeichnung zur Nämlichkeitssicherung

Carnet TIR

Ein ähnliches Versandverfahren existiert auch für Transporte über die EU hinaus. Das Carnet-TIR-Verfahren gilt in allen Staaten Europas, dem Nahen Osten und den GUS-Staaten. Hier können die Transporte ohne Zollkontrolle an den Grenzen bis zur Bestimmungszollstelle durchgeführt werden.

- Voraussetzung für die Teilnahme an diesem Verfahren ist die Beförderung in einem Straßenfahrzeug oder Behältnis (Container), das verschlusssicher (zollsicher) ist. Diese Eigenschaft wird durch eine „Zollverschlussanerkenntnis" der Zollbehörden des Heimatlandes bestätigt.
- Das Fahrzeug muss mit einer blauen Tafel mit weißer TIR-Aufschrift vorne und hinten gekennzeichnet werden.

Ablauf des Verfahrens

(1) Der Lkw-Unternehmer muss ein Carnet bei seinem Unternehmerverband kaufen. Mit dem Kauf ist eine Bürgschaft verbunden, welche die Zoll- und Einfuhrumsatzsteuer-Abgaben bis zu 100 000,00 € übernimmt, wenn das Fahrzeug oder das Gut verloren geht.
(2) Im Carnet TIR werden je zwei Trennabschnitte für jeden berührten Staat ausgefüllt.
(3) Das Versandverfahren wird beim Zoll eröffnet, dort kann auch eine Zollbeschau vorgenommen werden. Das Fahrzeug erhält einen Zollverschluss und wird mit einer Geltungsfrist versehen.
(4) An den Grenzen werden nur die Zollverschlüsse geprüft. An jeder Grenze werden die Trennabschnitte abgegeben. So kann festgestellt werden, ob die Ware das Transitland auch wieder verlässt.
(5) Bei der Bestimmungszollstelle werden die Zollverschlüsse abgenommen und das TIR-Verfahren beendet.
(6) Der Fahrzeugführer erhält das Carnet TIR zurück. Es wird an die Ausgabestelle zurückgesendet und die Bürgschaft gelöscht.

Wenn das Gut nur vorübergehend versendet wird (z. B. für Messen oder Baustellen) kann der Zollgutversand mit einem **Carnet ATA** vorgenommen werden. Das Carnet ATA wird von den Handelskammern ausgestellt und enthält Zollbegleitscheine für den Hin- und Rückweg. Das Carnet ATA ist ein Jahr gültig.

9.4 Weitere Zollverfahren

Unverzolltes Drittlandsgut kann über eine unbegrenzte Zeit in einem **Zolllager** gelagert und am Ende der Lagerzeit verzollt, wiederausgeführt oder versendet werden. Bei der anschließenden Überführung in den freien Verkehr sind für die Höhe der zu zahlenden Einfuhrabgaben (Zollschuld) die Menge, der Zollwert, die Beschaffenheit der Waren und der Zollsatz maßgeblich, die im Zeitpunkt der Annahme der Zollanmeldung für die Überführung der Waren in den zollrechtlich freien Verkehr (also am Ende der Lagerzeit) gelten.

Durch das Zolllagerverfahren, das auch von den Importeuren, Spediteuren und Lagerhaltern durchgeführt werden kann, kann die Zahlung der Einfuhrabgaben auf den Zeitpunkt verschoben werden, an dem das Gut benötigt wird.

Weitere Zollverfahren sind die passive und aktive Veredelung.

- **passive Veredelung**
  Das Gut wird ins EU-Ausland versendet und dort bearbeitet, verarbeitet oder ausgebessert. Die Anmeldung zur Veredelung erfolgt in Deutschland. Es wird eine Veredelungsfrist festgelegt, in der das Gut wieder beim Zoll gestellt wird.
  Es wird dann nur noch der Wertzuwachs durch die Veredelung verzollt. Die Berechnung der Zollschuld erfolgt nach der **Mehrwertmethode**. Dabei wird der Einfuhrabgabenbetrag auf der Grundlage der Kosten für den außerhalb des Zollgebiets der Union vorgenommenen Veredlungsvorgang **(Veredelungsentgelt)** bemessen. Zum Veredelungsentgelt zählen auch die Kosten für die Rückbeförderung der veredelten Waren bis zur EU-Außengrenze. Die Einfuhrumsatzsteuer wird auf das Veredelungsentgelt (einschließlich der Transportkosten in der EU bis zum ersten inländischen Bestimmungsort) berechnet.
- **aktive Veredelung**
  Bei der aktiven Veredelung wird das eingeführte Gut beim Zoll zur Veredelung angemeldet. Die Veredelung erfolgt innerhalb der EU. Der Zoll legt eine Veredelungsfrist fest und kontrolliert die Wiederausfuhr. Abgaben werden nicht erhoben.

10 Logistik

Logistik

Grundlagen
- Definition
- Aufgaben
- Logistikdienstleister

Lagerlogistik
- Lagerarten und Lagereinrichtung
- Entnahmeprinzipien
- Fördermittel, Flurförderzeuge, Förderhilfsmittel
- Lagerrecht
- Lagerkosten
- Lager- und Logistikkennziffern

Beschaffungslogistik
- Definition
- Klassifizierung
- Beschaffungsportfolio
- Beschaffungsprinzipien
- Organisationsmodelle

Distributionslogistik
- Distributionsstrukturen
- Auftragsabwicklung
- Kommissionierung
- E-Logistik

10.1 Grundlagen

Logistik bezeichnet die integrierte Planung, Organisation, Steuerung, Abwicklung und Kontrolle des gesamten Material- und Warenflusses mit den damit verbundenen Informationsflüssen, beginnend beim Lieferanten, durch die (eigenen) betrieblichen Wertschöpfungsstufen (z. B. Produktions- und/oder Distributionsstufen), bis zur Auslieferung der Produkte beim Kunden, inkl. der Abfallentsorgung und des Recyclings.

Es ist die Aufgabe der Logistik, die richtigen Objekte (Güter, Personen, Energie, Informationen) in der richtigen Menge, am richtigen Ort, zum richtigen Zeitpunkt, in der richtigen Qualität, zu den richtigen Kosten, beim richtigen Kunden bereitzustellen **(sieben R der Logistik)**.

Die Unternehmen beauftragen zur Erfüllung dieser Aufgaben **Logistikdienstleister**. Je nachdem, wie viele Logistikaufgaben diese erfüllen, unterscheidet man:

Art	Bezeichnung	Leistungen
1PL	First-Party-Logistics Provider	Frachtführer
2PL	Second-Party-Logistics Provider	klassischer Spediteur

Art	Bezeichnung	Leistungen
3PL	Third-Party-Logistics Provider	Dienstleister, die bestimmte Teilabschnitte in der logistischen Kette übernehmen (z. B. Lagerung, Versand, Umschlag) und weitere Abschnitte organisatorisch betreuen (Systemdienstleister)
4PL	Fourth-Party-Logistics Provider	Sie koordinieren die Aktivitäten aller Beteiligten im logistischen Ablauf und sorgen für ein gleichbleibendes Qualitäts- und Leistungsniveau. Sie stellen gewöhnlich auch die zentrale Softwareplattform zur Verfügung (Systemintegratoren).

Logistische Prozesse werden häufig an Logistikdienstleister übergeben (Outsourcing). Der Hersteller oder Händler kann sich dann auf seine Kernprozesse konzentrieren, hat keine Fixkosten (Lagergebäude, Mitarbeiterinnen und Mitarbeiter etc.) mehr und bezahlt nur noch die Dienstleistung, die er in Anspruch nimmt. Die Logistik kann nach Phasen oder Verrichtungen in Teilbereiche eingeteilt werden:

→ **phasenspezifische** Subsysteme der Logistik
- Beschaffungslogistik
- Produktionslogistik
- Distributions- und Ersatzteillogistik
- Entsorgungs- und Retourenlogistik

→ **verrichtungsspezifische** Subsysteme der Logistik (TUL-Logistik)
- Transportlogistik
- Umschlags-und Verpackungslogistik
- Lagerlogistik

10.2 Lagerlogistik

Die Lagerung von Gütern gehört zu den Kernprozessen der Logistik. Sie kann von Handels- und Industrieunternehmen, aber auch von Spediteuren und Lagerhausgesellschaften vorgenommen werden.

10.2.1 Lagerarten und Lagereinrichtung

Lager (fachsprachlich auch „Läger“) können nach verschiedenen Kriterien unterteilt werden:

→ **Verwendungszweck**
- Dauerlager (Vorratslager)
- Auslieferungslager

- Umschlagslager
- Zolllager

--> **Bauart des Lagers**

- Freilager (offene Lager)
- Geschlossene Lager (Lagergebäude):
  - Flachlager
  - Etagenlager
  - Hochregallager (mehr als zwölf Meter Höhe)
- Speziallager:
  - Silolager
  - Tanklager
  - Tiefkühllager
  - Gefahrgutlager

Einrichtungstechnik der Lager

Die einfachste Form der Lagereinrichtung ist die Lagerung auf dem Lagerboden. Das kann als **Einzellagerung, Block- und Zeilenlager** erfolgen. Im Block werden viele Packstücke zusammengestellt, sodass nur von der Seite Packstücke entnommen werden können. Bei der Zeilenlagerung werden Wege zwischen den Packstücken frei gelassen, sodass jedes Packstück erreicht werden kann.

Die Lagerung kann auch in einem **Regallager** erfolgen. Dabei können die Güter in höhenverstellbaren Regalen mit Fachböden **(Fachbodenregale)** gelagert werden. Palettiertes Gut wird in **Palettenregalen** untergebracht. Eine weitere Alternative sind **Hochregale** für Paletten oder Fachböden. Die Regale sind sehr hoch (≥ 12 m) und werden mit automatisierten Regalförderzeugen (Regalbediengeräte) bedient.

Zuordnung

Die Zuordnung (Positionierung) der Sendungen zu bestimmten Lagerplätzen erfolgt über zwei unterschiedliche Systeme:

--> Festplatzsystem: bestimmte Warenarten bekommen immer den gleichen Lagerplatz zugeordnet. Das Auffinden der Sendungen wird erleichtert, der Platzverbrauch wird erhöht.

--> Freiplatzsystem (chaotische Lagerung): es wird immer der verfügbare Lagerplatz verwendet, die Plätze werden über ein Lagerverwaltungssystem zugeordnet und wieder aufgefunden. Der Platzverbrauch wird optimiert.

Entnahmeprinzipien

Normalerweise werden die Güter zuerst ausgelagert, die als erste eingelagert wurden **(First In – First Out/FIFO)**. Das ist insbesondere bei verderblichen Gütern notwendig, die über das MHD (Mindesthaltbarkeitsdatum) kontrolliert werden.

Bei anderen Gütern ist es auch möglich, die zuletzt eingelagerten Güter zuerst auszulagern **(Last In – First Out/LIFO)**. In diesem Fall kann auch Blocklagerung oder Schüttgüterlagerung verwendet werden.

10.2.2 Fördermittel, Flurförderzeuge, Förderhilfsmittel

Die Güter müssen im Lager bewegt werden. Dazu werden **Fördermittel** verwendet.

- **Stetigförderer**
  Rollenbahnen, Förderbänder, Unterflurförderketten mit Handhubwagen, Rutschen, Fallrohre etc.
- **Unstetigförderer**
  Gabelhubwagen, Gabelstapler, Regalbediengeräte oder Krane

Flurförderzeuge

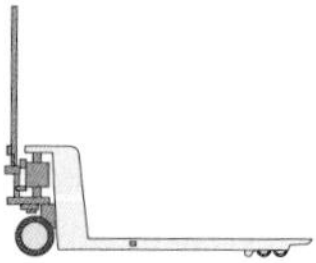
Gabelhubwagen

Frontstapler

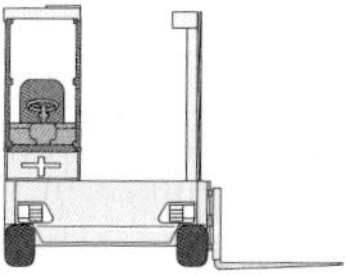
Seitenstapler

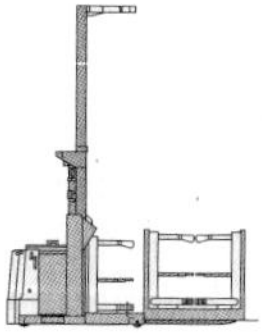
Kommissioniergerät

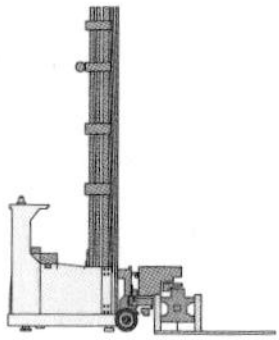
Schmalgangstapler

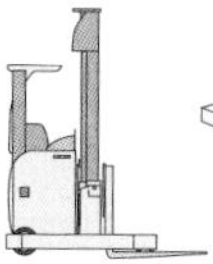
Schubmaststapler

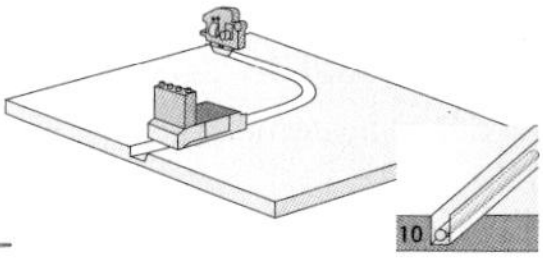
Fahrerlose Transportsysteme (FTS)

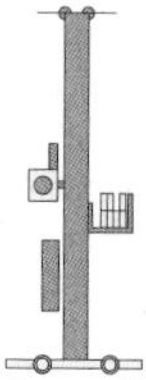
Regalbediengerät (RBG)

Flurförderzeuge		
Gabelhub-wagen		mechanische oder elektrische Hubwagen, die gezogen oder geschoben werden
Stapler	Frontstapler	Die zu befördernde Last befindet sich vor den Vorderrädern, die Fahrer/-innen sitzen in Richtung des Fördergutes.
	Schubmaststapler	ausfahrbarer Hubmast, Längs- und Querbeförderung der Güter, für Ein- und Auslagerung in Hochregallager mit geringer Gangbreite
	Seitenstapler	für Langgut, mit seitlichem Hubmast
	Schmalgangstapler	schienengeführte Stapler für Hochregallager mit seitlichem Hubmast
Regalbediengeräte		Bedienen rechnergesteuert die Lagerplätze in automatischen Hochregallagern. Sie haben eine hohe Arbeitsgeschwindigkeit und einen sehr geringen Platzbedarf.
Fahrerlose Transportsysteme		automatische Transportsysteme mit auf dem Hallenboden vorgegebenen optischen, magnetischen oder induktiv verlegten Leitlinien, deren Steuerung durch EDV erfolgt

Förderhilfsmittel

Die Güter müssen für die Lagerung und den Transport zu Ladeeinheiten oder Gebinden zusammengefasst werden. Dabei werden Paletten, Behälter (Kisten, Kästen, Kartons), forminstabile Behältnisse (Säcke, Beutel) und sonstige Förderhilfsmittel wie Rollen oder Drahtgebinde verwendet.

Bei **Paletten** unterscheidet man die **Europaletten** (Flach- und Gitterboxpaletten) mit den Grundmaßen 120 × 80 cm und **Industriepaletten** mit einem Grundmaß von 120 × 100 cm. Die sogenannte **„Düsseldorfer Palette“** ist eine halbe Euro-Flachpalette (60 × 80 cm).

10.2.3 Lagerrecht

Die Rechtsgrundlage für Lagerverträge sind die Paragrafen 467–475h des HGB und die Artikel 15 und 24 der ADSp 2017, wenn der Lagervertrag von einem Spediteur als Einlagerer abgeschlossen wurde.

→ **Lagervertrag**

Das HGB legt die **Grundpflichten** von Lagerhalter (Lagern und Aufbewahren des Gutes) und Einlagerer (Bezahlung des Lagergeldes) fest. — § 467 HGB

→ **Inhalt des Lagervertrages**

Bei **Gefahrgut** muss der Lagerhalter schriftlich und rechtzeitig informiert werden. — § 468 HGB, Zf. 3.2 ADSp 2017

Der Einlagerer muss das Gut **verpacken** und **kennzeichnen** und die notwendigen Papiere und **Informationen** übergeben.

Der Lagerhalter ist verpflichtet, das Gut bei der Übernahme zu **kontrollieren** und es auf **Veränderungen** zu überprüfen, die Schäden erwarten lassen. Solche Veränderungen sind dem Einlagerer mitzuteilen. — § 471 HGB, Zf. 15.4 ADSp 2017

Die Lagerung kann in eigenen oder fremden Lagern erfolgen. Bei Fremdlagerung ist dem Einlagerer der Lagerort mitzuteilen. — Zf. 15.2 ADSp 2017

Der Lagerhalter hat „dem Einlagerer die **Besichtigung** des Gutes, die Entnahme von **Proben** und die zur Erhaltung des Gutes notwendigen **Handlungen** während der Geschäftsstunden zu gestatten". — § 471 HGB

→ **Kündigung und Rückgabe**

Der Einlagerer kann jederzeit die **Rückgabe** des Gutes verlangen. Bei einem unbefristeten Lagervertrag gilt eine **Kündigungsfrist** von einem Monat. — § 473 HGB

→ **Haftung**

Nach dem HGB haftet der Lagerhalter für Güterschäden während der Obhut nach dem **Verschuldensprinzip**. — § 475 HGB

Die Haftungshöhe ist nicht geregelt, d. h., es wird der volle Schaden ersetzt.

Nach den ADSp ist die Haftungshöhe begrenzt. Es gelten folgende **Haftungshöchstgrenzen**:

- Es wird der entstandene Schaden ersetzt, — Zf. 22.1 ADSp 2017
- maximal der Wert des Gutes, — Zf. 22.2 ADSp 2017
- maximal 8,33 SZR je kg, — Zf. 24.1.1 ADSp 2017
- maximal 35 000,00 € je Schadensfall, — Zf. 24.1.2 ADSp 2017

- Inventurdifferenzen maximal 70 000,00 €/Jahr [Der Einlagerer kann (gegen Zahlung eines zu vereinbarenden Zuschlags) einen Wert deklarieren, der an die Stelle dieser Höchstbeträge tritt (Zf. 24.2 ADSp 2017)], — Zf. 24.1.3 ADSp 2017
- maximal 2,5 Mio. € je Schadensereignis. — Zf. 24.4 ADSp 2017

Lagerdokumente
- → Quittung über den Empfang der Sendung
- → Dokumentation des Lagervertrages

Lagerquittung
hat nur Quittungsfunktion (auch Lagerempfangsschein, Eingangsmeldung, Aufnahmebestätigung genannt)

Lagerscheine
Lagerscheine sind Wertpapiere.
a) Herausgabeanspruch
b) Sperrfunktion

Inhaberlagerschein
- → Inhaberpapier
- → Übertragung durch Übergabe
- → wird nicht verwendet

Namenslagerschein
- → auf den Namen ausgestellt
- → Übertragung durch Zession
- → nur Herausgabeanspruch wird übertragen

Orderlagerschein
- → Oderklausel
- → Übertragung durch Indossament
- → Übertragung des Herausgabeanspruchs und des Eigentums

10.2.4 Kommissionierung

Auszulagernde Güter müssen vorher kommissioniert werden. Bei der Kommissionierung werden einzelne Bestellungen (Lieferungen) aus einem größeren Lagerbestand zusammengestellt. Es können unterschiedliche Kommissioniersysteme verwendet werden.

Dabei soll eine hohe Kommissionierleistung, eine geringe Durchlaufzeit und eine hohe Kommissionierqualität (wenige Fehlbuchungen und wenige Materialfalschentnahmen) erreicht werden.

Kommissioniersysteme	manuelle Systeme	Person-zur-Ware-Systeme
	maschinelle Systeme	Ware-zur-Person-Systeme
		Kommissionierautomaten
		Kommissionierroboter

Bei den Person-zur-Ware-Systemen benötigen die Arbeitskräfte Kommissionieraufträge. Diese Aufträge können auf unterschiedlichem Weg erteilt werden:

Pick-by-Paper	Die Arbeitskraft erhält eine Pick List auf Papier.
Pick-by-MDE	Die Pick List wird auf ein mobiles Datenerfassungsgerät übertragen und die Arbeitskraft arbeitet diese Liste ab.
Pick-by-Scan	Die Entnahme des richtigen Materials aus den richtigen Fächern wird durch Scannen eines Barcodes überprüft.
Pick-by-Light	Bei diesem Kommissioniersystem werden Signallampen und Displays direkt an den Regalen installiert. Diese werden unter Berücksichtigung einer Wegoptimierung nach und nach an den Entnahmeorten aktiviert.
Pick-by-Point	Eine optische Anzeige markiert das Entnahmefach über einen separaten Lichtprojektor. Dieser kann einen definierten Regalbereich mit einer entsprechenden Anzeige versorgen.
Pick-by-Voice	Kommissionierer/-innen erhalten die Kommissionierdaten per Sprachinformation und haben die Möglichkeit, mittels Sprache den Auftrag zu quittieren oder weitere Informationen vom System anzufordern.
Pick-by-Vision	Den Komissionierern und Komissioniererinnen werden die benötigten Informationen (v. a. Lagerplatz, Artikel, Entnahmemenge) über eine Datenbrille bereitgestellt.

10.2.5 Lagerkostenkalkulation

Der Lagerhalter muss die Kosten für die Lagerung und den Umschlag kalkulieren, um den Kunden einen Preis (Lagergeld) anbieten zu können. Bei der **traditionellen Lagerkalkulation** werden die anfallenden Kosten addiert und daraus ein 100-kg-Satz gebildet.

Alternativ werden die Kosten der einzelnen Prozesse (Tätigkeiten) im Lager festgestellt und bewertet **(Prozesskostenkalkulation)**. Der daraus kalkulierte Lagerpreis ermöglicht einen Blick auf die Einflussfaktoren (Kostentreiber) der kalkulierten Preise. So werden Ansatzpunkte für eine Verbesserung der Organisation offengelegt, die zu Kostensenkungen führen können.

Kalkulationsschema
1. Umschlagskosten 1.1 Einlagerungskosten 1.2 Auslagerungskosten + 2. Lagerungskosten + 3. Lagerverwaltungskosten + 4. Allgemeine Verwaltungskosten
= Selbstkosten
+ 5. Gewinn
= Nettopreis
+ 6. Umsatzsteuer
= Bruttopreis

Traditionelle Lagerkostenkalkulation

Unter den **Umschlagskosten** werden die Personalkosten und die Kosten für die Umschlagsgeräte zusammengefasst.

Die **Lagerungskosten** enthalten die Kosten des Lagerhauses. Dazu gehören die Abschreibung (oder Miete), Versicherungen, Energiekosten, Reinigungskosten etc.

Die Kosten der Lagerverwaltung (EDV, Lagermeister etc.) sind Teil der **Lagerverwaltungskosten**.

Die allgemeinen Verwaltungskosten sind die Gemeinkosten, die als Zuschlag zu den gesamten Lagerkosten gerechnet werden.

Prozesskostenkalkulation (Transaktionskosten)

Bei der Prozesskostenkalkulation werden in einem ersten Schritt die einzelnen Arbeitsprozesse bei der Ein- und Auslagerung und der Kommissionierung identifiziert.

Danach müssen den Prozessen die benötigten Ressourcen (Dauer und Kosten) zugeordnet werden. Die Gesamtkosten setzen sich aus der Summe der Kosten der einzelnen Prozesse zusammen.

Bei diesem Verfahren kann genau ermittelt werden, welche Kosten einen genau quantifizierten Anteil an den Gesamtkosten haben. Das bietet den Anlass für die Verbesserung der Organisation und für Kostensenkungen.

Problematisch ist dabei die genaue Zuordnung der Kosten/Ressourcen zu den einzelnen Prozessen. Bestimmte Kosten (z. B. die Lagerhauskosten) lassen sich den einzelnen Prozessen nur schwer zuordnen.

10.2.6 Lager- und Logistikkennziffern

Strukturkennziffern		
Ø Lagerbestand einfach	=	$\frac{\text{Anfangsbestand + Endbestand}}{2}$
Ø Lagerbestand erweitert	=	$\frac{\text{Summe aller Lagerbestände}}{\text{Anzahl der Datensätze}}$
Umschlagshäufigkeit	=	$\frac{\text{Umschlagsmenge (Verbrauch)}}{\text{Ø Lagerbestand}}$
Ø Lagerdauer	=	$\frac{\text{360 Tage}}{\text{Umschlagshäufigkeit}}$

Lagerreichweite	=	$\frac{\text{Lagerbestand}}{\text{Ø Lagerabgang pro Tag}}$
Kostenkennziffern		
Ø Lagerplatzkosten	=	$\frac{\text{Gesamtkosten Lagergebäude und Lagereinrichtungen}}{\text{Anzahl der Lagerplätze}}$
Lagerkostensatz	=	$\frac{\text{Lagerkosten}}{\text{Ø Lagerbestand}}$
Kosten pro Lagerbewegung	=	$\frac{\text{Lagerpersonal- und Umschlagsgerätekosten}}{\text{Anzahl der Lagerzu- und -abgänge}}$
Lagerzinssatz	=	$\frac{p \cdot \text{Ø Lagerdauer}}{360}$ (p = Marktzinssatz) Lagerzinssatz ist der Zinssatz, bezogen auf das im durchschnittlichen Lagerbestand gebundene Kapital während der durchschnittlichen Lagerdauer.
Lagerzinsen	=	$p_{Lager} \cdot \text{Ø Lagerbestand}_{Wert}$ — p_{Lager} = Lagerzinssatz (in Prozent); $\text{Ø Lagerbestand}_{Wert}$ = Wert des Ø Lagerbestandes
		Lagerzinsen sind die Zinsen auf das im Lager gebundene Kapital während der durchschnittlichen Lagerdauer.
Nutzungskennziffern		
Flächennutzungsgrad	=	$\frac{\text{tatsächlich genutzte Lagerfläche}}{\text{gesamte Lagerfläche} \cdot 100}$
Raumnutzungsgrad	=	$\frac{\text{tatsächlich genutzter Lagerraum}}{\text{gesamter Lagerraum} \cdot 100}$
Qualitätskennziffern		
Lieferbereitschaftsgrad	=	$\frac{\text{Anzahl der sofort ausgeführten Bestellungen} \cdot 100\,\%}{\text{Anzahl der gesamten Bestellungen}}$
Beanstandungsquote	=	$\frac{\text{Zahl der beanstandeten Lieferungen}}{\text{Zahl der Lieferungen insgesamt}}$

10.3 Beschaffungslogistik

Die Beschaffungslogistik hat die Aufgabe, die Bereitstellung der Einsatzgüter (Roh-, Hilfs- und Betriebsstoffe, Halbfertigprodukte, Kaufteile und Handelsware) für den Bedarf der Produzenten und Handelsunternehmen in den gewünschten Mengen zeitgerecht zu organisieren.

10.3.1 Klassifizierung

Die benötigten Artikel werden zunächst klassifiziert. Dazu wird eine ABC-Analyse durchgeführt. Dabei wird der wertmäßige Anteil der Artikel an den gesamten zu beschaffenden Artikeln ermittelt. Danach werden die Artikel nach ihrem Wertanteil absteigend sortiert.

Im Anschluss werden die Wertanteile der Güter kumuliert. Die Einteilung nach A-, B- oder C-Gütern wird so vorgenommen, dass die Güter, die ca. 80 % des Wertes der Beschaffungsgüter ausmachen, als A-Güter klassifiziert werden. Weitere 15 % der Werte sind dann die B-Güter, der Rest sind C-Güter.

Üblicherweise wird davon ausgegangen, dass 20 % der Güter einen Wertanteil von 80 % (A-Güter) repräsentieren. 30 % der Güter bringen 15 % des Wertanteils (B-Güter) und 50 % der Güter haben einen Anteil von 5 % (C-Güter).

Beispiel

Nr.	Jahresbedarf	Stückpreis in Euro	Bedarf	Wertanteil	Nr.	Wertanteil	Kumuliert	ABC
1	55000	19,50	1072500,00	33,33 %	1	33,33 %	33,33 %	A
2	115000	0,75	86250,00	2,68 %	8	27,35 %	60,68 %	A
3	5500	77,00	423500,00	13,16 %	3	13,16 %	73,85 %	A
4	115000	0,63	72450,00	2,25 %	7	9,40 %	83,25 %	B
5	62500	3,50	218750,00	6,80 %	5	6,80 %	90,05 %	B
6	4250	17,90	76075,00	2,36 %	2	2,68 %	92,73 %	B
7	55000	5,50	302500,00	9,40 %	6	2,36 %	95,09 %	C
8	22000	40,00	880000,00	27,35 %	10	2,33 %	97,42 %	C

Beispiel

Nr.	Jahresbedarf	Stückpreis in Euro	Bedarf	Wertanteil	Nr.	Wertanteil	Kumuliert	ABC
9	35 000	0,30	10 500,00	0,33 %	4	2,25 %	99,67 %	C
10	150 000	0,50	75 000,00	2,33 %	9	0,33 %	100,00 %	C
			3 217 525,00	100,00 %				

10.3.2 Beschaffungsprinzipien

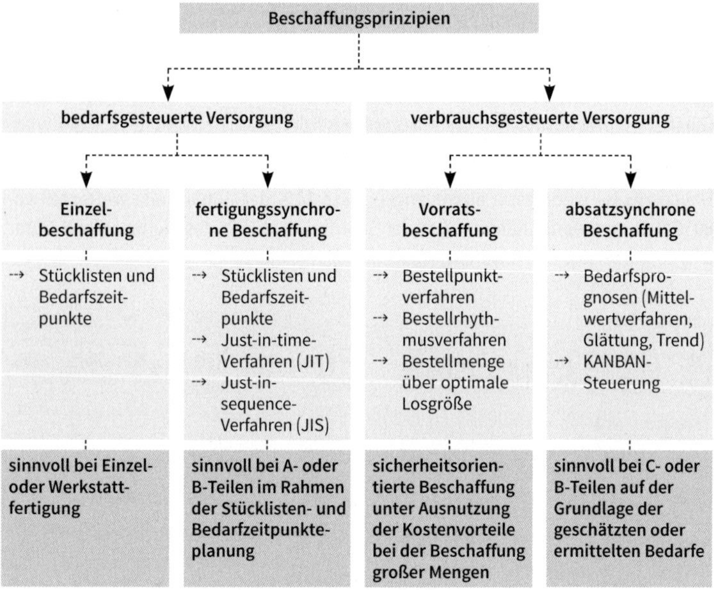

10.3.2.1 Bedarfsgesteuerte Versorgung: Just-in-time (JIT)/Just-in-sequence (JIS)

Die Anlieferung der benötigten Teile erfolgt genau zeitlich abgestimmt mit der Fertigung (fertigungssynchron). Es wird kein Beschaffungslager benötigt. Damit entfallen die Lager- und Kapitalbindungskosten. Allerdings besteht ein hohes Versorgungsrisiko. Erfolgt die Lieferung verspätet, besteht die Gefahr des Produktionsstillstandes.

- **Just-in-time (JIT):** fertigungssynchrone Lieferung gleichartiger Teile an die Produktion; Die Teile werden genau zu dem Zeitpunkt geliefert, zu dem sie in der Produktion gebraucht werden.
- **Just-in-sequence (JIS):** Lieferung von Teilen in unterschiedlichen Varianten (z. B. Autospiegel in unterschiedlichen Lackierungen, die gemäß dem Produktionsablauf vorsortiert sind)

10.3.2.2 Verbrauchsgesteuerte Versorgung: Optimale Bestellmenge, Bestellpunkt- und Bestellrhythmusverfahren

Bei einer Vorratshaltung im Beschaffungslager entstehen Lager- und Kapitalbindungskosten, die mit einer größeren Bestellmenge zunehmen. Zugleich existieren bestellfixe Kosten (Organisation der Bestellung, Warenprüfung etc.), die mit zunehmender Bestellmenge insgesamt abnehmen, da die Zahl der Bestellungen sinkt. Bei der **optimalen Bestellmenge** sind die Gesamtkosten minimal.

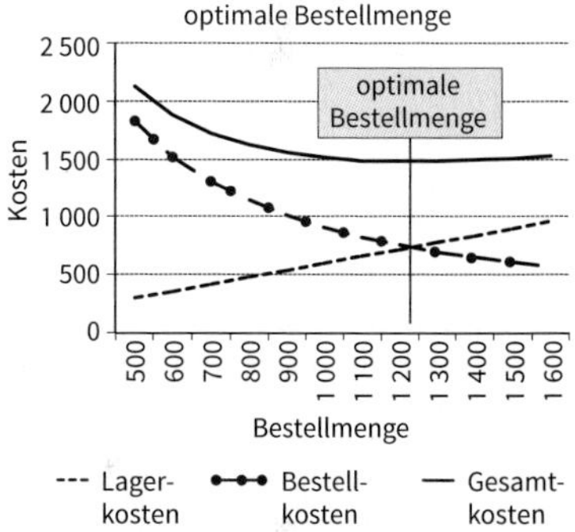

Formel für die optimale Bestellmenge:

$$\sqrt{\frac{2 \cdot J \cdot BK}{LK}}$$

J = Jahresbedarfsmenge, BK = Bestellkosten, LK = Lagerkosten inkl. Zinsen

Die Vorratsergänzung kann mit dem **Bestellpunktverfahren** vorgenommen werden. Dabei wird der Meldebestand ermittelt, bei dem eine Nachbestellung vorgenommen wird. Der **Meldebestand** errechnet sich aus dem Bedarf während der Lieferzeit und dem Mindestbestand. Der Mindestbestand dient der Aufrechterhaltung der Produktion bei verspäteter Lieferung.

Berechnung des Meldebestandes:
Tagesbedarf · Lieferzeit + Mindestbestand

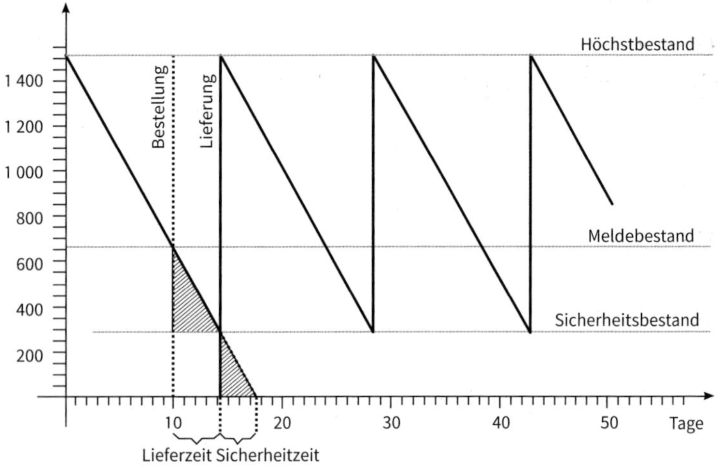

Beim **Bestellrhythmusverfahren** wird die Vorratsergänzung in festen Abständen (z. B. alle zwei Wochen) vorgenommen. Hier kann dann die optimale Bestellmenge nachbestellt oder das Lager bis zur Kapazitätsgrenze aufgefüllt werden.

Eine weitere Methode der Vorratsergänzung ist das **Kanban-Verfahren**. Dabei werden zwei Behälter mit Materialien zur Verfügung gestellt. Wenn ein Behälter leer ist, wechselt der Lieferant selbstständig, d. h. ohne gesonderte Bestellung, den leeren gegen einen vollen Behälter aus.

10.3.3 Organisationsmodelle

Die Anlieferung der Teile kann auf unterschiedlichem Weg erfolgen. Bei Just-in-time-Lieferungen erfolgt die Anlieferung direkt vom Lieferanten (**Direktlieferung**).

Um viele Teile von unterschiedlichen Lieferanten zu besorgen, wird häufig das **Gebietsspediteurkonzept** verwendet. Dabei wird das Liefergebiet (z. B. Deutschland) in mehrere Teilgebiete aufgeteilt, für die jeweils ein Spediteur zuständig ist. Dieser Spediteur holt die Teile ab, schlägt sie im eigenen Lager um und liefert sie als große Sendung in das Beschaffungslager des Herstellers.

Beim **Milkrun-Verfahren** wird auf den Umschlag im Lager des Gebietsspediteurs verzichtet. Es werden mehrere Lieferanten nacheinander angefahren und die Gesamtsendung zum Hersteller befördert.

Onlineshops werden betrieben als:

- **Lieferantensysteme**
  Die Lieferanten stellen eine Internet-Verkaufsplattform mit Onlineshop, Zahlungs- und Transportabwicklung zur Verfügung.
- **Beschaffungssysteme**
  Der Käufer stellt eine Internetplattform zur Verfügung, bei der die Lieferanten ihre Artikel anbieten.
- **Marktplatzsysteme**
  Diese bieten die Möglichkeit, Angebote und Nachfragen in ein elektronisches System zu integrieren.

Die Plattformen vermitteln zwischen

- Consumer to Consumer C2C,
- Consumer to Business C2B,
- Business to Consumer B2C,
- Business to Business B2B.

Die B2C-Plattformen sind weit verbreitet und haben inzwischen einen großen Anteil am Handel. Es existieren spezielle Shops, die ausschließlich für den elektronischen Handel geschaffen wurden (wie z. B. Amazon). Auch die großen Versandhändler wickeln inzwischen einen erheblichen Anteil der Verkäufe über das Internet ab. Bei der Otto Group beträgt z. B. der Onlineumsatz inzwischen 82% des gesamten Handelsumsatzes (2020/21)

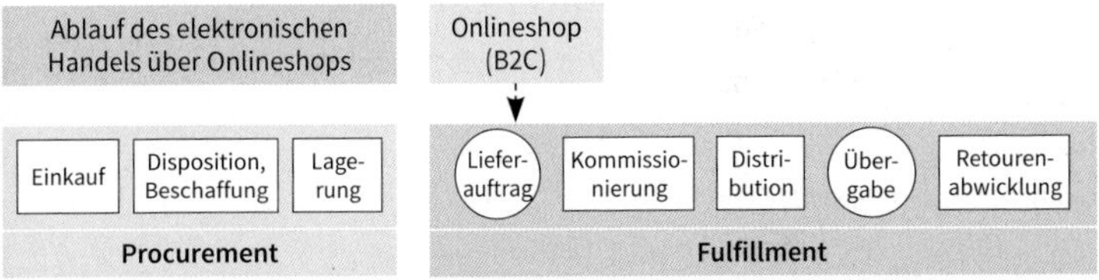

Zur E-Logistik gehört auch die zunehmende Integration der Informations- und Kommunikationstechniken in die Geschäftsprozesse der Unternehmen. Das betrifft sowohl die Datenverarbeitung innerhalb des Unternehmens als auch die Kommunikation mit Kunden, Lieferanten und sonstigen Geschäftspartnern.

Von besonderer Bedeutung ist hier die Ersetzung papiergebundener Informationsprozesse durch elektronische Informationen. So werden Sendungsdaten, Frachtbriefe und Konnossemente in elektronischer Form verwendet. Damit diese Prozesse auch unternehmensübergreifend funktionieren, müssen die Schnittstellen normiert werden (z. B. über EDIFACT).

10.6 Kontraktlogistik

Logistikleistungen, die nicht zu den Kernaufgaben von Industrie- und Handelsunternehmen gehören, werden zunehmend auf Logistikdienstleister übertragen. Dabei werden die klassischen TUL-Leistungen (Transport/Umschlag/Lagerei) mit üblichen Value Added Services verbunden und darüber hinaus teilweise weitreichende Tätigkeiten aus dem Produktionsbereich (Vormontage, Warenaufbereitung, Modulerstellung) in den Kontraktlogistikvertrag einbezogen. Der Kontraktlogistikdienstleister übernimmt das Management des gesamten an Ihn übertragenen Logistikbereiches.

Umfang der Kontraktlogistik

(1) Organisation und Durchführung von Gütertransporten, Güterumschlag und Lagerleistungen
(2) Übernahme von Value Added Services wie Lagerbestandsführung einschließlich Inventuren, Preisauszeichnung, Etikettierung, Verpackung, Reparaturservice, Montageleistungen, Regalservice.
(3) Einzeltätigkeiten aus dem Produktionsbereich wie Qualitätskontrollen, Vormontage, Warenaufbereitung oder Modulerstellung.

Über das gesamte Paket der Kontraktlogistik werden umfangreiche Logistikverträge geschlossen. Dort werden die Rechte und Pflichten der beteiligten Unternehmen festgelegt.

Die Ergebnisse werden laufend im Rahmen eines Logistik-Controlling überprüft. Im Vertrag werden „Key Performance Indicators" (KPI) fixiert. Das sind Kennzahlen zur Beschreibung des Geschäftsumfangs, der Qualität der Leistungserbringung, der Produktivität und der Kosten.

Rechtsgrundlagen der Kontraktlogisti

Einem Teil der Leistungen in der Kontraktlogistik liegen die ADSp zugrunde. Für Leistungen, die über die Regelungen zu den Verkehrsverträgen in den ADSp hinausgehen, können die „Logistik-AGB" vereinbart werden. In jedem Fall gehen die Regelung im Kontraktlogistikvertrag den Allgemeinen Geschäftsbedingungen vor.

B

WIRTSCHAFTS- UND SOZIALPROZESSE

Wirtschafts- und Sozialprozesse

Ausbildung und Arbeitsschutz

Berufsausbildung
- Berufsausbildungsvertrag
- Rechte und Pflichten

Arbeitsschutz
- Grundlagen
- spezielle Schutzvorschriften (Jugend-, Mütter- und Schwerbehindertenschutz)

Handelsrecht
- Kaufmann/Firma
- Unternehmensformen
- Unternehmensorganisation

Arbeitsverhältnis

Arbeitsvertrag
- Inhalt/Form
- Kündigung
- Lohnabrechnung
- Vollmachten

Mitbestimmung
- Betriebsverfassung
- Tarifverträge

Kaufvertrag
- Rechts- und Geschäftsfähigkeit
- Vertragsabschluss
- Kaufvertragsinhalte
- Leistungsstörungen

Finanzierung
- Finanzierungsarten
- Kredite
- Kreditsicherheiten
- Leasing/Factoring

Zahlungsverkehr
- Zahlungsarten
- bargeldloser Zahlungsverkehr
- elektronischer Zahlungsverkehr

Gesamtwirtschaft
- Wettbewerbsrecht
- Konjunktur
- Wirtschaftspolitik
  - Fiskalpolitik
  - Geldpolitik

1 Ausbildung und Arbeitsschutz

Ausbildung und Arbeitsschutz

Berufsausbildung
- Duales System
- Ausbildungsordnung

Ausbildungsvertrag
- Abschluss und Inhalte des Ausbildungsvertrages
- Rechte und Pflichten von Ausbilder und Auszubildenden

Arbeitsschutz
- technischer Arbeitsschutz
- Kontrolle der Arbeitsschutzvorschriften

spezielle Schutzvorschriften
- Jugendarbeitsschutz
- Mutterschutz
- Schutz von Menschen mit Schwerbehinderung

1.1 Berufsausbildung

Die Berufsausbildung in Deutschland wird überwiegend im sogenannten „Dualen System“ betrieben. Dabei wird eine Ausbildung im Betrieb mit einer schulischen Ausbildung in der Berufsschule kombiniert.

Die beiden Lernorte sind aufeinander abgestimmt. Die Abstimmung erfolgt

- im **Ausbildungsbetrieb** durch
  - das Berufsbildungsgesetz,
  - die Ausbildungsordnung und
  - den Berufsausbildungsvertrag;
- in der **Schule** durch
  - die Richtlinien und Lehrpläne für die einzelnen Berufe,
  - die Schulpflicht und
  - die Schulgesetze der Länder.

Grundlage für die Berufsausbildung ist die „Verordnung über die Berufsausbildung zum Kaufmann für Spedition und Logistikdienstleistung/zur Kauffrau für Spedition und Logistikdienstleistung“. Der Text dieser Verordnung kann im Internet unter www.gesetze-im-internet.de heruntergeladen werden.

Die Verordnung enthält Vorschriften über

- die Ausbildungsdauer und die Zielsetzung,
- das Ausbildungsberufsbild,
- den Ausbildungsrahmenplan und den betrieblichen Ausbildungsplan,
- die Zwischen- und Abschlussprüfung.

1.2 Berufsausbildungsvertrag

Über die Berufsausbildung wird ein **Berufsausbildungsvertrag** zwischen dem Ausbildungsbetrieb und dem/der Auszubildenden nach dem Berufsbildungsgesetz (BBiG) geschlossen. Für den Vertrag ist die **Schriftform** vorgeschrieben. Der Vertrag muss bei der zuständigen Kammer (Industrie- und Handelskammer) eingetragen werden.

1.2.1 Inhalte

Für den Vertrag sind folgende Inhalte zwingend vorgeschrieben (§ 11 BBiG):

1. Art, sachliche und zeitliche Gliederung sowie Ziel der Berufsausbildung
2. Beginn und Dauer der Berufsausbildung
3. Ausbildungsmaßnahmen außerhalb der Ausbildungsstätte
4. Dauer der regelmäßigen täglichen Ausbildungszeit
5. Dauer der Probezeit
6. Zahlung und Höhe der Vergütung (bei Ausbildungsbeginn 2025: Mindestvergütung im 1. Ausbildungsjahr 941,00 €, im 2. Ausbildungsjahr 1.026.00 € und im 3. Ausbildungsjahr 1.108,00 €)
7. Dauer des Urlaubs
8. Voraussetzungen, unter denen der Berufsausbildungsvertrag gekündigt werden kann
9. Hinweis auf Tarifverträge, Betriebs- oder Dienstvereinbarungen

1.2.2 Probezeit und Kündigung

Eine **Probezeit** ist im BBiG zwingend vorgeschrieben. Sie muss **mindestens einen Monat** und darf **höchstens vier Monate** betragen. In der Probezeit kann das Berufsbildungsverhältnis ohne Angabe von Gründen von beiden Seiten gelöst werden.

Nach Ablauf der Probezeit kann das Berufsbildungsverhältnis vonseiten des Ausbildungsbetriebes nicht **ordentlich gekündigt** werden. Auszubildende können das Berufsbildungsverhältnis mit einer vierwöchigen Kündigungsfrist kündigen, wenn sie die Berufsausbildung aufgeben oder eine Berufsausbildung in einem anderen Beruf beginnen wollen.

Von beiden Seiten kann das Ausbildungsverhältnis fristlos aus einem wichtigen Grund (außerordentlich) gekündigt werden. Wichtige Gründe aus Sicht des Ausbildenden sind z. B. Diebstahl, Gewaltanwendung, schwerwiegende Beleidigung oder beharrliche Arbeitsverweigerung. **Wichtige Gründe** für Auszubildende sind fehlende

Lohnzahlung, wiederholte oder schwere Verstöße gegen Bestimmungen des Jugendarbeitsschutzgesetzes oder des Berufsbildungsgesetzes, Vernachlässigung der Ausbildungspflichten oder Verletzung von Arbeitsschutzbestimmungen.

Alle Kündigungen müssen schriftlich erfolgen. Bei Kündigungen nach Ablauf der Probezeit müssen auch die Kündigungsgründe angegeben werden.

1.2.3 Ende des Berufsbildungsverhältnisses

Das Berufsbildungsverhältnis endet mit Ablauf des Vertrages. Bei vorherigem Bestehen der Abschlussprüfung endet das Berufsbildungsverhältnis ebenfalls.

Bei Nichtbestehen der Abschlussprüfung verlängert sich das Ausbildungsverhältnis auf Verlangen des/der Auszubildenden bis zur nächstmöglichen Wiederholungsprüfung, jedoch höchstens um ein Jahr.

Der Ausbildende muss dem/der Auszubildenden ein Zeugnis ausstellen. Auf Wunsch sind auch Angaben über Verhalten und Leistung aufzunehmen.

1.2.4 Rechte und Pflichten von Ausbilder und Auszubildenden

Im Ausbildungsvertrag werden Rechte und Pflichten der Vertragsbeteiligten festgelegt.

--> Pflichten der **Ausbildenden**
- **Ausbildungspflicht** (Vermitteln notwendiger Fertigkeiten und Kenntnisse in einer planmäßig, zeitlich und sachlich gegliederten Ausbildung entsprechend der **Ausbildungsordnung**)
- **kostenlose Ausbildungsmittel** zur Verfügung stellen
- **Fürsorgepflicht** (keine körperlichen, charakterlichen oder geistigen Überforderungen und keine sittliche Gefährdung)
- Vergütungspflicht, z. B. Zahlen von Ausbildungsvergütung
- **Gewähren von Urlaub**
- **Freistellung** für die Berufsschule und überbetriebliche Ausbildungsmaßnahmen
- **Ausstellung eines Zeugnisses** am Ende der Ausbildung

--> Pflichten der/des **Auszubildenden**
- **Lernpflicht** (sich bemühen, die Fertigkeiten und Kenntnisse zu erwerben, die erforderlich sind, um das Ausbildungsziel zu erreichen)
- **Dienstleistungspflicht** (die im Rahmen der Berufsausbildung aufgetragenen Verrichtungen auszuführen)

- **Gehorsamspflicht** (Weisungen zu folgen, die ihm/ihr im Rahmen der Berufsausbildung von anderen weisungsberechtigten Personen erteilt werden)
- **Sorgfaltspflicht** (sorgfältige Arbeit, pfleglicher Umgang mit Arbeitsmitteln, Beachtung der Betriebsordnung)
- **Schweige- und Treuepflicht** (Stillschweigen über Betriebs- und Geschäftsgeheimnisse)
- **Berufsschulpflicht**
- Führen eines schriftlichen Ausbildungsnachweises (Berichtsheft)

1.3 Arbeitsschutz

Zum Arbeitsschutz gehören Schutzvorschriften, die **Arbeitsunfälle** verhindern sollen. Auch der **Gesundheitsschutz** ist Teil der Arbeitsschutzvorschriften.

1.3.1 Technischer Arbeitsschutz

Diese Vorschriften regeln die Gefahren, welche mit der Benutzung von Arbeitsmitteln und dem Umgang mit Arbeitsstoffen verbunden sind. Damit soll der Gesundheitsschutz der Beschäftigten bei der Arbeit gewährleistet und verbessert werden.

Es existieren Arbeitsschutzvorschriften zu

- Arbeitsstätten einschließlich Betriebshygiene,
- Maschinen, Geräten und technischen Anlagen,
- dem Umgang mit Gefahrstoffen und biologischen Arbeitsstoffen.

1.3.2 Kontrolle der Arbeitsschutzvorschriften

Der Bundestag erlässt die Gesetze zum Arbeitsschutz. Die Überwachung der Einhaltung dieser Vorschriften ist Aufgabe der Länder. Neben dem staatlichen Arbeitsschutz existiert auch der Arbeitsschutz der gesetzlichen Unfallversicherungsträger (UVT). Das sind die gewerblichen Berufsgenossenschaften (BG), die landwirtschaftlichen Berufsgenossenschaften und die Unfallkassen der öffentlichen Hand.

Für das Speditions- und Lagereigewerbe ist die Berufsgenossenschaft Handel und Warendistribution (BGHW) zuständig, für die Transportbetriebe die Berufsgenossenschaft für Transport und Verkehrswirtschaft (BG Verkehr).

Jedes Bundesland hat eine eigene **Arbeitsschutzaufsicht** (Gewerbeaufsichtsämter, staatliche Ämter für Arbeitsschutz) eingerichtet. Zu deren Aufgaben gehört u. a.

- die Überwachung der Einhaltung der gesetzlichen Vorschriften,
- die Beratung,
- die Anordnung notwendiger Maßnahmen für die Sicherheit und Gesundheit.

1.4 Spezielle Schutzvorschriften

Neben dem technischen Arbeitsschutz, der sich mit Maschinen, Arbeitsräumen und Gefahrstoffen beschäftigt, gibt es auch besondere Schutzvorschriften für spezielle Personenkreise (sozialer Arbeitsschutz).

1.4.1 Jugendarbeitsschutz

Der Schutz jugendlicher Arbeitnehmerinnen und Arbeitnehmer und (jugendlicher) Auszubildender ist im Jugendarbeitsschutzgesetz (JArbSchG) geregelt.

Geltung

Das JArbSchG gilt für jugendliche Arbeitnehmerinnen und Arbeitnehmer, die noch nicht 18 Jahre alt sind. Es gilt nicht für volljährige Auszubildende.

Arbeitszeit und Pausen

Jugendliche haben eine Fünf-Tage-Woche. Sie arbeiten nicht am Wochenende und an Feiertagen (Ausnahmen bestehen in bestimmten Branchen). Die Arbeitszeit ist auf höchstens acht Stunden täglich und 40 Stunden wöchentlich begrenzt. (Ausnahmsweise 8 1/2 Stunden, mit Ausgleich in der selben Woche) Arbeitszeit ist die Beschäftigungszeit ohne Ruhepausen. Pausen zählen nicht zur Arbeitszeit.

Der Arbeitstag von Jugendlichen beginnt frühestens um 06:00 Uhr morgens und endet spätestens um 20:00 Uhr abends. Ausnahmen gelten für Jugendliche über 16 Jahren, die im Gaststätten- oder Schaustellergewerbe, in mehrschichtigen Betrieben, in der Landwirtschaft oder in Bäckereien arbeiten.

Bei einer Arbeitszeit von 4,5 Stunden bis 6 Stunnden müssen die Ruhepausen mindestens 30 Minuten betragen, bei 6 bis 8 Stunden Arbeitszeit mindestens 60 Minuten. Die Ruhepausen müssen spätestens nach 4,5 Stunden beginnen und im Voraus festgelegt werden. Die Mindestdauer einer Pause beträgt 15 Minuten.

Nach Beendigung der täglichen Arbeitszeit dürfen Jugendliche nicht vor Ablauf einer ununterbrochenen Freizeit von mindestens zwölf Stunden beschäftigt werden.

Berufsschule

Arbeitgeber haben Jugendliche für die Teilnahme am Berufsschulunterricht bzw. an Prüfungen und außerbetrieblichen Ausbildungsmaßnahmen freizustellen. Darüber hinaus sind Jugendliche an dem Arbeitstag, welcher der schriftlichen Abschlussprüfung unmittelbar vorausgeht, freizustellen.

Auf die Arbeitszeit werden Berufsschultage mit mehr als fünf Unterrichtsstunden mit acht Stunden bzw. Berufsschulwochen mit mindestens 25 Stunden Unterricht mit 40 Stunden angerechnet. Die Anrechnung der Berufsschulzeit ist für Jugendliche und erwachsene Auszubildende gleich geregelt.

Arbeitgeber dürfen die Jugendlichen nicht beschäftigen

- vor einem vor 09:00 Uhr beginnenden Unterricht (dies gilt auch für volljährige Auszubildende),
- an einem Berufsschultag mit mehr als fünf Unterrichtsstunden von je 45 Minuten, einmal in der Woche,
- in Berufsschulwochen mit einem Blockunterricht von mindestens 25 Stunden an mindestens fünf Tagen.

Urlaub

Arbeitgeber haben den Jugendlichen jährlich einen bezahlten Erholungsurlaub zu gewähren. Der Urlaub beträgt

*	30 Werktage für 15-Jährige
*	27 Werktage für 16-Jährige
*	25 Werktage für 17-Jährige

Die meisten Jugendlichen erhalten nach geltenden Tarifverträgen oft mehr Urlaubstage, als das Jugendarbeitsschutzgesetz vorsieht.

Wenn kein volles Kalenderjahr erreicht wird, z. B. im 1. Ausbildungsjahr, ist für jeden Monat ein Zwölftel des Jahresurlaubs anzurechnen. Den Jugendlichen soll der Urlaub während der Berufsschulferien gegeben werden, sofern nicht betriebliche Gründe dagegen sprechen. Können Jugendliche den Urlaub nicht in den Ferien erhalten, stehen ihnen für jeden Urlaubstag, an dem sie die Berufsschule besuchen, ein weiterer Urlaubstag zu.

Gesundheitsschutz

Jugendliche benötigen vor Arbeitsbeginn ein ärztliches Gesundheitszeugnis (Erstuntersuchung). Diese Erstbescheinigung der Ärztin oder des Arztes muss dem Arbeitgeber 14 Monate vor der Beschäftigung vorgelegt werden. Ein Jahr nach Arbeitsbeginn muss eine Nachuntersuchung stattfinden.

1.4.2 Mutterschutz

Einen besonderen Schutz in der Arbeitswelt erfahren schwangere Frauen und Mütter nach der Entbindung. Für sie gilt das Mutterschutzgesetz (MuSchG).

Kündigungsschutz

Während der Schwangerschaft und vier Monate nach der Entbindung besteht **Kündigungsschutz**. Der Kündigungsschutz besteht auch während der Elternzeit, bei der sich Eltern bis zu drei Jahre ganz oder teilweise von der Arbeit freistellen lassen können.

Beschäftigungsverbot

Es gibt außerdem folgende **Beschäftigungsverbote** für werdende und stillende Mütter:

- Beschäftigungsverbot für sechs Wochen vor und acht Wochen nach der Geburt (Mutterschutzfrist)
- Verbot schwerer körperlicher Arbeit
- Verbot der Mehrarbeit, Sonntags- und Nachtarbeit

Mutterschaftsgeld

Für die Zeiten des Beschäftigungsverbotes erhalten die Frauen **Mutterschaftsgeld**. Der Arbeitgeber bezahlt einen Zuschuss zum Mutterschaftsgeld, damit der bisherige Nettolohn erhalten bleibt.

1.4.3 Elternzeit/Elterngeld

Elternzeit ist eine unbezahlte Auszeit vom Berufsleben für Mütter (und Väter), die ihr Kind selbst betreuen und erziehen. Auch eine Auszubildende (Arbeitnehmerin) kann eine Elternzeit von Ihrem Arbeitgeber verlangen. Während der Elternzeit muss der Arbeitgeber die Auszubildende für die Betreuung des Kindes bis zu 3 Jahre von der Arbeit freistellen. In dieser Zeit muss die Auszubildende nicht arbeiten und erhält aber auch keinen Lohn. Zum Ausgleich kann die Auszubildende Elterngeld beantragen. Während der Elternzeit können die Eltern bis zu einem Jahr Elterngeld erhalten, das 65 % bis 100 % des vorherigen Nettoeinkommens beträgt[1].

1.4.4 Schutz von Menschen mit Schwerbehinderung

Im neunten Buch (IX) des Sozialgesetzbuches (SGB) sind Vorschriften für den Schutz von Menschen mit Schwerbehinderung und diesen gleichgestellten Menschen mit Behinderung enthalten.

Die Vorschriften enthalten eine **Beschäftigungspflicht**. Arbeitgeber mit mindestens 20 Arbeitnehmerinnen und Arbeitnehmer haben auf wenigstens 5 % der Arbeitsplätze Menschen mit Schwerbehinderung zu beschäftigen. Kommen sie dieser Pflicht nicht nach, müssen sie eine monatliche **Ausgleichsabgabe** zwischen 140,00 und 360,00 € je unbesetztem Pflichtplatz entrichten.

Arbeitnehmende mit Schwerbehinderung haben einen gesonderten **Kündigungsschutz**. Einer Kündigung muss das Integrationsamt zustimmen. In diesem Fall gilt eine Kündigungsfrist von vier Wochen.

Die Arbeitgeber haben eine besondere **Fürsorgepflicht** gegenüber Mitarbeitenden mit Schwerbehinderung:

- behinderungsgerechte Einrichtung der Arbeitsstätten
- Benachteiligungsverbot bei Einstellung, Aufstieg/Beförderung, Fortbildung, Kündigung
- Freistellung von Mehrarbeit auf Wunsch des Mitarbeiters/der Mitarbeiterin mit Behinderung
- Zusatzurlaub von fünf Arbeitstagen im Jahr

---

1 *weitere Informationen online unter https://familienportal.de/familienportal/familienleistungen/elterngeld*

2 Handelsrecht

Handelsrecht

- **Kaufmann/-frau und Firma**
  - Kaufmannseigenschaft
  - Firmenarten
  - Handelsregister
- **Rechtsformen der Unternehmens**
  - Einzelunternehmen
  - Personengesellschaften
  - Kapitalgesellschaften
- **Unternehmensorganisation**
  - Stellenbeschreibung
  - Abteilungsbildung
  - Leitungssysteme

2.1 Kaufmann/-frau und Firma

Das Handelsrecht ist im Handelsgesetzbuch und seinen Nebengesetzen geregelt. Die Vorschriften über Kaufleute, Handelsregister und die Handelsfirma finden sich in den Paragrafen 1–37a HGB.

2.1.1 Kaufmannsarten

Nach § 1 HGB ist Kaufmann, wer ein Handelsgewerbe betreibt (Ist-Kaufmann). Gewerbe ist jede selbstständige entgeltliche Tätigkeit, die auf Dauer angelegt ist und nicht freiberuflich betrieben wird.

Kaufmannsarten

- **Ist-Kaufmann § 1 HGB**
- **eigentlicher Kann-Kaufmann § 2 HGB**
- **uneigentlicher Kann-Kaufmann § 3 HGB**
- **Form-Kaufmann § 6 HGB**

- **eigentlicher Kann-Kaufmann**
  Wer ein Handelsgewebe betreibt, aber keinen nach Art und Umfang kaufmännisch eingerichteten Betrieb benötigt (Kleingewerbe), ist kein Ist-Kaufmann. Durch die Eintragung in das Handelsregister kann er zum Kann-Kaufmann werden.
- **uneigentlicher Kann-Kaufmann**
  Eigentümer landwirtschaftlicher Betriebe sind auch dann keine Kaufleute, wenn sie einen kaufmännisch eingerichteten Betrieb benötigen. Sie können sich aber in das Handelsregister eintragen und dann die Kaufmannseigenschaft erhalten.

--> **Formkaufmann**
Alle Handelsgesellschaften sind unabhängig vom Gegenstand und der Größe des Unternehmens Kaufleute, wenn sie im Handelsregister eingetragen sind.

2.1.2 Firmenarten

Die Firma ist der Name, unter dem ein Kaufmann oder eine Kauffrau Geschäfte betreibt und unterschreibt (§ 17 HGB). Es besteht eine weitgehende Freiheit bei der Wahl der Firma.

--> **Personenfirma** Die Firma lehnt sich an den bürgerlichen Namen des Inhabers bzw. der Gesellschafter an.	*Meyer & Meyer OHG* *Gerd Berger e. K.* *Haeger & Schmidt GmbH*
--> **Sachfirma** Die Firma leitet sich aus dem Unternehmensgegenstand ab.	*Unifracht Spedition GmbH* *Schiffsmeldedienst GmbH* *Interfreight System OHG*
--> **Fantasiefirma** Die Firma erhält eine Fantasiebezeichnung.	*AVENTIS AG* *Econ Spediton* *Hansetrans KG*
--> **gemischte Firma** Die Firma ist eine Mischung aus Personen-, Sach- oder Fantasiefirma.	*Birkart Locistics AG* *Anglobaltic Schifffahrts- und Transport GmbH*
--> **Fußzeile eines Geschäftsbriefs**	*Gerd Berger e.K. Spedition// Bankverbindungen Hamburger Sparkasse IBAN: DE07 2005 0550 11202399 08 BIB: HASPDEHHXXX // Handelsregister Amtsgericht Hamburg HR A 352 128*

Neben dem Firmennamen müssen die Unternehmen in der Geschäftspost die Rechtsform und die Handelsregister-Kennzeichnung deutlich machen.

Fußzeile eines Geschäftsbriefs

Gerd Berger e. K. Spedition	Bankverbindungen Hamburger Sparkasse IBAN: DE07 2005 0550 11202399 08 BIB: HASPDEHHXXX	Handelsregister Amtsgericht Hamburg HR A 352 128

Kaufleute müssen aber bei der Firmenwahl bestimmte **Firmengrundsätze** beachten:

- **Firmenwahrheit**
  Im Namen dürfen keine unrichtigen Angaben über Art und Umfang des Unternehmens gemacht werden. Die Firma muss immer einen Rechtsformzusatz (e. K., OHG, KG, KGaA, GmbH, AG) enthalten.
- **Firmenklarheit**
  Aus der Firma soll deutlich werden, welche Art von Geschäft der Inhaber oder die Inhaberin betreibt.
- **Firmenausschließlichkeit**
  Die Firma muss sich von anderen Firmen am gleichen Ort oder von überregionalen Firmen unterscheiden.
- **Firmenbeständigkeit**
  Die Firma darf nach dem Verkauf oder von den Erben beibehalten werden.
- **Firmeneinheit**
  Ein Unternehmen darf nur unter einer Firma geführt werden.
- **Firmenöffentlichkeit**
  Kaufleute müssen ihre Firma in das Handelsregister eintragen. Auf allen Geschäftsbriefen muss die Firma, der Rechtsformzusatz, der Sitz, das Registergericht und die HR-Nummer angegeben werden.

2.1.3 Handelsregister

Kaufleute müssen sich im Handelsregister eintragen. Das Handelsregister ist ein öffentliches Verzeichnis der Kaufleute, das alle wesentlichen Tatsachen über das Unternehmen enthält und das von jedermann eingesehen werden kann.

Eingetragen werden u. a. die Firma, Sitz und Geschäftsanschrift, Niederlassung und Zweigniederlassungen, der Gegenstand des Unternehmens, die vertretungsberechtigten Personen (Vorstand, Geschäftsführung, Prokurist/-in , Inhaber/-in, persönlich haftende Gesellschafter/-innen), die Rechtsform des Unternehmens, das Grund- oder Stammkapital sowie Umwandlungen, Insolvenzverfahren, Auflösung.

Das Handelsregister wird als „elektronisches Register“ geführt. Zuständig für die Eintragungen sind die **Registergerichte**. Handelsregister werden bei dem Amtsgericht geführt, das am Sitz des zuständigen Landgerichts seine Niederlassung hat.

Das Handelsregister kennt zwei **Abteilungen**:

- **Abteilung A**
  Einzelkaufleute, OHG, KG, öffentliche Körperschaften
- **Abteilung B**
  Kapitalgesellschaften: GmbH, AG, KGaA, VVaG

Handelsregister 3289 ALLSPED

Handelsregister A des Amtsgerichts Duisburg				Nr. der Firma	HRA 3289
Nummer der Eintragung	a) Firma b) Sitz, Niederlassung, inländische Geschäftsanschrift Zweigniederlassungen c) Gegenstand des Unternehmens	a) Allgemeine Vertretungsregelung b) Inhaber, persönlich haftende Gesellschafter Vorstand Vertretungsberechtigte und besondere Vertretungsbefugnis	Prokura	a) Rechtsform Beginn und Satzung b) Sonstige Rechtsverhältnisse c) Kommanditisten Mitglieder Einlagen	a) Tag der Eintragung b) Bemerkungen
1	2	3	4	5	6
3289	a) Allsped Logistik KG b) Münster Franziskusstraße 86 41845 Münster	b) Persönlich haftende Gesellschafter: Schneider, Georg, Münster *13.05.1974 Kuntler, Renate Münster *07.08.1978	Einzelprokura: Hanrath, Bernd 13/06/1962	a) Kommanditgesellschaft Beginn: 01.01.2004 Kommanditisten: Schneider, Franz *30.02.1950 Einlage: 250 000,00 € Schneider, Kerstin *04.05.1976 Einlage: 60 000,00 €	a) 15.01.2004

2.1.4 Vollmachten

Der Inhaber oder die Inhaberin eines Unternehmens kann nur in seltenen Fällen alle anfallenden Aufgaben allein erledigen und verantworten. In der Regel werden Mitarbeitende mit Vollmachten ausgestattet. Die Übertragung von Aufgaben erfolgt durch die Erteilung von Handlungsvollmachten. Man unterscheidet nach dem Handelsgesetzbuch (HGB) folgende Vollmachten:

Vollmacht	Erläuterungen	Beispiele
Einzelvollmacht	Mit ihr darf man ein einzelnes Rechtsgeschäft einmalig ausführen.	Eine Auszubildende erhält einmaligden Auftrag, Geld von der Bank abzuholen.
Artvollmacht	Berechtigung, bestimmte, regel- mäßig durchzuführende Geschäfte duerhaft zu erledigen. Im Schriftverkehr unterzeichnet die bevollmächtigte Person mit dem Zusatz „i. A." (im Auftrag)	Ausfüllen von Frachtpapieren
Allgemeine Handlungsvollmacht	Sie berechtigt zu gewöhnlichen Geschäften, die in einem Unternehmen anfallen. Im Schriftverkehr unterzeichnet die bevollmächtigte Person mit dem Zusatz „i. A." (im Auftrag)	Speditionsverträge abschließen, Zahlungen vornehmen, Personal einstellen
Prokura	Sie berechtigt neben den gewöhnlichen Geschäften auch zum Abschluss außergewöhnlicher Geschäfte. Sie stellt damit die umfassenste Vollmacht dar. Prokurist/-innen unterzeichen mit dem Zusatz „pp." oder „ppa." (per Prokura)	Kauf von Grundstücken, Aufnahme von Darlehen oder Führen von Prozessen

2.2 Unternehmensformen

Folgende Übersicht zeigt die verschiedenen Rechtsformen, in denen die Unternehmen geführt werden können:

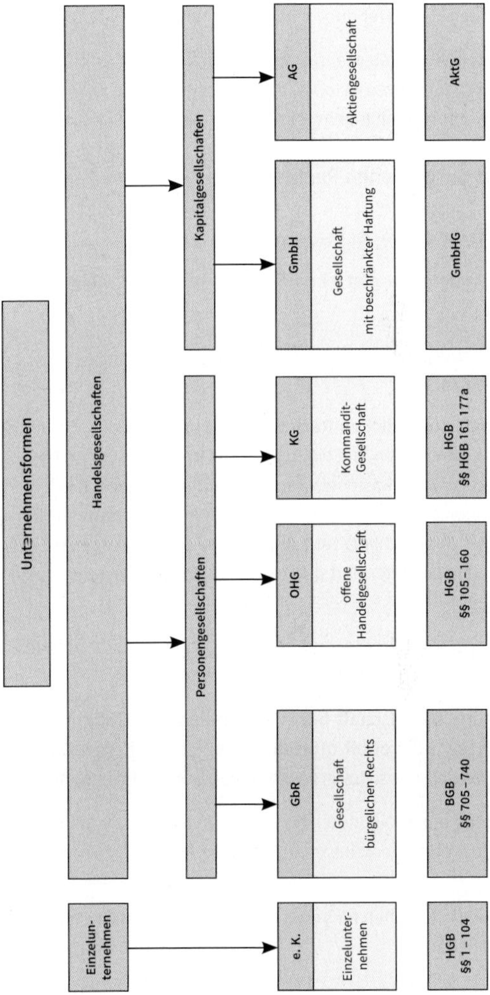

Einzelunternehmen

Der Einzelunternehmer gründet das Unternehmen und bringt das **Kapital** auf, für das keine Mindesthöhe vorgeschrieben ist. Der Unternehmer führt die Geschäfte des Unternehmens allein. Er **haftet** unbeschränkt mit seinem Privat- und Betriebsvermögen.

Der **Gewinn** steht dem Unternehmer zu, der auch den Verlust tragen muss. Das Unternehmen bezahlt die Gewerbesteuer, der Unternehmer die Einkommensteuer auf seinen Gewinn. Körperschaftsteuer wird nur von Kapitalgesellschaften bezahlt.

Gesellschaft bürgerlichen Rechts (GbR)

Die *GbR* ist die Grundform der Personengesellschaften.

Seit dem 1. Januar 2024 gibt es zwei Formen der Gesellschaft bürgerlichen Rechts (GbR):

1. Gesellschaft bürgerlichen Rechts (GbR)
2. Rechtsfähige eGbR

Die **Gesellschaft bürgerlichen Rechts** (GbR) wird durch den Zusammenschluss von mindestens zwei Personen, die einen gemeinsamen Zweck verfolgen, gegründet. Die Gründung kann schnell, kostengünstig und **ohne Startkapital** erfolgen. Alle BGB Gesellschafter haften gesamtschuldnerisch mit ihrem Privatvermögen. In einem **formlos** aufzusetzenden Gesellschaftervertrag werden i.d.R. die gegenseitigen Verpflichtungen der GbR Gesellschafter und die Regeln für das Ausscheiden aus der BGB Gesellschaft festgelegt.

Die GbR wird also nicht unternehmerisch tätig, sondern dient den Gesellschaftern bei der Gestaltung der Rechtsgeschäfte untereinander.

Die **eingetragene Gesellschaft bürgerlichen Rechts** (eGBR) unterscheidet sich von der GbR darin, dass die **eGbR offiziell im neu geschaffenen Gesellschaftsregister eingetragen** werden muss. Außerdem hat die eGbR die folgenden Merkmale:

- Die Gründung der erfolgt durch den Zusammenschluss von mindestens zwei Personen, die einen gemeinsamen Zweck verfolgen. Die Gründung kann formlos erfolgen.
- Die Gesellschafter haften für Verbindlichkeiten gesamtschuldnerisch mit ihrem Privatvermögen.

- Bei der Gründung der eGbR erfolgt die Anmeldung beim Gewerbeamt.
- Für alle Gewerbetreibenden und Freiberufler (Ärzte, Rechtsanwälte usw.) ist die Anmeldung bei IHK oder HWK (Handwerker) Pflicht.

Offene Handelsgesellschaft (OHG)

Mehrere Personen **gründen** gemeinsam die Gesellschaft. Sie erstellen einen Gesellschaftsvertrag, bringen das Kapital auf und lassen die Gesellschaft in das Handelsregister eintragen. Alle Gesellschafter sind zur **Geschäftsführung** berechtigt und verpflichtet, sie kann aber auf einzelne Gesellschafter übertragen werden. Jeder Gesellschafter kann die OHG alleine **vertreten**. Das gilt für Geschäfte, die der gewöhnliche Betrieb des Handelsgewerbes der Gesellschaft mit sich bringt. Außergewöhnliche Handlungen (z. B. Einrichtung von Zweigniederlassungen, Kauf von Grundstücken, Aufnahme eines Gesellschafters) erfordern einen zustimmenden Beschlusses aller Gesellschafter.

Die OHG hat eine **Teilrechtsfähigkeit** nach § 124 HGB. Sie kann Rechte erwerben und Verbindlichkeiten eingehen; sie kann Eigentum und andere dingliche Rechte an Grundstücken erwerben und vor Gericht klagen und verklagt werden.

Die **Besteuerung** der OHG ist wie bei den Einzelunternehmen geregelt.

Kommanditgesellschaft (KG)

Die KG unterscheidet sich von der OHG durch die Aufnahme von Gesellschaftern, die nicht mit ihrem Privatvermögen haften. Sie besteht also aus **Komplementären** (Vollhafter) und **Kommanditisten** (Teilhafter). Die Komplementäre haben die gleichen Rechte wie die OHG-Gesellschafter. Kommanditisten haben keine **Geschäftsführungspflicht und Vertretungsbefugnis**. Für die **Gewinn- und Verlustverteilung** bei Personengesellschaften OHG und KG gelten seit dem 01.01.2024 gemäß § 709 (3) BGB drei Stufen:

- Vorrangig wird der Gewinn und Verlust nach den im Gesellschaftsvertrag vereinbarten Beteiligungsverhältnissen verteilt. Eine Verteilung nach Köpfen ist nicht mehr vorgesehen.
- Sind keine Beteiligungsverhältnisse vereinbart, gelten die vereinbarten Werte der Beiträge.
- Sind auch keine Werte der Beiträge vereinbart, haben alle Gesellschafter den gleichen Anteil am Gewinn und Verlust, d. h. es erfolgt eine Verteilung nach Köpfen.
- Bei der KG wird der Gewinnanteil von Kommanditisten immer ausbezahlt.

Gesellschaft mit beschränkter Haftung (GmbH/UG)

Bei der **Gründung** einer GmbH wird ein Gesellschaftsvertrag geschlossen. Es ist ein **Mindestkapital** (**Stammeinlage**) von 25 000,00 € erforderlich. Die **Haftung** ist auf das Gesellschaftsvermögen beschränkt. Es besteht eine Nachschusspflicht der Gesellschafter. Die GmbH ist eine **juristische Person** und damit voll rechtsfähig. Als juristische Person ist die GmbH körperschaftsteuerpflichtig.

- Die GmbH wird von einem oder mehreren angestellten **Geschäftsführern** geleitet.
- Über die Bestellung der Geschäftsführung und alle wesentlichen Fragen entscheidet die **Gesellschafterversammlung**.
- Bei einer GmbH mit mehr als 500 Beschäftigten wird ein **Aufsichtsrat** gebildet, bei dem die Arbeitnehmerinnen und Arbeitnehmer Mitbestimmungsrechte haben.

Die GmbH kann als Ein-Personen-Gesellschaft gegründet werden. Eine Sonderform der GmbH ist die **Unternehmergesellschaft** (haftungsbeschränkt). Die UG hat ein Mindeststammkapital von nur 1,00 €.

Aktiengesellschaft (AG)

Die AG wird durch eine Satzung von einem oder mehreren Aktionären gebildet. Über die Gesellschaftsanteile werden Aktien ausgestellt, die gehandelt werden können. Das Mindestkapital (Grundkapital) beträgt 50 000,00 €. Die **Haftung** ist auf das Gesellschaftsvermögen beschränkt. Die AG ist eine **juristische Person** und damit voll rechtsfähig. Als juristische Person ist die AG körperschaftsteuerpflichtig.

- Die AG wird von einem **Vorstand** geleitet, der vom Aufsichtsrat bestellt wird.
- Die AG hat einen **Aufsichtsrat,** der von der Hauptversammlung sowie den Arbeitnehmerinnen und Arbeitnehmern gewählt wird.
- Grundlegende Unternehmensentscheidungen werden von der **Hauptversammlung** getroffen. Die Aktionäre haben ein Stimmrecht je Aktie.

Die Hauptversammlung beschließt über die Verwendung des Gewinns. Er kann als **Dividende** ausgeschüttet oder den **Rücklagen** zugeführt werden.

2.3 Unternehmensziele

Das Handeln eines Unternehmens muss zielgerichtet sein, um erfolgreich zu sein. Man unterscheidet **kurzfristige und langfristige Ziele**. Kurzfristige Ziele sind vergleichsweise schnell zu erreichen:

- eine Umsatzsteigerung um 3 % oder
- Reduzierung der Mitarbeiterzahl um 5 Mitarbeiter/-innen in einem halben Jahr

Die Erreichung **langfristiger Ziele** erfordern längere Zeiträume, um sie zu erreichen.

Zu den wichtigsten Zielen gehören:

- **Gewinnmaximierung:** Das Unternehmen strebt eine möglichst hohe Verzinsung des eingesetzten Eigenkapitals an.
- **Marktmacht:** Das Unternehmen strebt eine bestimmte Stellung im Markt an.
- **Sicherheit:** Das langfristige Überleben des Unternehmens wird durch Gewinnung eines breiten Kundenkreises und die gleichmäßige Auslastung der Kapazitäten.

Ein Speditionsunternehmen kann diese langfristigen Ziele besonders gut erreichen, wenn sie den Kunden in den Mittelpunkt aller Bemühungen stellt **(Kundenorientierung)**.

2.4 Unternehmensorganisation

Zur Unternehmensorganisation gehören die Stellenbildung, die Zusammenfassung von Stellen zu Abteilungen und die Leitungssysteme der Unternehmen.

2.4.1 Stellen und Abteilungen

Als **Stelle** bezeichnet man ein Bündel von Aufgaben, die von einer entsprechend ausgebildeten Arbeitskraft bewältigt werden können. Sie ist daher die kleinste Einheit der **Aufbauorganisation** eines Unternehmens.

Für jede Stelle wird eine Stellenbeschreibung erstellt. Die Stellenbeschreibung enthält

- Stelleneinordnung (Rang, Vorgesetzter, unterstellte Mitarbeitende),
- Stellenaufgaben (Haupt- und Einzelaufgaben, besondere Befugnisse),
- Stellenanforderungen (Vorbildung, Kenntnisse, Eigenschaften).

Aus den Stellen werden **Abteilungen** gebildet. Ziel ist es, die Überschaubarkeit der Aufgaben zu erhöhen und die Spezialisierung der Mitarbeitenden zu ermöglichen.

2.4.2 Leitungssysteme der Unternehmen

Bei einem **Mehrliniensystem** sind alle Mitarbeitenden mehreren Führungskräften gleichzeitig unterstellt. Die Führungskräfte nehmen unterschiedliche Funktionen im Unternehmen wahr (z. B. kaufmännische Verwaltung, Spedition) und arbeiten eng zusammen.

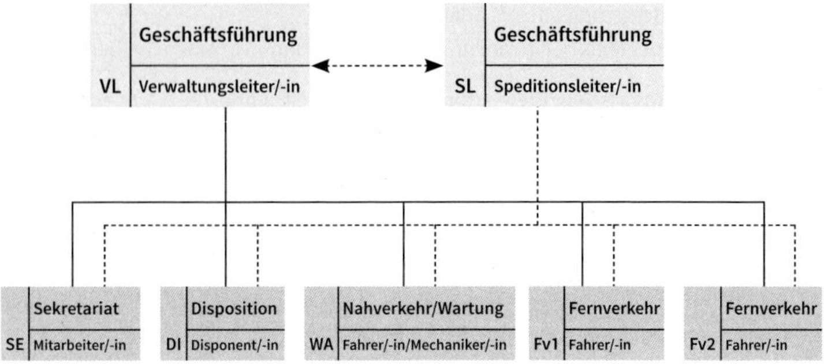

Beim **Einliniensystem** können alle Abteilungen und Mitarbeitenden Aufträge und Anweisungen nur von ihren direkten Vorgesetzten erhalten. Sie sind auch nur den direkten Vorgesetzten gegenüber verantwortlich und berichtspflichtig.

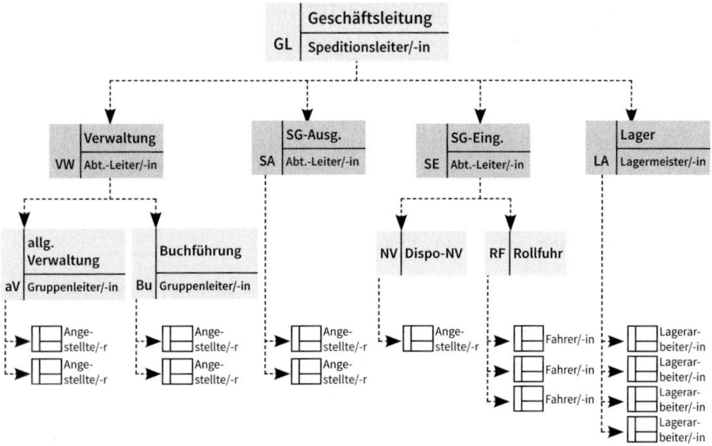

Im **Stabliniensystem** wird das Einliniensystem um Stabsstellen bzw. Stabsabteilungen ergänzt. Stabsstellen beraten und unterstützen die Linienstellen und entwickeln entscheidungsreife Vorschläge. Sie haben jedoch nicht das Recht, Weisungen zu erteilen.

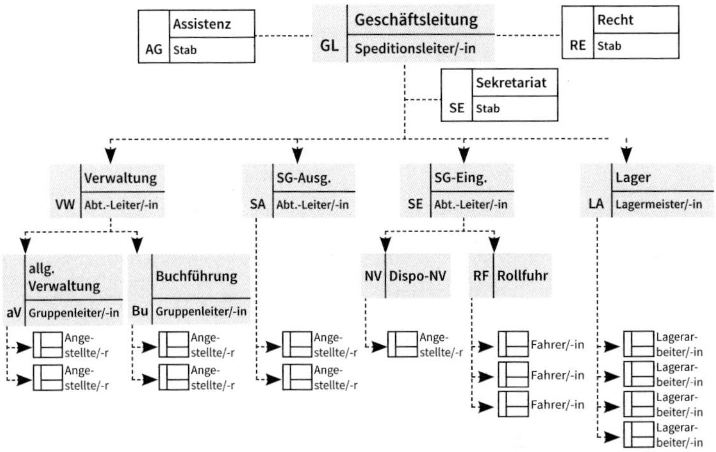

Bei der **Spartenorganisation** werden Großunternehmen nach Sparten gegliedert, die wie selbstständige Unternehmen handeln. Die Sparten erhalten eigene Budgets, mit denen bestimmte Umsatzgrößen erreicht werden müssen (Budgetsystem), oder sie werden als Profitcenter geführt, die bestimmte Gewinnmargen erreichen sollen.

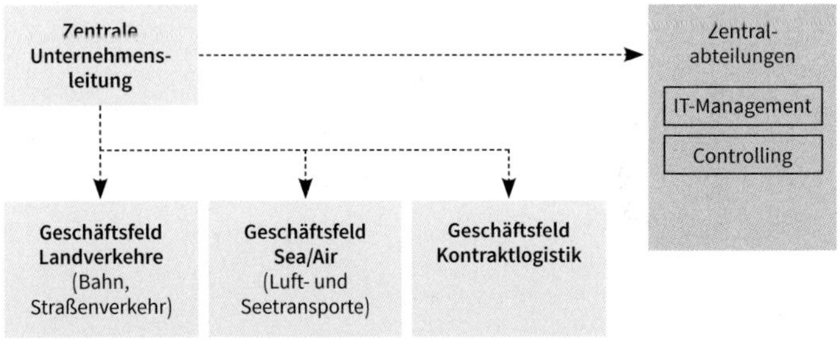

Bei der **Matrixorganisation** werden die Mitarbeitenden in ein nach Funktionen gegliedertes Abteilungssystem eingeordnet. Gleichzeitig werden die Mitarbeitenden marktorientierten Leitungsstellen zugeordnet. Jede ausführende Stelle hat daher zwei für sie zuständige Leitungsinstanzen.

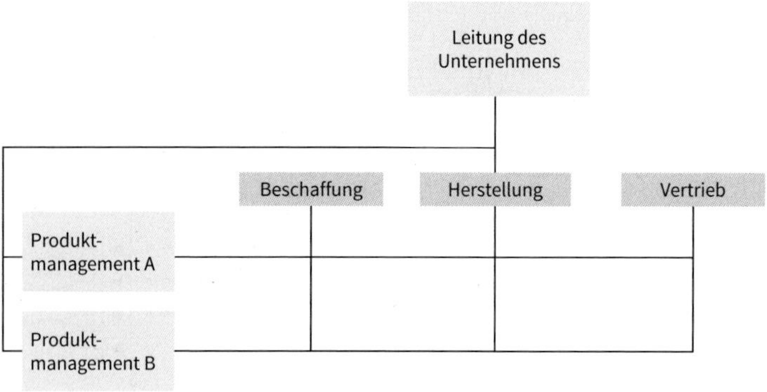

3 Arbeitsverhältnis

Arbeitsverhältnis

Arbeitsvertrag
- Abschluss und Inhalt des Arbeitsvertrages
- Kündigung
- Kündigungsschutz

kollektives Arbeitsrecht
- Tarifrecht
- Betriebsverfassung
- Mitbestimmung

Lohn- und Gehaltsabrechnung
- Abrechnungsschema
- Steuern
- Sozialversicherung[1]

Vollmachten
- Handlungsvollmacht
- Prokura

3.1 Arbeitsvertrag

Ein Arbeitsvertrag wird wird nach deutschem Recht zwischen Arbeitgeber und Arbeitnehmenden geschlossen. Mit dem Vertrag erklären sich Arbeitnehmende einerseits bereit, die versprochene Arbeit zu leisten und der Arbeitgeber andererseits die vereinbarte Vergütung zu zahlen. D.h. nach § 611 BGB ist der Arbeitsvertrag ein Dienstvertrag.

3.1.1 Inhalt des Arbeitsvertrages

Der Arbeitsvertrag kann grundsätzlich formfrei abgeschlossen werden. Aus Gründen der Rechtssicherheit werden Arbeitsverträge häufig von vornherein in der **Schriftform** abgeschlossen. Grundsätzlich können die Willenserklärungen auch mündlich oder stillschweigend, wie z. B. bei der stillschweigenden Übernahme nach der Abschlussprüfung erfolgen.

Das **Nachweisgesetz** verpflichtet Arbeitgeber, spätestens einen Monat nach dem vereinbarten Beginn des Arbeitsverhältnisses eine unterschriebene Niederschrift mit den wesentlichen Arbeitsbedingungen an die Arbeitnehmer/-innen auszuhändigen, wenn diese nicht schon in einem schriftlichen Arbeitsvertrag enthalten sind. Die Niederschrift muss Folgendes enthalten:

1. den Namen und die Anschrift der Vertragsparteien
2. den Zeitpunkt des Beginns des Arbeitsverhältnisses und sofern vereinbart, die Dauer der Probezeit. Für ein Arbeitsverhältnis kann eine Probezeit von maximal 6 Monaten vereinbart werden.

[1] *Dazu zählen Arbeitslosenversicherung, Krankenversicherung, Pflegeversicherung und Rentenversicherung. Auch die Unfallversicherung ist ein Zweig der Sozialversicherung.*

3. bei befristeten Arbeitsverhältnissen: die vorhersehbare Dauer des Arbeitsverhältnisses
4. den Arbeitsort
5. eine kurze Charakterisierung oder Beschreibung der von den Arbeitnehmenden zu leistenden Tätigkeit
6. die Zusammensetzung und die Höhe des Arbeitsentgelts einschließlich der Vergütung von Überstunden, der Zuschläge, der Zulagen, Prämien und Sonderzahlungen
7. die vereinbarte Arbeitszeit
8. die Dauer des jährlichen Erholungsurlaubs
9. die Fristen für die Kündigung des Arbeitsverhältnisses
10. einen Hinweis auf Tarifverträge, Betriebs- oder Dienstvereinbarungen, die auf das Arbeitsverhältnis anzuwenden sind

3.1.2 Pflichten aus dem Arbeitsvertrag

Im Arbeitsvertrag werden die grundlegenden Rechte und Pflichten von Arbeitnehmerinnen und Arbeitnehmern und Arbeitgebern festgelegt.

Pflichten aus dem Arbeitsvertrag	
Arbeitnehmer/-in	**Arbeitgeber**
Arbeitspflicht (§ 611 BGB) Die Hauptpflicht von Arbeitnehmenden ist die im Arbeitsvertrag vereinbarten Arbeitsleistungen zu erbringen.	Lohnzahlungspflicht (§ 611 BGB): Der Arbeitgeber ist verpflichtet die vereinbarte Vergütung zu zahlen.
Weitere Pflichten: → Verschwiegenheitspflicht → pflegliche Behandlung der Arbeitsgeräte → Anzeige drohender Schäden → Wettbewerbsverbot, §§ 60 f. HGB → keine Annahme von Schmiergeldern → Überstunden in Notfällen → Treuepflicht, § 242 BGB	Weitere Pflichten: → Urlaubsgewährung → Fürsorge (Sozialversicherung und Unfallverhütung) → Ausstellung von Arbeitszeugnissen → Gleichbehandlung, Diskriminierungsverbot → Datenschutz

3.1.3 Arten von Arbeitsverhältnissen

Angepasst an die unterschiedlichen Anforderungen der Arbeitswelt gibt es auch entsprechend gestaltete Arbeitsverhältnisse.

Vollzeit- und Teilzeitbeschäftigung

Normalerweise ist ein Arbeitsverhältnis auf eine volle Stelle bezogen. Der Umfang einer **Vollbeschäftigung** ergibt sich im Regelfall aus dem Tarifvertrag. Grundsätzlich gilt die 40-Stunden Woche, obwohl auch viele Tarifverträge von einer 35-Stunden-Woche oder einer 4-Tage-Woche ausgehen.

Wenn die vereinbarte wöchentliche Arbeitszeit kürzer als die eines vollzeitbeschäftigten Arbeitnehmers ist, spricht man von einer **Teilzeitbeschäftigung**.

Für die Vollzeit- bzw. die Teilzeitbeschäftigten gelten im Prinzip die gleichen Bedingungen. Das Entgelt und der Urlaubsanspruch müssen zeitanteilig auf den Teilzeitbeschäftigten umgerechnet werden.

Unbefristetes und befristetes Arbeitsverhältnis

Unternehmen sind bestrebt, wegen Beschäftigungsschwankungen, z. B. aufgrund saisonaler Unterschiede, flexible Arbeitsverträge abzuschließen. Grundsätzlich ist ein Arbeitsverhältnis auf Dauer angelegt und daher von sich aus unbefristet (Dauerarbeitsverhältnis).

Dagegen spricht man von einem befristeten Arbeitsverhältnis von Anfang an, wenn sich Arbeitgeber und Arbeitnehmer/-innen von Beginn an darüber geeinigt haben, das dieses Arbeitsverhältnis

- nach einer vertraglich festgelegten Zeit oder
- nach Zweckerreichung automatisch endet.

Eine Befristung kann sich auch aus einem einem Sachgrund ergeben.

Befristung mit Sachgrund

- Eine Spedition schließt mit einer neuen Mitarbeiterin zunächst einen Arbeitsvertrag mit einer Befristung von 2 Jahren ab.
- Im Anschluss an eine Ausbildung wird einem Arbeitnehmer ein befristetes Arbeitsverhältnis, um die Suche nach einem neuen Arbeitsstelle zu erleichtern.

Befristungen ohne Sachgrund sind nur ausnahmsweise möglich, und zwar erstmalig im Regelfall bis zu zwei Jahre. Eine Aneinanderreihung von Zweijahresverträgen ist nicht erlaubt.

Geringfügig Beschäftigte

Die Verdienstgrenze für geringfügig Beschäftigte (Minijobs) wurde am 1. Januar 2025 auf 556,00 € pro Monat erhöht. Die Erhöhung ergibt sich aus der Erhöhung des Mindestlohns 12,41 € auf 12,82 €.

Die Jahresgrenze, die Minijobber höchstens verdienen dürfen, liegt damit bei 6672,00 €.

Beschäftigte, die mehr als 556,00 € im Monat verdienen, sind Midijober. Sie unterliegen der Sozialversicherungspflicht und müssen die Beiträge zur Kranken- und Arbeitslosenversicherung (Arbeitnehmende und Arbeitgeber mit 50 %) einzahlen. Die Beiträge zur Pflegeversicherung zahlen Midijobber selbst.

3.1.4 Kündigung

Das Arbeitsverhältnis kann auf verschiedene Arten beendet werden:

- Kündigung
- Fristablauf bei befristeten Arbeitsverhältnissen
- Aufhebungsvertrag
- Tod von Arbeitnehmenden

Die Kündigung kann von Arbeitnehmenden oder vom Arbeitgeber ausgehen. Sie muss in jedem Fall schriftlich erfolgen. Kündigungen sind entweder ordentliche Kündigungen oder außerordentliche, fristlose Kündigungen, für die ein „wichtiger Grund" vorliegen muss. Die Arbeitnehmerinnen und Arbeitnehmer haben bei Beendigung eines Arbeitsverhältnisses Anspruch auf ein schriftliches Zeugnis. Das Zeugnis muss mindestens Angaben zu Art und Dauer der Tätigkeit (einfaches Zeugnis) enthalten. Die Arbeitnehmerinnen und Arbeitnehmer können verlangen, dass sich die Angaben darüber hinaus auf Leistung und Verhalten im Arbeitsverhältnis (qualifiziertes Zeugnis) erstrecken (Gewerbeordnung § 109).

Kündigung durch Arbeitnehmerinnen und Arbeitnehmer

Alle Arbeitnehmerinnen und Arbeitnehmer können jederzeit ordentlich kündigen. Sie müssen keine Gründe angeben. Die **Kündigungsfrist** beträgt 28 Tage zum 15. oder zum Monatsende.

Bei einer außerordentlichen Kündigung müssen **wichtige Gründe** vorliegen. Solche Gründe sind z. B. Verweigerung der Gehaltszahlung, grobe Beleidigung oder Tätlichkeiten.

Kündigung durch Arbeitgeber

Ein Arbeitgeber kann gegenüber einer beschäftigten Person eine **(ordentliche) Kündigung** aussprechen. Sie erfordert aber (wie auch bei der Kündigung durch die Beschäftigten) die Schriftform.

Bei einer Kündigung durch den Arbeitgeber sind folgende **Kündigungsfristen** im BGB vorgeschrieben (§ 622 BGB):

- 28 Tage zum 15. oder zum Monatsende
- Verlängerte Fristen bei bestehendem Arbeitsverhältnis zum Ende des Kalendermonats bei Kündigung durch den Arbeitgeber (jeweils zum Ende des Monats):

ab 2 bis 5 Jahre → 1 Monat	ab 12 bis 15 Jahre → 5 Monate
ab 5 bis 8 Jahre → 2 Monate	ab 15 bis 20 Jahre → 6 Monate
ab 8 bis 10 Jahre → 3 Monate	ab 20 Jahre → 7 Monate
ab 10 bis 12 Jahre → 4 Monate	

Die Fristen können durch Tarifvertrag oder Arbeitsvertrag verändert werden. Eine kürzere Frist ist nur in Ausnahmefällen (Kleinbetriebe) zulässig.

Kündigungsarten

- **verhaltensbedingte Kündigung**
  Verletzt ein/-e Arbeitnehmer/-in die Pflichten aus dem Arbeitsvertrag (z. B. Arbeitsverweigerung, Verrat von Betriebsgeheimnissen, Alkoholmissbrauch), kann er/sie gekündigt werden. Die Kündigung setzt eine **Abmahnung** voraus.
- **personenbedingte Kündigung**
  Kündigung wegen Gründen in der Person des Arbeitnehmers bzw. der Arbeitnehmerin (lang andauernde Krankheit, Führerscheinentzug, fehlende Arbeitserlaubnis, mangelndes Leistungsvermögen)
- **betriebsbedingte Kündigung**
  Kündigung bei Wegfall des Arbeitsplatzes wegen
  - Auftragsrückgang, Rohstoffmangel etc.,
  - Rationalisierung, Stilllegung, Verlagerung

Kündigungsschutz

Arbeitnehmer/-innen sind in Deutschland durch das Kündigungsschutzgesetz und weitere Schutzgesetze vor Kündigungen geschützt. Außerdem haben Betriebsräte (eingeschränkte) Möglichkeiten, Arbeitnehmer/-innen vor Kündigungen zu schützen.

Kündigungsschutzgesetz (KSchG)

- **Geltung**
  Gilt für volljährige Arbeitnehmer/-innen, die länger als sechs Monate in einem Betrieb beschäftigt sind, der mehr als zehn Arbeitnehmer/-innen beschäftigt hat.

→ **Zulässigkeit von Kündigungen**
- Kündigungen sind nur zulässig, wenn sie sozial gerechtfertigt sind. Sozial gerechtfertigt sind
  - verhaltensbedingte,
  - personenbedingte und
  - betriebsbedingte Kündigungen (§ 1 KSchG).
- Betriebsbedingte Kündigungen sind nur zulässig, wenn der Arbeitgeber bei der **Auswahl** der beschäftigten Person **soziale Gesichtspunkte** ausreichend berücksichtigt hat.
- Der Arbeitgeber hat der beschäftigten Person die Gründe anzugeben, die zu der getroffenen **sozialen Auswahl** geführt haben.

→ **Kündigungsschutzverfahren**
- Einspruch beim Betriebsrat innerhalb einer Woche
- Kündigungsschutzklage innerhalb von drei Wochen beim Arbeitsgericht
- Entscheidung des Arbeitsgerichtes:
  - Abweisung der Klage (Kündigung ist wirksam)
  - Feststellung, dass die Kündigung sozial ungerechtfertigt war:
    a) Kündigung ist unwirksam.
    b) Ist eine Weiterbeschäftigung nicht zumutbar, wird das Arbeitsverhältnis gegen Zahlung einer Abfindung (bis zu 18 Monatsgehälter) aufgelöst.

Für bestimmte Personengruppen – Betriebsratsmitglieder (BetrVG), Schwangere (MuSchG), Menschen mit Schwerbehinderung (SGB IX), Auszubildende (BBiG) – gelten darüber hinaus besondere Kündigungsschutzvorschriften.

3.2 Tarifvertrag und Betriebsverfassung

Der Inhalt von Arbeitsverhältnissen wird nicht nur durch den individuellen Arbeitsvertrag, sondern auch durch die Tarifverträge und die Betriebsverfassung mitgestaltet.

3.2.1 Tarifverträge

Tarifverträge werden von Gewerkschaften und Arbeitgeberverbänden ausgehandelt. Grundlage ist die **Koalitionsfreiheit**, die im Grundgesetz zu den Grundrechten gezählt wird:

> „Das Recht, zur Wahrung und Förderung der Arbeits- und Wirtschaftsbedingungen Vereinigungen zu bilden, ist für jedermann und für alle Berufe gewährleistet." *(Art. 9 Abs. 3 Grundgesetz)*

Zur **individuellen Koalitionsfreiheit** gehört, dass Arbeitnehmer/-innen und Beamte/Beamtinnen Gewerkschaften bilden können. Ebenso können sich Arbeitgeber zu Verbänden zusammenschließen.

Die **kollektive Koalitionsfreiheit** schützt auch den Zusammenschluss selbst, d. h. die Koalition (Bestandsschutz) und deren Betätigung. Zur Betätigungsfreiheit gehört auch das Recht, ohne staatliche Einmischung Tarifverträge auszuhandeln. Die kollektive Koalitionsfreiheit beinhaltet auch das Recht auf Streik und Aussperrung.

- **Abschluss**
  Tarifverträge werden zwischen Gewerkschaften und Arbeitgeberverbänden (oder einzelnen Arbeitgebern) abgeschlossen.
- **Geltung**
  Tarifverträge gelten **zwingend** für beiderseits Tarifgebundene (Gewerkschaftsmitglieder, Mitglieder des Arbeitgeberverbandes, Arbeitgeber bei Firmentarifverträgen). Sie regeln nach dem **Günstigkeitsprinzip** Mindestbedingungen, die in Arbeitsverträgen zwischen Tarifgebundenen nicht unterschritten werden dürfen. Tarifverträge bestimmter Branchen werden vom Arbeitsministerium für **allgemeinverbindlich** erklärt und gelten dann auch für nicht Tarifgebundene.
- **Tarifvertragsarten**
  - Lohn-, Gehalts- oder Entgelttarifverträge
  - Rahmentarifvertrag (Lohn- und Gehaltsgruppen)
  - Manteltarifvertrag (Arbeitszeit, Urlaub, Sonderurlaub, Überstunden, Kündigungsfristen)
  - Sondertarifverträge (Rationalisierungsschutz)
- Während der Geltung des Tarifvertrages gilt eine **Friedenspflicht**, d. h., Arbeitskämpfe um die Inhalte des geltenden Tarifvertrages sind verboten.

Ablauf einer Tarifauseinandersetzung

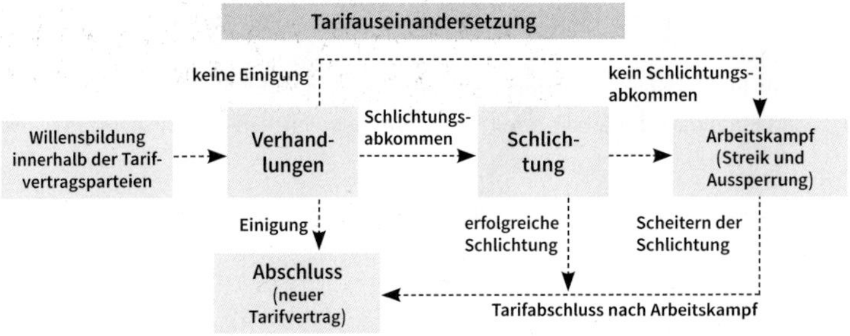

3.2.2 Betriebsverfassungsgesetz

In Deutschland gilt für die Betriebe das Betriebsverfassungsgesetz (BetrVG). Es regelt die Mitbestimmung im Betrieb durch die Betriebsräte und Jugend- und Auszubildendenvertretungen.

Der Betriebsrat vertritt die Interessen aller Arbeitnehmer und Arbeitnehmerinnen im Betrieb gegenüber dem Arbeitgeber.

Wahl des Betriebsrates

Betriebsräte können in Betrieben mit mehr als fünf Beschäftigten gewählt werden. Die Zahl der Betriebsratsmitglieder ist von der Beschäftigtenzahl abhängig.

Wahlberechtigt sind Beschäftigte, die mindestens 16 Jahre alt sind. Wählbar sind Beschäftigte, die mindestens 18 Jahre alt und sechs Monate im Betrieb beschäftigt sind. Leitende Angestellte haben kein Wahlrecht.

Rechte und Aufgaben des Betriebsrates

--> **Informations- und Beratungsrechte (§§ 80, 90 BetrVG)**
Der Betriebsrat kann vom Arbeitgeber Auskünfte verlangen, um seine Aufgaben zu erfüllen. Zu den **allgemeinen Aufgaben** (§ 80 BetrVG) des Betriebsrates gehört es,

- die Einhaltung der zugunsten der Beschäftigten geltenden Gesetze, Verordnungen, Unfallverhütungsvorschriften, Tarifverträge und Betriebsvereinbarungen zu überwachen;
- Maßnahmen, die dem Betrieb und der Belegschaft dienen, beim Arbeitgeber zu beantragen und die Gleichstellung von Frauen und Männern zu fördern;
- die Eingliederung von Menschen mit Schwerbehinderung und sonstiger besonders schutzbedürftiger Personen und die Beschäftigung älterer Arbeitnehmer/-innen zu fördern;
- die Integration von Beschäftigten mit Migrationshintergrund im Betrieb zu fördern;
- die Beschäftigung im Betrieb zu fördern und zu sichern;
- Maßnahmen des Arbeitsschutzes und des betrieblichen Umweltschutzes zu fördern.

Ein weiteres Unterrichtungsrecht hat der Betriebsrat bei allen geplanten Änderungen von Räumen, Anlagen, Arbeitsverfahren, -abläufen und -plätzen (§ 90 BetrVG).

⇢ **Anhörungsrecht (§ 102 BetrVG)**

Bei Kündigungen hat der Betriebsrat ein Anhörungsrecht (§ 102 BetrVG). Ohne Anhörung ist eine Kündigung unzulässig. Der Betriebsrat kann der Kündigung widersprechen, wenn

- bei der **Auswahl** des zu kündigenden Beschäftigten soziale Gesichtspunkte nicht oder nicht ausreichend berücksichtigt wurden,
- der Beschäftigte an einem **anderen Arbeitsplatz** weiterbeschäftigt werden kann,
- die Weiterbeschäftigung nach zumutbaren **Umschulungs- oder Fortbildungsmaßnahmen** möglich ist oder
- eine Weiterbeschäftigung des/der Arbeitnehmenden unter **geänderten Vertragsbedingungen** möglich ist und der/die Arbeitnehmende ein Einverständnis hiermit erklärt hat.

Widerspricht der Betriebsrat und reichen Arbeitnehmende eine Kündigungsschutzklage ein, besteht das Arbeitsverhältnis bis zur Gerichtsentscheidung weiter.

⇢ **Zustimmungsverweigerungsrecht (§ 99 BetrVG)**

Bei Einstellung, Eingruppierung, Umgruppierung und Versetzung kann der Betriebsrat die Zustimmung verweigern, wenn die Maßnahme z. B. gegen Vorschriften verstößt, den Beschäftigten Kündigung oder sonstige Nachteile drohen oder die innerbetriebliche Ausschreibung unterlassen wurde.
Bei einer fehlenden Zustimmung ist die Maßnahme unwirksam. Das Arbeitsgericht kann die Zustimmung ersetzen.

⇢ **erzwingbare Mitbestimmung (§ 87 BetrVG)**

Der Betriebsrat hat über die Betriebsordnung, Arbeitszeitregelung, Urlaubsgrundsätze, Arbeitnehmerüberwachung, Unfallverhütung, Sozialeinrichtungen des Betriebes, Betriebswohnungen und die betriebliche Lohngestaltung ein erzwingbares Mitbestimmungsrecht. Der Arbeitgeber benötigt Einigung mit dem Betriebsrat über die von ihm geplanten Maßnahmen.
Ohne Einigung ist die Maßnahme unwirksam. Bei Zustimmungsverweigerung entscheidet die Einigungsstelle.

3.2.3 Jugend- und Ausbildungsvertretung (JAV)

Der Betriebsrat vertritt alle Arbeitnehmerinnen und Arbeitnehmer im Betrieb, auch die Jugendlichen und die Auszubildenden. Speziell kümmert er sich um die betriebliche Aus- und Weiterbildung. Wegen der besonderen Probleme und Interessen der Jugendlichen und Auszubildenden sieht das Betriebsverfassungsgesetz eine besondere Interessenvertretung dieser Beschäftigtengruppe, die Jugend- und Auszubildendenvertretung (JAV), vor.

Voraussetzung für die Errichtung einer JAV ist:

- das Bestehen eines Betriebsrates.
- mindesten 5 Arbeitnehmer/-innen, die das 18. Lebensjahr noch nicht vollendet haben oder die zu ihrer Ausbildung beschäftigt sind und das 25. Lebensjahr noch nicht vollendet haben.

Wahlen

Die Wahlen zur JAV finden alle zwei Jahre statt. Der Wahlzeitraum für die regelmäßigen JAV-Wahlen ist zwischen 1. Oktober und 30. November des Wahljahres. Die Wiederwahlen finden dann alle 2 Jahre im gleichen Zeitraum statt.

Wahlverfahren

Das Wahlverfahren entspricht dem Verfahren bei der Betriebswahl. In kleinen Betrieben mit fünf bis 50 Wahlberechtigten ist das vereinfachte Wahlverfahren anzuwenden. In Betrieben mit über 100 Jugendlichen und Auszubildenden wird nach dem normalen Verfahren gewählt.

Größe der JAV

Die Größe der JAV ist nach der Zahl der Jugendlichen gestaffelt. Bei 5 bis 20 Wahlberechtigten besteht die JAV aus einer Person, bei 21 bis 50 aus 3 Mitgliedern, bei 51 bis 150 aus 5 Mitgliedern. Die Staffel endet bei Großbetrieben mit mehr als 1 000 Jugendlichen und Auszubildenden mit 15 Mitgliedern der JAV.

Wahlrecht

Wählen (aktives Wahlrecht) dürfen alle Jugendlichen (Arbeitnehmer/-innen, die das 18. Lebensjahr noch nicht vollendet haben) und die zu ihrer Berufsausbildung beschäftigt und noch nicht 25 Jahre alt sind.
Wählbar (passives Wahlrecht) sind alle Arbeitnehmer/-innen und Auszubildende des Betriebes die noch nicht 25 Jahre alt sind. Eine Mindestbetriebszugehörigkeit (wie bei Betriebsräten) wird nicht gefordert.

Rechte der JAV

Die JAV kann alle Maßnahmen beantragen, die den Jugendlichen und Auszubildenden dienen. Durch einen JAV-Beschluss kann sie beim Betriebsrat (BR) einen **Antrag stellen,** der auf der nächsten BR-Sitzung beraten werden muss. Das **Antragsrecht betrifft insbesondere alle** Fragen der Berufsbildung und der Übernahme Auszubildenden in ein Arbeitsverhältnis.

Die JAV hat, wie der Betriebsrat, das Recht bzw. die Aufgabe, die Einhaltung der Rechtsvorschriften für Jugendliche und Auszubildende zu kontrollieren. Das Antragsrecht betrifft z. B.

- das Berufsbildungsgesetz (BBiG) und das Jugendarbeitsschutzgesetz (JArbSchG)
- die Ausbildungsordnung und den Ausbildungsrahmenplan
- Mantel- und Gehaltstarifvertrag
- Betriebsvereinbarungen zur Arbeits- und Ausbildungszeit
- Unfallverhütungsvorschriften

usw.

Die JAV informiert den BR über Missstände, über die der BR die Verhandlungen mit dem Arbeitgeber führt. Ein Mitglied der JAV nimmt regelmäßig an den Sitzungen des BR teil. Werden Themen behandelt, die besonders die jugendlichen Arbeitnehmer/-innen und die Auszubildenden betreffen, hat in diesem Fall die gesamte JAV zu diesen Tagesordnungspunkten ein **Teilnahmerecht** an Betriebsratssitzungen und Arbeitgebergesprächen.

3.3 Entgeltabrechnung

Der Arbeitgeber hat für die von den Arbeitnehmerinnen und Arbeitnehmer geleistete Arbeit als Gegenleistung ein Arbeitsentgelt zu zahlen. Grundlage ist der Arbeitsvertrag, in dem sich die Arbeitnehmer/-innen verpflichten, eine bestimmte **Leistung** zu erbringen und der Arbeitgeber die Verpflichtung übernimmt, diese Leistung zu bezahlen. Die Grundlage für die Bezahlung ist in der Regel der ein gültiger Tarifvertrag.

In der betrieblichen Lohnfindung sind verschiedene Entgeltformen für die verschiedenen Beschäftigten möglich:

3.3.1 Entgeltformen

- Lohn: Das Arbeitsentgelt wird ermittelt, indem für eine bestimmte Zeiteinheit (i. d. R. eine Stunde)ein festgesetzter Lohnsatz bezahlt wird
- Mindestlohn (2025: 12,82 €/Std.)
- Gehalt: Kaufmännische Mitarbeiter/-innen (Angestellte) erhalten i. d. R. ein Gehalt, das monatlich ausgezahlt wird.
- Weitere Entgeltformen sind:
  - Provision: Entgelt mit direkter Verbindung zur Leistung (z. B. Prozentsatz vom Umsatz)
  - Prämie: Vergütung für eine besondere Leistung, z. B. lange Betriebszugehörigkeit

→ Lohn- und Gehaltszuschläge:
- Überstundenzuschlag
- Sonn-und Feiertagszuschläge
- Zuschuss zur vermögenswirksamen Leistungen
- Zuschüsse zur betrieblichen Altersversorgung

Aufgabe der Lohn- und Gehaltsabrechnung ist es, aus dem Bruttogehalt die Abzüge für Steuern und Sozialversicherungsbeiträge zu berechnen, um daraus den Auszahlungsbetrag für die Mitarbeiterinnen und Mitarbeiter zu bestimmen.

Daten zur Mitarbeiterin: Anja Dogan, 21 Jahre, ist ledig und hat keine Kinder. Sie ist Mitglied der evangelischen Kirche (9,5 % Kirchensteuer). Mit ihrer Bank hat sie einen Bausparvertrag über einen Sparbetrag von 40,00 € nach dem Vermögensbildungsgesetz abgeschlossen. Der Arbeitgeber beteiligt sich mit einer vermögenswirksamen Leistung von 20,00 €. Die Krankenkasse berechnet keinen Zusatzbeitrag.

Gehaltsabrechnung			
Name		Anja Dogan	
Lohnsteuerklasse		I	
Kinderfreibetrag		0	
Konfession		ev.	
		in €	in €
1.	**Bruttogehalt**	2 124,00	
2.	+ vermögenswirksame Leistung	20,00	
3.	+ steuer- und sozialversicherungspflichtige Zulagen	0,00	
4.	**= sozialversicherungspflichtiges Gehalt**		2 144,00
5.	– Lohnsteuerfreibetrag		0,00
6.	**= steuerpflichtiges Gehalt**		2 144,00
7.	**Sozialversicherungspflichtiges Gehalt**		2 144,00
8.	– Lohnsteuer	196,00	
9.	– Kirchensteuer	17,64	
10.	– Solidaritätszuschlag		213,64
11.	– Krankenversicherung (7,3%)	156,51	
12.	– Rentenversicherung (9,3 %)	199,39	
13.	– Arbeitslosenversicherung (1,3 %)	27,87	
14.	– Pflegeversicherung (AN: 1,8 % + 0,60 %) 2,4 %	51,46	435,23
15.	**= Nettogehalt**		1 495,13
16.	– Abzüge (Vermögensbildung/Vorschuss)		40,00
17.	**= Auszahlung**		1 455,13

Sozialversicherungspflichtiges Gehalt (Pos 1. bis 4.)

Dem Bruttogehalt sind Zuschläge (z. B. für Überstunden) hinzuzurechnen. Auch sonstige Gehaltsbestandteile (vermögenswirksame Leistungen des AG usw.) unterliegen der Lohnsteuer. Diese Zuschläge erhöhen daher die Berechnungsgrundlage für die Lohnsteuer und die Sozialversicherungsbeiträge. Da die zu zahlende Lohnsteuer noch durch Freibeträge vermindert werden kann, spricht man an dieser Stelle **zunächst vom sozialversicherungspflichtigen** Gehalt.

Steuerpflichtiges Gehalt (Pos 4. bis Pos 6.)

Bestimmte Ausgaben (z. B. Fahrtkosten zur Arbeitsstelle) können **steuermindernd** gegenüber dem Finanzamt geltend gemacht werden. Sie können bis zu einem bestimmten Betrag als **Lohnsteuerfreibetrag** geltend gemacht werden. Folgende Ausgaben mindern die Steuerlast:

Werbungskosten	Sonderausgaben	Außergewöhnliche Belastungen
Es handelt sich um Aufwendungen, die durch das Arbeitsverhältnis veranlasst werden.	Aufwendungen, mit denen Arbeitnehmer private Zukunftssicherung betreiben oder staatlich gefördert werden sollen.	Aufwendungen, die aufgrund besonderer Umstände entstehen.
Beispiele: → *Fahrtkosten zwischen Wohnung und Arbeitsstätte* → *Aufwendungen für Arbeitsmittel, wie Computer und Fachliteratur* → *Beiträge zu Berufsverbänden (z. B. Gewerkschaften)* → *Berufsbekleidung*	**Beispiele:** → *Vorsorgeaufwendungen (Beiträge zur Kranken-, Renten- und Arbeitslosenversicherung)* → *Kirchensteuer* → *Spenden (z. B. Parteien)*	**Beispiele:** → *Krankheit* → *Medizinische Hilfsmittel* → *Bestattungskosten*

Das **steuerpflichtige Gehalt** ist die Grundlage für die Berechnung von Lohnsteuer, Kirchensteuer und Solidaritätszuschlag (Positionen 8. bis 10 der Gehaltsabrechnung).

Nettogehalt (Pos. 8 bis 14)

Das Nettogehalt erhält man, wenn man vom sozialversicherungspflichtigen Gehalt (7) die steuerlichen Abzüge (8.–10.) und die Sozialversicherungsbeiträge (11.–14.) abzieht.

Lohnsteuer

Berechnungsgrundlage für die Lohnsteuer ist das steuerpflichtige Gehalt. Sofern kein Lohnsteuerfreibetrag geltend gemacht wurde, ist es identisch mit dem sozialversicherungspflichtigen Gehalt (siehe 4. und 6.).

Lohnsteuerklassen

Sie stellen sicher, dass bei der Ermittlung der Lohnsteuer die individuellen Verhältnisse eines Arbeitnehmers berücksichtigt werden, vor allem sein Familienstand.

Nach dem Einkommensgesetz werden sechs Steuerklassen unterschieden:

Steuerklassen

Klasse I	Sie gilt für Beschäftigte, die → ledig oder geschieden sind, → verheiratet/verpartnert sind, aber dauernd getrennt leben oder → verwitwet sind.
Klasse II	Alleinerziehende Die Steuerklasse II gilt für Alleinerziehende, bei denen die Voraussetzungen der Steuerklasse I vorliegen und die Anspruch auf den Entlastungsbetrag für Alleinerziehende haben. Entlastungsbetrag: Ab dem Veranlagungszeitraum 2024 beträgt der Entlastungsbetrag für Alleinerziehende 4 260. Für das zweite und jedes weiter zu berücksichtigende Kind erhöht sich der Entlastungsbetrag um 240 EUR jährlich (sog. Erhöhungsbetrag; § 24b Abs. 2 EStG).
Klasse III	Sie gilt für verheiratete/verpartnerte Beschäftigte, wenn → sie nicht dauernd getrennt leben und bei denen beide sehr unterschiedliche Verdienste haben. → Die Steuerklasse III erhält der Partner, der mehr verdient.
Klasse IV	Verheiratete/verpartnerte Beschäftigte werden in diese Klasse eingestuft, wenn beide Ehegatten/Lebenspartner → in etwa gleichen Arbeitslohn beziehen, → nicht dauernd getrennt leben.
Klasse IV mit Faktor	Bei Verheirateten bzw. verpartnerten Beschäftigten, wird die Lohnsteuer beim Faktorverfahren nach dem Anteil berechnet, den alle Ehepartner/-innen oder eingetragene Lebenspartner/-innen zum gemeinsamen Einkommen beitragen. Durch den genaueren Lohnsteuerabzug ergibt sich bei der Jahressteuerschuld weder eine Nachzahlung noch eine Rückerstattung.
Klasse V	Verheiratete/verpartnerte Beschäftigte, die nicht getrennt leben, bei denen beide sehr unterschiedliche Verdienste haben. Die Steuerklasse 5 erhalten die Partnerinnen und Partner, die weniger verdienen.
Klasse VI	Bei weiteren Arbeitsverhältnissen (Zweit- oder Nebenverdienst)

Abzüge für die Sozialversicherung (siehe dazu 3.4 Sozialversicherung)

Nach dem Abzug der steuerlichen Abgaben wird das Bruttogehalt zusätzlich um die Beiträge zur Sozialversicherung gekürzt.

Arbeitnehmer/-in	Beiträge zur Sozialversicherung	Arbeitgeber
7,3% i. d. R. Zusatzbeitrag: 0,85 %	**Krankenversicherung** 14,6 %	7,3% i. d. R. Zusatzbeitrag: 0,85 %
9,3 %	**Rentenversicherung** 18,6 %	9,3 %
1,3 %	**Arbeitslosenversicherung** 2,6 %	1,3 %
1,8 % eventuell + Zulage: 0,60 %	**Pflegeversicherung** 3,6 + Zulage 0,60 % = 4,2 %	1,8 %

Beitragsbemessungsgrenzen

Die Sozialversicherungsbeiträge sind vom sozialversicherungspflichtigen Entgelt (Lohn/Gehalt) zu entrichten. Allerdings besteht eine Höchstgrenze, bis zu der die Beiträge erhoben werden. Der über diese Höchstgrenzen hinausgehende Teil des Einkommens ist sozialversicherungsfrei.

Beitragsbemessungsgrenzen (Monatseinkommen/Jahreseinkommen)		
	monatlich	**jährlich**
Kranken- und Pflegeversicherung	5 512,00 €	66 150,00 €
Renten- und Arbeitslosenversicherung	8 050,00 €	96 600,00 €

Die Versicherungspflichtgrenze der Krankenkasse liegt monatlich bei 6.0150,00 € und jährlich bei 73.800,00 €.

Berechnung des Auszahlungsbetrags (Pos. 15 bis 17)

Nettobetrag und Auszahlungsbetrag sind häufig identisch. Es kann aber sein, dass der Arbeitgeber bestimmte Beträge einbehält. Das kann z. B. die Rückzahlung eines Gehaltsvorschusses sein oder der Arbeitgeber führt den Sparbetrag des Arbeitnehmers an die Bausparkasse ab.

Vermögensbildung

Arbeitnehmerinnen und Arbeitnehmer haben die Möglichkeit, von ihrem Einkommen einen bestimmten Betrag vermögenswirksam anzulegen. Sie erhalten vom Staat dafür eine Sparzulage. Häufig beteiligen sich Arbeitnehmerinnen und Arbeitnehmer mit einem Teilbetrag an der Vermögensbildung.

3.4 Sozialversicherung

Die **gesetzliche Sozialversicherung** ist in Deutschland die wichtigste Einrichtung zur Sozialen Absicherung. Sie teilt sich in 5 Bereiche (Säulen der Sozialversicherung) auf.

Rentenversicherung

Als Generationenvertrag bezeichnet man die solidarische „Verpflichtung" der Erwerbstätigen, mit ihren Beiträgen die Altersversorgung der aus dem Berufsleben ausgeschiedenen Generation zu finanzieren. Die gegenwärtig Erwerbstätigen kommen mit ihren Beiträgen für die laufenden Leistungen der jetzigen Rentnerinnen und Rentner auf.

Krankenversicherung/Pflegeversicherung

Träger der Krankenversicherung/Pflegeversicherung sind die allgemeinen Ortskrankenkassen (AOK), die Ersatzkassen (z. B. Barmer Ersatzkasse), die Betriebskrankenkasse (BBK) und die Innungskrankenkassen (IKK). Die Wahl der Krankenkasse liegt bei den Versicherten.

Arbeitsförderung (Arbeitslosenversicherung)

Träger für die Arbeitsförderung ist die Bundesagentur für Arbeit in Nürnberg mit den angeschlossenen Agenturen für Arbeit.

Unfallversicherung

Träger der Unfallversicherung sind die Berufsgenossenschaften. Die Beiträge zu dieser Versicherung werden alleine von den Arbeitgebern gezahlt.

Fünf Säulen der Sozialversicherung				
Krankenversicherung	Pflegeversicherung	Rentenversicherung	Arbeitslosenversicherung	Unfallversicherung
Träger: AOK, BKK, IKK, Ersatzkassen	Träger: Pflegekasse bei zuständiger KV	Träger: BfA und LVA	Träger: BfA und Arbeitsämter	Träger: Berufsgenossenschaften
Beiträge: 14,6 % AN: 7,3 % + Kassen-Zusatzbeitrag 2,6 % AG: 7,3 %	Beiträge: 3,6 % AN: 1,8 % + 0,60 % für Kinderlose AG: 1,8 %	Beiträge: 18,6 % AN: 9,30 % AG: 9,30 %	Beiträge: 2,60 % AN: 1,30 % AG: 1,30 %	Beiträge: je nach Branche (100 % zahlt der AG)
Leistungen: Vorsorgeuntersuchungen, ärztliche + zahnärztliche Beratung, Untersuchung und Behandlung, Krankenhauspflege, Krankengeld, Medikamente, Hilfsmittel	**Leistungen:** Stationäre und häusliche Pflege, Geldleistungen, Bedürftigkeit nach Pflegestufen gestaffelt	**Leistungen**: Altersruhegeld, Berufs- und Erwerbsunfähigkeitsrente, Rehabilitationsmaßnahme, Hinterbliebenenrente	**Leistungen:** Arbeitslosengeld I, Arbeitslosengeld II, Fortbildung und Umschulung, Arbeitsvermittlung und Berufsberatung	**Leistungen:** Unfallverhütungsmaßnahmen, Erwerbsunfähigkeitsrente, Hinterbliebenenrente, Verletztengeld, Sterbegeld

Anmerkung: AN = Arbeitnehmeranteil, AG = Arbeitgeberanteil

3.5 Vollmachten

Die Beschäftigten im Unternehmen müssen in ihrer Tätigkeit rechtsgültige Verträge mit Dritten schließen können. Dazu sieht das Handelsrecht **Vollmachten** vor. Die wichtigsten Vollmachten im Handelsrecht sind Prokura und Handlungsvollmacht.

3.5.1 Handlungsvollmacht

Die Handlungsvollmacht wird einem/einer Beschäftigten, auch formlos, durch den Kaufmann erteilt. Die allgemeine Handlungsvollmacht berechtigt zu allen Geschäften und Rechtshandlungen, die der Betrieb dieses Handelsgewerbes gewöhnlich mit sich bringt (§ 54 HGB). Der Umfang der Handlungsvollmacht hängt von der Festlegung durch den Kaufmann ab und kann weitreichend sein (= Allgemeine Handlungsvollmacht) oder sich auf einzelne Arten oder eine bestimmte Art von Rechtsgeschäften und Rechtshandlungen beschränken (= Einzelvollmacht und Artvollmacht).

Einzel- oder Spezialhandlungsvollmacht	Arthandlungsvollmacht	Allgemeine Handlungsvollmacht
einmalige Vollmacht zur Erledigung eines besonderen Geschäftes	auf Dauer erteilte Vollmacht zur Erledigung einer bestimmten Art wiederkehrender Geschäfte	auf Dauer erteilte Vollmacht zur Erledigung aller gewöhnlichen Rechtsgeschäfte in dem betreffenden Handelsgewerbe
Beispiel: *einmalige Vollmacht zum Kauf eines neuen Lkw*	**Beispiele:** → *Einkaufsvollmacht* → *Kontovollmacht* → *Verkaufsvollmacht*	**Beispiele:** → *Geschäftsführer/-in* → *Generalbevollmächtigte* → *Filialleiter/-in*

3.5.2 Prokura

Die Prokura ermächtigt zu allen Arten von gerichtlichen und außergerichtlichen Geschäften und Rechtshandlungen eines Handelsgewerbes (§§ 48–53 HGB).

Somit darf eine Prokuristin oder ein Prokurist alle Geschäfte und Rechtshandlungen tätigen, die der oder die Handlungsbevollmächtigte vornehmen darf und außerdem auch noch u. a:

- → Prozesse führen
- → Grundstücke kaufen
- → Wechselverbindlichkeiten eingehen
- → Darlehen aufnehmen

Ein Prokurist oder eine Prokuristin hat nicht die Vollmacht, Grundlagengeschäfte zu tätigen, d. h. darf nicht

- → das Handelsgeschäft einstellen oder verkaufen,
- → neue Gesellschafter aufnehmen, ein Insolvenzverfahren eröffnen oder eine Eintragung ins Handelsregister vornehmen,

- Prokura erteilen oder entziehen,
- die Bilanz und Steuerklärungen unterschreiben,
- Grundstücke belasten und veräußern,
- die Firma ändern.

Die Prokura wird ausdrücklich mündlich oder schriftlich erteilt. Eine Eintragung der Prokura in das Handelsregister ist erforderlich. Die Prokura ist aber bereits vor der Eintragung in das Handelsregister rechtswirksam. Prokuristinnen und Prokuristen leisten ihre Unterschrift (Zeichnung) mit dem Zusatz pp. oder ppa. (per procura).

Die Rechte aus der Prokura können im Innenverhältnis beschränkt werden.

Arten der Prokura

- Einzelprokura (Alleinberechtigung)
- Gesamtprokura (Berechtigung zusammen mit anderen Prokuristinnen und Prokuristen)
- Filialprokura (Beschränkung auf eine Filiale)

Ende der Prokura

Die Prokura erlischt mit Beendigung des Arbeitsvertrages, dem Verkauf des Unternehmens, Widerruf des Kaufmanns oder der Auflösung des Unternehmens. Die Prokura erlischt nicht durch den Tod es Kaufmanns.

4 Kaufvertrag

Kaufvertrag

Rechtliche Vorgaben	Kaufvertragsabschluss	Kaufvertragsinhalte	Leistungsstörungen
→ Rechtsgeschäfte → Rechtsfähigkeit → Geschäftsfähigkeit → Nichtigkeit und Anfechtung	→ Angebot und Annahme → Bezugskostenkalkulation	→ Inhalte → Preisstellung und Preisminderungen → Verpackungs- und Versandkosten	→ mangelhafte Lieferung → Zahlungsverzug

4.1 Rechtliche Vorgaben

Rechtsgeschäfte

Rechtsgeschäfte entstehen durch Willenserklärungen. Sie werden in der Absicht abgegeben, eine bestimmte Rechtswirkung zu erzielen. Die Willenserklärungen müssen durch rechts- und geschäftsfähige Personen abgegeben werden.

<table>
<tr><th colspan="4">Rechtsgeschäfte</th></tr>
<tr><td colspan="2">Einseitige Rechtsgeschäfte</td><td colspan="2">Mehrseitige Rechtsgeschäfte (Verträge)</td></tr>
<tr><td colspan="2">Die Rechtswirksamkeit wird schon durch die Willenserklärung einer Person begründet</td><td colspan="2">Die Rechtswirksamkeit wird erst durch die übereinstimmenden Willenserklärungen von mindestens zwei Personen begründet</td></tr>
<tr><td>Empfangsbedürftige Willenserklärungen</td><td>Nicht empfangsbedürftige Willenserklärungen</td><td>Einseitig verpflichtend</td><td>Mehrseitig verpflichtend</td></tr>
<tr><td>Die Willenserklärung wird erst wirksam, wenn sie dem Empfänger zugeht</td><td>Die Willenserklärung wird mit der Abgabe wirksam</td><td>Nur eine Vertragspartei ist zu einer Leistung verpflichtet</td><td>Alle Vertragsparteien sind zu der Leistung verpflichtet.</td></tr>
<tr><td>Beispiel:
→ Kündigung
→ Vollmacht</td><td>Beispiel:
→ Testament</td><td>Beispiel:
→ Schenkungsvertrag
→ Bürgschaftsvertrag</td><td>Beispiel:
→ Kaufvertrag
→ Arbeitsvertrag</td></tr>
</table>

Willenserklärungen können schriftlich, mündlich, durch entsprechendes (schlüssiges) Handeln oder stillschweigend abgegeben werden. Nur in bestimmten Ausnahmefällen ist die Form der Willenserklärung vorgeschrieben.

Formvorschriften		
Schriftform	**Öffentliche Beglaubigung**	**Notarielle Beurkundung**
Willenserklärung wird schriftlich festgehalten + erklärende Person bzw. deren Vertretung muss eigenhändig unterschreiben	Willenserklärung wird schriftlich festgehalten + erklärende Person bzw. deren Vertretung muss eigenhändig unterschreiben + Notar/-in beglaubigt die echtheit der Unterschrift der erklärenden Person.	Willenserklärung wird schriftlich festgehalten + erklärende Person bzw. dessen Vertretung muss eigenhändig unterschreiben + Notar/-in beurkundet, d. h. bestätigt die Echtheit der Unterschrift der Beteiligten und den Inhalt der Willenserklärungen.
z. B. → Verbraucherdarlehensverträge → Berufsausbildungsvertrag → Bürgschaftsvertrag	z. B. → Anmeldungen zur Eintragung in das Handelsregister oder andere öffentliche Register → Ausschlagung einer Erbschaft	z. B. → Abschluss von Grundstückskaufverträgen → Ehevertrag → Satzung (Gesellschaftsvertrag) Rechtliche Voraussetzungen einer → GmbH oder AG

4.2 Rechts- und Geschäftsfähigkeit

Rechtsfähigkeit ist die Fähigkeit, Träger von Rechten und Pflichten zu sein.

→ **Natürliche Personen**
sind von der Geburt bis zum Tod rechtsfähig.

→ **Juristische Personen**
- **des privaten Rechts**
(Vereine, AG, GmbH, eG) entstehen durch die Eintragung in öffentlichen Registern (Vereins-, Handels- und Genossenschaftsregister). Die Rechtsfähigkeit besteht bis zur Löschung aus dem Register;
- **des öffentlichen Rechts**
(Bund, Länder, Gemeinden, Kammern) sind rechtsfähig durch Gesetz oder durch Verleihung bis zum Entzug.

Geschäftsfähigkeit ist die Fähigkeit, Rechtsgeschäfte rechtswirksam selbst vorzunehmen.

- **Voll geschäftsfähig** sind grundsätzlich alle Personen, die das 18. Lebensjahr vollendet haben. Willenserklärungen dieser Personen sind gültig.
- **Geschäftsunfähig** sind Personen, die das siebente Lebensjahr noch nicht vollendet haben oder die dauerhaft geistesgestört sind. Willenserklärungen dieser Personen sind nichtig.
- **Beschränkt geschäftsfähig** sind minderjährige Personen, die das siebente Lebensjahr vollendet haben. Willenserklärungen beschränkt Geschäftsfähiger bedürfen der Einwilligung der gesetzlichen Vertreter/-innen. Willenserklärungen ohne vorherige Einwilligung sind „schwebend unwirksam“. Sie können durch Genehmigung rechtswirksam gemacht werden. Ohne Genehmigung wird die Willenserklärung nichtig.
  Ohne Einwilligung können **rechtsgültige Willenserklärungen von beschränkt Geschäftsfähigen** abgegeben werden, wenn
  - nur ein rechtlicher Vorteil für die minderjährige Person entsteht,
  - sie die Bezahlung des Kaufpreises mit Mitteln bewirkt, die ihr zu diesem Zweck oder zur freien Verfügung von ihrer gesetzlichen Vertretung (oder von Dritten) überlassen worden sind (§ 110 BGB; Taschengeldparagraf).

Nichtigkeit und Anfechtung

Willenserklärungen können nichtig sein oder angefochten werden, wenn bestimmte Voraussetzungen vorliegen.

- **Nichtigkeit** von Rechtsgeschäften
  Ein Rechtsgeschäft ist von Anfang an ungültig (nichtig) bei Vorliegen folgender Sachverhalte:
  1. Willenserklärungen von Geschäftsunfähigen (§ 105 Abs. 1 BGB)
  2. Willenserklärungen im Zustand der Bewusstlosigkeit oder vorübergehender Störung der Geistestätigkeit (§ 105 Abs. 2 BGB)
  3. Willenserklärungen, die nur zum Schein abgegeben werden (§ 117 BGB)
  4. Rechtsgeschäfte von beschränkt Geschäftsfähigen ohne Zustimmung der gesetzlichen Vertreter/-innen (§ 108 BGB)
  5. Rechtsgeschäfte, die gegen ein gesetzliches Verbot verstoßen (§ 134 BGB)
  6. Rechtsgeschäfte, die gegen die guten Sitten verstoßen (§ 138 BGB)
  7. Rechtsgeschäfte, die gegen festgelegte Formvorschriften verstoßen (§ 125 BGB)

- **Anfechtbarkeit** von Rechtsgeschäften
  Ein gültig zustandegekommenes Rechtsgeschäft wird durch Anfechtung rückwirkend nichtig, wenn folgende Anfechtungsgründe vorliegen:
  a) Irrtum (§§ 119–122 BGB):
     1. Irrtum in der Erklärung
     2. Irrtum in der Übermittlung
     3. Irrtum über wesentliche Eigenschaften in der Person oder der Sache
  b) arglistige Täuschung oder widerrechtliche Drohung (§§ 123 f. BGB)

4.3 Abschluss von Kaufverträgen

4.3.1 Angebot und Annahme

Ein Vertrag kommt durch zwei **übereinstimmende Willenserklärungen** zustande, die in der Absicht abgegeben werden, einen bestimmten rechtlichen Erfolg zu erzielen. Die Willenserklärungen begründen beiderseitige Verpflichtungen der Vertragspartner. Die Willenserklärungen heißen Antrag (Angebot) und Annahme.

Willenserklärungen unter Anwesenden müssen sofort angenommen werden. „Der einem Abwesenden gemachte Antrag kann nur bis zu dem Zeitpunkt angenommen werden, in welchem der Antragende den Eingang der Antwort unter regelmäßigen Umständen erwarten darf“ (§ 147 Abs. 2 BGB).

Ein Angebot kann nur widerrufen werden, wenn der Widerruf vor, spätestens aber mit dem Angebot beim Empfänger eingeht.

Im Angebot können Freizeichnungsklauseln (§ 145 BGB) enthalten sein, die die Bindung an das Angebot einschränken (z. B. „freibleibend“, „solange Vorrat reicht“ etc.). Dann kommt der Vertrag nach der Bestellung durch die Auftragsbestätigung zustande.

Übliche Vertragsabschlüsse

- Anfrage – Angebot (WE) – Bestellung (WE)
- Bestellung (WE) – Auftragsbestätigung (WE)
- Angebot – abweichende Bestellung (WE) – Auftragsbestätigung (WE)

4.3.2 Bezugskostenkalkulation

Ein wesentlicher Inhalt des Kaufvertrages ist der Preis. Der Käufer kalkuliert in folgender Weise die Bezugskosten:

Kalkulation		Beispiel	
	Listenpreis	*1 500,00 €*	
–	Rabatt	*225,00 €*	*15 %*
=	Zieleinkaufspreis	*1 275,00 €*	
–	Lieferantenskonto	*25,50 €*	*2 %*
=	Bareinkaufspreis	*1 249,50 €*	
+	Bezugskosten	*130,00 €*	
=	Bezugspreis	*1 379,50 €*	

4.4 Kaufvertragsinhalte

Grundsätzlich sind die Inhalte des Kaufvertrages den Willenserklärungen von Käufer und Verkäufer zu entnehmen. Werden bestimmte Inhalte nicht geregelt, gelten die gesetzlichen Vorschriften.

→ **Preisstellung**
Es werden Preise je Stück oder Mengeneinheit vereinbart, die Listenpreise, Katalogpreise bzw. Angebotspreise mit oder ohne Umsatzsteuer darstellen.

→ **Preisnachlässe**
- Rabatte (sofortige Abzüge vom Listenpreis):
  Funktionsrabatt/Wiederverkäuferrabatt, Mengenrabatte (gestaffelte Rabatte, Naturalrabatt), Zeitrabatte (Saisonrabatt, Messerabatt, Einführungsrabatt) oder Sonderrabatte (Jubiläums- und Treuerabatt)
- Skonto (Barzahlungsrabatt):
  Abzug vom Rechnungspreis bei Zahlung innerhalb einer Skontofrist und Nichtausnutzung des Zahlungszieles
- Bonus:
  nachträglicher Preisnachlass bei Erreichen eines bestimmten Jahresumsatzes

→ **Verpackungskosten**
- Verkaufsverpackung: Verkäufer tragen die Kosten der Verkaufsverpackung (§ 448 Abs. 1 BGB).
- Versandverpackung: Käufer tragen die Kosten der Versandverpackung (§ 448 Abs. 1 BGB).

→ **Frachtkosten**
- Die Frachtkosten werden durch die Lieferungsbedingungen (ab Werk, unfrei, frei Frachtführer, frei Haus) bestimmt, aus denen die Frankaturen für den Transport abgeleitet werden.
- Beim **Handkauf** (Kauf im Ladengeschäft) oder **Platzkauf** (Lieferung durch den Verkäufer am Ort des Kaufes) tragen Verkäufer eventuell entstehende Lieferungskosten.
- Beim **Versendungskauf** (Lieferung auf Kosten der Käufer ist vereinbart) tragen die Käufer die Kosten der Versendung.
- Beim **Fernkauf** (Übergabe bei Käufer ist vereinbart) tragen Verkäufer die Versandkosten.

4.5 Leistungsstörungen

Nicht immer werden Kaufverträge problemlos abgewickelt. Häufig enthalten die gelieferten Waren Mängel oder die Zahlung wird nicht rechtzeitig geleistet.

4.5.1 Mangelhafte Lieferung

→ **Sachmängelarten** (§ 434 BGB)
- Beschaffenheitsmängel:
  - Fehlen einer vereinbarten Beschaffenheit (subjektiver Fehlerbegriff)
  - Mängel in der vertraglich vorausgesetzten oder gewöhnlichen Soll-Beschaffenheit (Verwendungszweckvereinbarung)
  - Nichterfüllung von Anforderungen, die der Käufer aus Werbung des Herstellers oder Etikettierung erwarten kann
- Falsch- oder Zuweniglieferung:
  - Lieferung einer anderen als der gekauften Sache
  - Lieferung einer geringeren Menge, als bestellt wurde
- Montage- bzw. Montageanleitungsmangel:
  - unsachgemäße Durchführung der vereinbarten Montage durch den Verkäufer
  - Mangelhaftigkeit der Montageanleitung

→ **Rechte des Käufers bei mangelhafter Lieferung**
- **Vorrangige** Rechte:
  - Nacherfüllungsanspruch: nach Wahl des Käufers
    - Nachbesserung oder
    - Ersatzlieferung

Ausnahme: Bei unverhältnismäßig hohen Kosten, bei geringfügigen Schäden kann die verlangte Art der Nacherfüllung verweigert werden. Nacherfüllung ist verschuldensunabhängig. Die Nacherfüllung ist nach zwei erfolglosen Nachbesserungsversuchen fehlgeschlagen.

- Bei Verschulden des Verkäufers ist Schadenersatz neben der Lieferung möglich.

- **Nachrangige** Rechte (nach erfolgloser oder verweigerter Nacherfüllung):
  - Rücktritt vom Kaufvertrag, Rückgabe der Ware und Erstattung des Kaufpreises
  - Minderung (Herabsetzung des Kaufpreises)
  - Schadenersatz
    Voraussetzungen: Schuld des Verkäufers und Nachfristsetzung

Arten von Schadenersatz:

a) Schadenersatz neben Erfüllung (kleiner Schadenersatz), z. B. Kosten der Mängelbeseitigung
b) Schadenersatz anstelle der Lieferung (großer Schadenersatz), z. B. bei Umsatzausfällen aufgrund des Rücktritts

- Ersatz vergeblicher Aufwendungen (bei Verzicht auf den Schadenersatz)

Rügefristen

Sind Käufer und Verkäufer Kaufleute (= zweiseitiger Handelskauf), hat der Käufer die Ware **unverzüglich**, soweit dies nach ordnungsgemäßem Geschäftsgang möglich ist, auf Güte, Menge und Art zu **prüfen** und bei offen sichtbaren Mängeln unverzüglich zu rügen.

Bei versteckten Mängeln müssen Käufer unverzüglich nach Entdecken, aber innerhalb der **gesetzlichen Gewährleistungspflicht von zwei Jahren** rügen.

Tritt beim **Verbrauchsgüterkauf** (Unternehmer als Verkäufer und Verbraucher als Käufer) innerhalb von zwölf Monaten ein Sachmangel auf, so wird vermutet, dass der Mangel bereits bei der Übergabe vorhanden war (**Rückwirkungsvermutung**). Der Verkäufer muss nun nachweisen, dass die Ware zum Zeitpunkt der Übergabe mangelfrei war (**Beweislastumkehr**). In der restlichen Gewährleistungsfrist von einem Jahr muss der Käufer beweisen, dass die Ware bereits bei der Übergabe mit Mängeln behaftet war.

Gibt der Verkäufer eine über die gesetzliche Gewährleistungspflicht von zwei Jahren hinausgehende **Garantie**, von z. B. fünf Jahren, so gelten die Rechte, die in der Garantieerklärung aufgeführt sind. Die Garantie kann auch direkt vom Hersteller gegenüber dem Käufer abgegeben werden.

4.5.2 Zahlungsverzug

Der Schuldner kommt in Zahlungsverzug, wenn er schuldhaft nicht oder nicht rechtzeitig zahlt. Voraussetzung ist

- **Verschulden** und
- **Fälligkeit**
  - Bei kalendermäßig bestimmtem Zahlungstermin: Die Zahlung ist am vereinbarten Termin oder bei kalendermäßig berechneten Terminen fällig.
  - Bei kalendermäßig unbestimmtem Zahlungstermin ist der Käufer verpflichtet, unverzüglich zu zahlen. Der Verkäufer kann durch eine Mahnung eine angemessene Nachfrist setzen und damit die Fälligkeit der Zahlung festlegen.

Käufer kommen bei einem kalendermäßig bestimmten Zahlungstermin mit Fälligkeit in **Verzug**. In allen anderen Fällen tritt der Verzug spätestens 30 Tage nach Fälligkeit und Zugang der Rechnung ein. Sie tritt früher ein, wenn der Gläubiger eine Mahnung zusendet.

Bei Verzug können Gläubiger

- die Zahlung des Kaufpreises und die durch den Zahlungsverzug entstandenen Kosten (Mahngebühren, Verzugszinsen = Verzögerungsschaden) verlangen,
- vom Vertrag zurücktreten und/oder
- Schadenersatz wegen Nichterfüllung verlangen.

Die **Verzugszinsen** betragen nach dem BGB

- 5 % über dem Basiszinssatz[1] der Deutschen Bundesbank für den Zeitraum des Zahlungsverzugs, falls ein **Verbraucher** beteiligt ist (Privatkauf oder einseitiger Handelskauf);
- 9 % über dem Basiszinssatz der Deutschen Bundesbank ab dem Fälligkeitstag, falls **kein Verbraucher** beteiligt ist (zweiseitiger Handelskauf);
- einen **höheren** Zinssatz, wenn dem Gläubiger ein entsprechender **nachweisbarer Schaden** entstanden ist.

Mahnverfahren

Gläubiger können den Schuldner mahnen (**kaufmännisches Mahnverfahren**). Üblich sind bis zu drei Mahnungen. Spätestens mit der Mahnung kommen Schuldner in Verzug.

---

[1] *Der Basiszinssatz beträgt 1,62 % (ab dem 01.01.2023). Die Verzugszinsen betragen daher 10,62 % (6,62 %).*

Gläubiger können auch ein **gerichtliches Mahnverfahren** einleiten.

(1) **Mahnbescheid**, der vom Gläubiger beim Amtsgericht beantragt und dem Schuldner von Amts wegen zugestellt wird.
   a) Zahlung: beendet das Verfahren
   b) **Widerspruch** innerhalb 14 Tagen. Danach wird der Streitfall vor Gericht geklärt.
   c) keine Reaktion des Schuldners

(2) Der Gläubiger beantragt einen **Vollstreckungsbescheid**.
   a) Zahlung: beendet das Verfahren
   b) **Einspruch** innerhalb 14 Tagen. Danach wird der Streitfall vor Gericht geklärt.

(3) Der Gläubiger kann nach Ablauf von 14 Tagen den Gerichtsvollzieher mit der **Zwangsvollstreckung** beauftragen.

Alternativ zum gerichtlichen Mahnverfahren können Gläubiger direkt eine **Klage** vor Gericht erheben und ein Urteil (**vollstreckbarer Titel**) und eine Zwangsvollstreckung einleiten.

Bei der **Zwangsvollstreckung** wird das bewegliche Vermögen gepfändet und verwertet. Forderungen werden zugunsten des Gläubigers eingezogen. Bei Immobilien wird entweder eine Hypothek eingetragen oder eine Zwangsversteigerung eingeleitet.

Ist die Vollstreckung erfolglos oder ergibt sich ein zu geringer Erlös, muss der Schuldner eine „eidesstattliche Versicherung" über seine Vermögenslosigkeit ablegen.

Verjährung

Forderungen verjähren nach einem Zeitablauf. Danach können Gläubiger die Zahlung der Forderung zu Recht verweigern.

Regelmäßige Verjährungsfrist	Verlängerte Verjährungsfristen	Verkürzte Verjährungsfristen
3 Jahre	→ 5 Jahre bei Baumängeln → 10 Jahre bei Rechten aus der Übertragung von Grundstücken → 30 Jahre: Ansprüche aus rechtskräftigen Entscheidungen	→ 2 Jahre: Ansprüche aus Mängelrügen bei Kauf- und Werkverträgen → 3 Jahre: Kaufverträge und arglistig verschwiegene Mängel ab Kenntnis
Beginn am Ende des Jahres, in dem die Forderung entstanden ist	Beginn mit der Entstehung des Anspruches	Beginn mit der Entstehung des Anspruches

→ **Hemmung** der Verjährung
Die Verjährungsfrist wird in folgenden Fällen um die Zeitspanne der Hemmung verlängert:
- bei Verhandlungen zwischen Schuldner und Gläubiger (Verjährung aber frühestens drei Monate nach Hemmungsende)
- bei Klage, Mahnbescheid, Anmeldung im Insolvenzverfahren (Ende der Hemmung sechs Monate nach einer Entscheidung oder dem Verfahrensende)
- solange der Schuldner ein Leistungsverweigerungsrecht hat
- wenn bei höherer Gewalt das Recht nicht verfolgt werden konnte

→ **Neubeginn** der Verjährung
- bei Schuldanerkenntnis (Abschlagzahlung, Zinszahlung, Stundung)
- bei Antrag oder Durchführung einer gerichtlichen oder behördlichen Vollstreckungshandlung

Bei Kaufverträgen mit Verbraucherinnen und Verbrauchern tritt eine Ablaufhemmung von 2 Monaten ein, wenn der Verkäufer während der Verjährungspflicht einen beanstandeten Mangel beseitigt (Nacherfüllung). Diese Regelung ermöglicht den Käuferinnen und Käufern zu prüfen, ob der Mangel auch tatsächlich beseitigt wurde.

4.6 Weitere Vertragsarten

Mietvertrag § 535 BGB	**Überlassung einer Sache zum Gebrauch gegen Zahlung einer vereinbarten Miete** **Beispiel:** *Für 120,00 € pro Tag darf Herr Sommer ein Reisemobil ohne Kilometerbegrenzung fahren.*
Pachtvertrag § 581 BGB	**Überlassung einer Sache zum Gebrauch gegen Zahlung der vereinbarten Pacht** Der Pächter darf aus der Sache Erträge erzielen und für sich verwenden. **Beispiel:** *Eine Spedition verpachtet eine Lagerhalle an einen Großkunden.*
Leihvertrag § 598 BGB	**Überlassung einer Sache zum Gebrauch ohne Bezahlung** **Beispiel:** *Jonas leiht seiner Freundin Miriam sein Auto, damit sie pünktlich zur Abschlussprüfung in der Nachbarstadt erscheinen kann.*

Darlehensvertrag § 488 BGB	**Überlassung von Geld oder anderen vertretbaren Sachen** Der Darlehnsnehmer ist verpflichtet, gleichartige Sachen nach Vertragsablauf zurückzugeben. **Beispiel:** *Ein Spediteur nimmt einen Kredit auf, verwendet das Geld für den Ausstattung einer Lagerhalle mit Hochregalen und zahlt den Kredit zum vereinbarten Zeitpunkt aus laufenden Einnahmen zurück.*
Dienstvertrag § 631 BGB	**Leistung von Diensten gegen Entgelt ohne garantierten Erfolg** Leistungsinhalt ist eine vertraglich näher bestimmte Tätigkeit. Die Leistungspflicht ist erloschen, wenn der Betroffene tätig geworden ist. **Beispiel:** *Die Berufsschullehrerin Frau Sanders hat mit einer Spedition vereinbart, dass sie einmal in der Woche die innerbetriebliche Schulung der Auszubildenden übernimmt.*
Werkvertrag § 631 BGB	**Herstellung eines Werkes gegen Bezahlung** Leistungsinhalt ist die Herstellung des versprochenen Werkes. Die Leistungspflicht ist erfüllt, wenn das Werk tatsächlich erstellt worden ist. **Beispiel:** *Ein Elektronikdienstleister führt die Wartung der EDV-Anlage einer Spedition durch.*

5 Finanzierung

Finanzierung

Finanzierungsarten
- Außen- und Innenfinanzierung
- Eigen- und Fremdfinanzierung

Kreditarten
- Lieferantenkredit
- Kontokorrentkredit
- Darlehen

Kreditsicherung
- Bürgschaft
- Zession
- Verpfändung
- Sicherungsübereignung
- Grundpfandrechte

Leasing
- direktes und indirektes Leasing
- Operate- und Financeleasing

5.1 Finanzierungsarten

Unter Finanzierung versteht man alle Maßnahmen der Beschaffung und Rückzahlung der finanziellen Mittel, die für Investitionen im Unternehmen benötigt werden.

- **Innenfinanzierung**
  Innenfinanzierung ist eine Finanzierung durch Einbehaltung von Gewinnen.
  - Selbstfinanzierung:
    Für die Selbstfinanzierung werden aus dem Jahresgewinn Gewinnrücklagen gebildet. Auch die Auflösung von stillen Reserven ist (stille) Selbstfinanzierung.
  - Finanzierung aus Abschreibungsrückflüssen:
    Wenn die Abschreibungsgegenwerte dem Unternehmen als Einzahlungen zugeflossen sind, tritt ein Finanzierungseffekt ein.
- **Außenfinanzierung**
  Bei der Außenfinanzierung fließen dem Unternehmen neue Mittel von außen zu.
  - Eigenfinanzierung:
    Hier führen die Gesellschafter und eventuell neue Gesellschafter dem Unternehmen Kapital zu (Beteiligungs- oder Einlagenfinanzierung). Auch die Selbstfinanzierung ist im eigentlichen Sinn Eigenfinanzierung.
  - Fremdfinanzierung:
    Bei der Fremdfinanzierung werden dem Unternehmen Kredite zur Verfügung gestellt. Für die Kredite werden Zinsen gezahlt, die auch im Verlustfalle gezahlt werden müssen.
  - Sonderformen:
    Bei der Finanzierung existieren auch Sonderformen wie Leasing oder Factoring.

5.2 Kreditarten

Zur Finanzierung des Unternehmens können verschiedene Kreditarten in Anspruch genommen werden.

- **Lieferantenkredit:**
  Die Lieferanten können dem Unternehmen bei Käufen ein Zahlungsziel einräumen. Ebenso kann ein Skontoabzug eingeräumt werden. Beide Methoden wirken wie ein Darlehen.
- **Bankkredite**
  - **Kontokorrentkredit:**
    Bei dieser Kreditform wird dem Unternehmen die Möglichkeit eingeräumt, das Girokonto bis zu einem Kreditlimit zu überziehen. Dabei werden unterschiedliche Soll- und Habenzinsen fällig. Zusätzlich wird eine Überziehungsprovision bei Überschreitung des Kreditlimits verlangt.
  - **Darlehen:**
    - Fälligkeitsdarlehen:
      Werden erst am Ende der Laufzeit getilgt. Während der Laufzeit werden regelmäßig Zinsen auf die Darlehenssumme bezahlt.
    - Ratendarlehen:
      Werden in gleichen Raten getilgt. Zinsen werden regelmäßig und nur auf die Restschuld gezahlt. Die Zinszahlungen sinken während der Laufzeit.
    - Annuitätendarlehen:
      Die Annuität ist die Summe von Zins und Tilgung. Die Annuität ist ein gleichbleibender Betrag. Da regelmäßig getilgt wird, sinken die Zinszahlungen auf die Restschuld. In gleichem Maße steigt die Tilgung an.

5.3 Kreditsicherung

Bei der Vergabe von Krediten wünschen Kreditgeber eine Sicherheit dafür, dass die Kreditsumme zurückgezahlt werden kann. Gerade bei Privatkrediten oder bei Krediten an haftungsbeschränkte Unternehmen (GmbH, AG) ist diese Sicherheit wichtig. Folgende Kreditarten lassen sich nach der Kreditsicherheit unterscheiden:

- **einfacher Personalkredit**
  Wird ohne besondere Sicherungen im Vertrauen auf die wirtschaftliche Leistungsfähigkeit und Vertrauenswürdigkeit des Kreditnehmers gegeben.

- **verstärkter Personalkredit**
  Hier kommen zusätzlich zur persönlichen Haftung (mit dem Einkommen) noch Kreditsicherungen wie Bürgschaften oder Forderungsabtretungen, die einen Teil der Kreditsumme absichern.
- **Realkredit**
  Bei dieser Kreditform werden Gegenstände verpfändet, sicherungsübereignet oder Grundpfandrechte auf Immobilien zur Kreditsicherung eingetragen.

Kreditsicherungsarten

Art der Sicherheit	Beschreibung
Bürgschaft	Bürgen verpflichten sich, für die Erfüllung einer Verbindlichkeit von Dritten einzustehen. Bürgschaften müssen schriftlich abgegeben werden, nur Vollkaufleute können im Rahmen ihres Geschäftes auch mündlich bürgen. Die Bürgschaft ist in der Höhe auf die Verbindlichkeit begrenzt (akzessorische Kreditsicherheit). **Arten:** ⇢ **Ausfallbürgschaft:** Der Bürge kann fordern, dass der Gläubiger zuerst gegen den Hauptschuldner klagt. ⇢ **Selbstschuldnerische Bürgschaft:** Hier kann sofort nach Ausfall einer Kreditrate der Bürge herangezogen werden.
Zession (Abtretung)	Eine Forderung wird von einem Gläubiger auf einen Dritten übertragen, der danach neuer Gläubiger wird. **Arten:** a) Nach Information des Schuldners: ⇢ **offene Zession** (Der Schuldner wird über den Übergang der Forderung informiert.) ⇢ **stille Zession** (Der Schuldner wird nicht informiert, bei Forderungseingang wird der Betrag an den neuen Gläubiger weitergeleitet.) b) Nach Zahl der abgetretenen Forderungen: ⇢ **Einzelzession** (Abtretung einer einzelnen Forderung) ⇢ **Rahmenzession** (Abtretung einer Vielzahl von Forderungen) ⇢ **Globalzession** (Abtretung bestimmter, im Abtretungsvertrag genannter Forderungen) ⇢ **Mantelzession** (Abtretung eines bestimmten Umfangs von Forderungen, die nach dem Vertragsabschluss erst bestimmt werden)

Art der Sicherheit	Beschreibung
Verpfändung	Zur Sicherung einer Forderung wird dem Gläubiger ein **Pfand** (Wertpapiere, Edelmetalle, Lagerscheine etc.) übergeben, das er bei Nichtzahlung der Schuld **verwerten** kann.
Sicherungs-übereignung	Zur Forderungssicherung wird dem Gläubiger das **treuhänderische Eigentum** an einer Sache übertragen. Der Kreditnehmer bleibt Besitzer der Sache, das Eigentum wird nach Begleichung der Schuld vom Gläubiger rückübertragen. Häufig wird der mit Kredit angeschaffte Gegenstand (Pkw, Lkw, Maschine) auf den Kreditgeber übertragen. Der Schuldner kann die Sache weiternutzen.
Grundpfandrechte	Grundpfandrechte sichern eine Forderung durch ein besonders gesichertes **Pfandrecht am Grundstück** und den darauf befindlichen **Gebäuden**. Arten: a) **Hypothek** ⇢ Die Hypothek ist **akzessorisch** (an das Bestehen der gesicherten Forderung gebunden). ⇢ Sie wird ins Grundbuch **eingetragen**. ⇢ Es besteht eine **dingliche** (mit dem Grundstück) **und persönliche Haftung** des Schuldners. b) **Grundschuld** ⇢ Die Grundschuld ist **abstrakt** (unabhängig vom Bestehen der Schuld). ⇢ Sie wird ins Grundbuch **eingetragen**. ⇢ Es besteht ausschließlich eine **dingliche Haftung** (mit dem Grundstück).

5.4 Sonderformen der Finanzierung

Neben den Krediten gibt es noch Sonderformen der Finanzierung wie das Leasing (langfristige Miete) und das Factoring (Forderungsverkauf), die alternativ zu den Krediten verwendet werden können.

5.4.1 Leasing

Beim Leasing erwirbt der Leasingnehmer langfristige Nutzungsrechte an beweglichen und unbeweglichen Wirtschaftsgütern durch Miet- oder Pachtverträge.

Folgende Formen des Leasing werden unterschieden:

→ Nach dem Leasinggeber
  - **Direktes Leasing:**
    Leasinggeber ist der Hersteller der geleasten Gegenstände (z. B. bei Telefon- oder EDV-Anlagen).
  - **Indirektes Leasing:**
    Der Leasinggeber erwirbt die zu leasenden Gegenstände und vermietet sie dann dem Leasingnehmer. Eine Sonderform sind **Sale-and-lease-back-Verträge**, bei denen das Leasingobjekt dem Leasingnehmer erst abgekauft und anschließend wieder an ihn vermietet bzw. verpachtet wird.

→ Nach der vertraglichen Bindung
  - **Operate-Leasing:**
    Hierbei handelt es sich um kündbare Mietverträge (Kündigungsfrist), bei denen im Mietpreis die Abschreibung des Gutes über die gesamte Nutzungsdauer einkalkuliert ist (z. B. Fahrzeugvermietung). Die Leasinggegenstände werden nach Kündigung neu vermietet.
  - **Finance-Leasing:**
    Hier gibt es eine Grundmietzeit ohne Kündigungsrecht. Dem Leasingnehmer kann eine Verlängerungs-, Rückgabe- oder Kaufoption am Ende der Grundmietzeit eingeräumt werden. Der Leasinggegenstand wird beim Leasinggeber bilanziert, der Leasingnehmer bucht die Leasingrate als Betriebsausgabe.

5.4.2 Factoring

Beim Factoring werden die kurzfristigen Forderungen eines Unternehmens an eine Factoringgesellschaft verkauft. Die Gesellschaft zahlt die Forderungsbeträge in einer Summe (unter Abzug eines Abschlags) an den Forderungsverkäufer aus. Das Factoring erfüllt folgende Funktionen:

→ Finanzierungsfunktion (Der Forderungsverkäufer erhält den Forderungsbetrag vor der Fälligkeit.)

→ Delkrederefunktion (Die Factoringgesellschaft übernimmt das Risiko des Forderungsausfalls.)

6 Zahlungsverkehr

Zahlungsverkehr

Zahlungsarten
- bar
- halbbar
- bargeldlos

bargeldloser Zahlungsverkehr
- Überweisung
- Lastschrift
- Scheck

elektronischer Zahlungsverkehr
- Datenträgertausch
- Onlinebanking
- girocard
- Kreditkarte

6.1 Zahlungsarten

Zahlungsarten können danach unterschieden werden, ob der Zahler oder der Zahlungsempfänger für die Zahlung jeweils ihr Bankkonto nutzen.

- **Barzahlung**
  Die Zahlung erfolgt in bar und auch der Zahlungsempfänger erhält Bargeld:
  a) direkte Barzahlung
  b) indirekte Barzahlung (Minutenservice der Post)
  c) Geldversand mit Wertbrief
- **halbbare Zahlung**
  entweder
  a) Bareinzahlung der Zahler und Gutschrift auf dem Konto der Zahlungsempfänger oder
  b) Abbuchung vom Konto der Zahler und Barzahlung an die Zahlungsempfänger
- **bargeldlose Zahlung**
  Zahlung erfolgt vom Konto der Zahler und wird auf dem Konto der Zahlungsempfänger gutgeschrieben.

Zahlungsarten			
		Empfänger/-in hat	
		kein Konto	ein Bankkonto
Zahler/-in hat	kein Konto	**Barzahlung** --> Zahlung „von Hand zu Hand“ --> Wertbrief --> Minutenservice der Post (zusammen mit Western Union) --> Geldtransfergesellschaften	**halbbare Zahlung** --> Zahlschein (Einzahlung in bar auf das Bankkonto des Zahlungsempfängers)
	ein Bankkonto	**halbbare Zahlung** --> Barscheck --> Zahlungsanweisung	**bargeldlose Zahlung** --> Überweisung --> Lastschrift --> Verrechnungsscheck --> Zahlungsanweisung --> EC-, Geld- und Kreditkarte

6.2 Bargeldloser (elektronischer) Zahlungsverkehr

Beim bargeldlosen Zahlungsverkehr haben sowohl Zahler/-innen als auch Zahlungsempfänger/-innen ein eigenes Bankkonto.

Auf elektronischem Weg werden Geldmittel im Auftrag der Zahler/-innen bzw. Kontoinhaber/-innen auf das Konto eines Zahlungsempfängers oder einer Zahlungsempfängerin mithilfe digitaler Systeme von Konto zu Konto übertragen:

--> **Banküberweisung**
Auftrag der Kontoinhaber/-innen, einen bestimmten Betrag zu Lasten des Kontos auf das Konto der Zahlungsempfänger/-innen zu übermitteln.
Arten:
- Einzelüberweisung, Sammelüberweisung, Dauerauftrag
- Schriftlich (Überweisungsvordruck)
- Telefonbanking, Onlinebanking, Selbstbedienungsterminal

--> **Lastschriften**
Einzug einer Zahlung durch den Gläubiger vom Konto des Schuldners durch Einschaltung von Kreditinstituten

Arten:

- **SEPA-Basislastschrift**
  Die Zahlungsverpflichteten ermächtigen die Gläubiger, die jeweilige Forderung einzuziehen. Ein Widerruf ist innerhalb von acht Wochen möglich.
- **SEPA-Firmenlastschrift**
  Die Zahlungsverpflichteten ermächtigen ihre Bank, Lastschriften von bestimmten Zahlungsempfänger/-innen einzulösen. Es ist kein Widerruf möglich.

→ **Kartenzahlungen**
Nutzung von Kredit- oder Debitkarten, entweder physisch am POS (Point of Sale) oder digital über mobile App

→ **Andere digitale Zahlungsdienste:**
Digitale Zahlungssysteme, die auf Smartphones oder anderen Geräten installiert werden und es ermöglichen, Geld digital zu speichern und zu übertragen sowie Online-Bezahlverfahren wie PayPal, Apple Pay, Google Pay und Sofortüberweisungen.

7 Marketing

Marketing

Marktuntersuchung
- Markterkundung
- Marktforschung
  - Marktanalyse
  - Marktbeobachtung
- Methoden
  - Primärforschung
  - Sekundärforschung

Marketinginstrumente
- Produktpolitik
- Preispolitik
- Kommunikationspolitik
- Distributionspolitik

Werbepolitik
- Werbeplan
- Werbemittel
- Verkaufsgespräche

„Der Grundgedanke des Marketings ist die konsequente Ausrichtung des gesamten Unternehmens an den ***Bedürfnissen des Marktes.*** *[...] [D]ie Bedürfnisse der Nachfrager [müssen] im Zentrum der Unternehmensführung stehen […] Marketing [ist] eine unternehmerische Aufgabe, zu deren wichtigsten Herausforderungen das* ***Erkennen von Marktveränderungen und Bedürfnisverschiebungen*** *gehört, um rechtzeitig* ***Wettbewerbsvorteile aufzubauen****."*

Quelle: Kirchgeorg, Manfred: Marketing. In: Gabler Wirtschaftslexikon. Das Wissen der Experten. Online verfügbar unter: https://wirtschaftslexikon.gabler.de/definition/marketing-39435 [09.11.2023].

7.1 Marktuntersuchung

Bevor mithilfe von Marketingmaßnahmen der Absatz von Produkten und Dienstleistungen beeinflusst werden kann, müssen Informationen über die Gegebenheiten auf den relevanten Märkten gesammelt und aufbereitet werden. Dabei werden Markterkundung und Marktforschung unterschieden.

7.1.1 Markterkundung

Markterkundung ist die **unsystematische, gelegentliche** Sammlung von Informationen über Kunden und Mitbewerber. Dabei werden interne Informationen wie Kundengespräche oder Absatzstatistiken ausgewertet. Die Auswertungen erfolgen aber nur bei konkreten Anlässen und nicht regelmäßig.

7.1.2 Marktforschung

Die **systematische** und **regelmäßige** Erforschung (Gewinnung, Aufbereitung und Analyse) von Kundenbedürfnissen und Verhalten der Mitbewerber wird als **Marktforschung** bezeichnet. Dabei wird auch auf **interne** Informationen wie Buchhaltungsunterlagen, die Absatzstatistik oder Besuchsberichte zurückgegriffen. Es erfolgt aber auch eine Auswertung von **externen Informationen** (Fachzeitschriften, Messebesuchen, amtlichen Statistiken etc.).

Bei der Marktforschung werden die

1. **Marktanalyse** (punktuelle Untersuchung der relevanten Märkte – **zeitpunktbezogen**) und die
2. **Marktbeobachtung** (fortlaufende Untersuchung der relevanten Märkte – **zeitraumbezogen**) unterschieden.

7.1.3 Methoden der Marktforschung

Die Methoden der Markforschung unterscheiden sich nach der Art der Datengewinnung. Zunächst wird man versuchen, vorhandene Daten aus externen oder internen Datensammlungen auszuwählen und auszuwerten (**Sekundärforschung/desk research**). Diese Methode ist kostengünstig, allerdings sind die Daten nicht speziell auf die Fragen des Unternehmens bezogen. Für konkrete Marketingentscheidungen sind darüber hinaus Informationen über wirtschaftliche Rahmenbedingungen oder Konkurrenzunternehmen wichtig.

Die **Primärforschung (field research)** ist die Erhebung eigener Daten für den Untersuchungszweck durch Befragungen (telefonisch, persönlich, schriftlich, online), Experimente (Markttest, Warentest) oder Panels (laufende Befragungen eines gleichen Personenkreises). Die Primärforschung ist sehr aufwendig und damit kostenintensiv. Sie wird von Marktforschungsinstituten durchgeführt.

7.2 Marketinginstrumente

7.2.1 Marketingziele

Das Marketing der Unternehmen verfolgt ökonomische und psychografische Ziele. Zu den **ökonomischen Marketingzielen** gehören die Umsatz- und Absatzsteigerung, die Erhöhung des Marktanteils und die Steigerung des Deckungsbeitrages. **Psychografische Marketingziele** sind die Erhöhung der Bekanntheit von Produkten und angebotenen Dienstleistungen, die Steigerung des Bekanntheitsgrades des Unternehmens, die Verbesserung des Unternehmens- und Produktimages und die Verstärkung der Kaufabsicht bei potenziellen Kunden.

7.2.2 Instrumente des Marketings

Dem Unternehmen stehen verschiedene Möglichkeiten zur Verfügung, die gewählten Zielsetzungen zu erreichen.

Markeinginstrumente:
--→ Preis- und Konditionenpolitik
--→ Kommunikationspolitik (--→ siehe unten)

a) **Produktpolitik** ist die Gestaltung des Dienstleistungsprogramms der Spedition. Dazu gehören z. B.:

Leistungsangebote	Produktvariation	Ein Produkt wird verändert und ersetzt das bisherige Produkt.
	Produktinnovation	Entwicklung von neuartigen Produkten
	Produktdifferenzierung	Ergänzung bisheriger Produkte durch neue Varianten
Sortimentspolitik	Produkteliminierung	Produkte werden aus dem Sortiment genommen.
	Produktinnovation/ -diversifikation	Ausweitung des Leistungsprogramms auf neue Produkte und neue Märkte

b) Zur **Preis – und Konditionenpolitik** gehört die Kostenkalkulation und das Preisangebot. Daneben werden die Preiskonditionen des Angebotes (Rabattgewährung, Preisdifferenzierung, Zahlungsbedingungen und Kundendienstleistungen) festgelegt. Die Preisfestlegung berücksichtigt neben den eigenen Kosten auch die Preise der Konkurrenz und die Preisvorstellung der Nachfrager.

c) Die Gesamtheit aller Maßnahmen, mit denen eine Spedition Kunden zu beeinflussen sucht, nennt man **Kommunikationspolitik**. Dazu gehören:

1. Mit der **Öffentlichkeitsarbeit (Public Relations)** möchte das Unternehmen Verständnis und Vertrauen in der Öffentlichkeit erlangen und damit das Image der betreffenden Organisation stärken. Ziel ist es, eine positive öffentliche Meinung zu schaffen.

Dazu wird vorrangig die **Presse- bzw. Medienarbeit** eingesetzt. Weitere Mittel der Öffentlichkeitsarbeit sind Planung und Durchführung von Konferenzen, Seminaren, Festen, Verbraucherveranstaltungen, Messen und sonstigen Events.

2. **Sponsoring** ist ebenfalls ein Teil der Öffentlichkeitsarbeit, bei dem gezielt Personen, Projekte und Institutionen unterstützt werden, um das Unternehmen bekannt zu machen und das Image als Unterstützer und Förderer des Sports oder der Kultur zu fördern.
3. **Werbung** ist die gezielte Beeinflussung des Kaufverhaltens von Menschen mit Werbemitteln (Anzeigen, Webespots, Werbeplakate etc.), die ein Produkt attraktiver erscheinen lassen, um so den Kaufwillen zu steigern.
4. **Verkaufsförderung (Sales Promotion)** sind Maßnahmen, um den Verkauf von Produkten und Dienstleistungen zu stützen. Dazu gehören die Organisation und Verbesserung des Verkaufssystems (Verkäuferschulung, Prämiensysteme für besondere Verkaufsleistungen), aber auch Verkaufsförderung bei den Nachfragern wie kostenlose Proben, Gutscheine oder Sonderpreisangebote.

d) Bei der **Distributionspolitik** werden Entscheidungen über die Art des Vertriebs speditioneller Dienstleistungen getroffen.

7.3 Werbepolitik

Zentraler Bestandteil des Marketings ist die Werbung für das Produkt. Dabei wird ein Werbeplan aufgestellt, der die wesentlichen Entscheidungen für die Werbekampagne enthält. Teil des Webeplans ist die Auswahl der geeigneten Werbemittel und der Werbemedien.

7.3.1 Werbeplan

Der Werbeplan legt Entscheidungen in folgenden Bereichen fest:

Ziel	Die geplante Werbekampagne hat konkrete Ziele. So soll der Umsatz gesteigert oder eine neue Dienstleistung am Markt eingeführt werden.
Zielgruppe	Es wird festgelegt, an welche Personen/Unternehmen sich die Werbemaßnahmen richten sollen (Stammkundschaft, Kunden, denen ein komplettes Logistik-Paket angeboten werden soll, Einlagerer etc.).
Werbegebiet	genaue Bestimmung des Gebietes, in dem die Werbung betrieben werden soll

Werbebotschaft	Informationen und Aussagen, mit denen die Empfänger der Werbung konfrontiert werden sollen
Werbeetat	die für Werbemaßnahmen des Unternehmens zur Verfügung stehende Geldsumme
Werbemedien	Medien, die die Werbebotschaft an die Zielgruppe überbringen sollen
Timing	Zeiträume, in denen die Werbekampagne geführt werden soll

7.3.2 Werbemittel

Die Werbebotschaft wird in einem **Werbemittel** (Anzeige, Plakat, Werbespot) konkretisiert. Das Werbemittel wird dann mit einem **Werbeträger** (Zeitschrift, Fernsehsendung, Plakattafel) zur Zielgruppe gebracht.

Werbemittel			
personale Werbung	mediale Werbung		
	Printwerbung	elektronische Werbung	sonstige Werbung
Verkaufsgespräch Vertreterbesuch Werbevorführung Werbebrief/Mail	Werbezettel Werbeprospekt Inserate Warenkatalog Werbeplakat	Leuchtschrift Werbefilm Radio-/Fernsehspot Internet	Warenpräsentation – Schaufenster – Verkaufsraum – Messestand Werbegeschenk

Die Werbemedien werden nach der Eignung für das jeweilige Werbemittel gewählt. Zusätzlich wird die Zielgruppenausrichtung des Werbeträgers beachtet. Bei Zeitungen und Zeitschriften sind das die Lesergruppen und die regionale Verbreitung des Werbeträgers. Dabei sollen **Streuverluste** (Konsumenten des Werbemittels, die nicht zur Zielgruppe gehören) vermieden werden.

Bei der Gestaltung von Werbemitteln soll das AIDA-Prinzip beachtet werden. Die Gliederung der Aussagen soll folgendem Schema entsprechen:

A	=	Aufmerksamkeit erregen	(attention)
I	=	Interesse wecken	(interest)
D	=	Wünsche ansprechen	(desire)
A	=	zur Handlung auffordern	(action)

8 Gesamtwirtschaftliche Prozesse

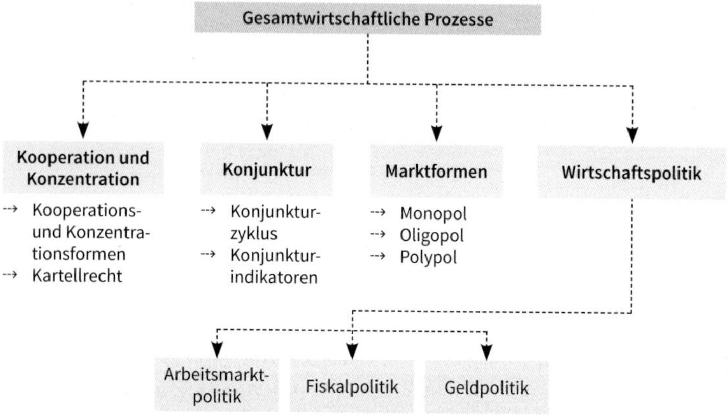

8.1 Kooperation und Konzentration

Mit der Zusammenarbeit oder einem Zusammenschluss versuchen Unternehmen, Macht auf den jeweiligen Märkten zu gewinnen. Diese Formen der Zusammenarbeit sind allerdings im Wettbewerbsrecht streng geregelt.

8.1.1 Formen der Zusammenarbeit

Unternehmen arbeiten häufig eng zusammen. Das reicht von einfacher Kooperation bis hin zu Unternehmenszusammenschlüssen.

→ **Kooperation**

- **Kartelle:**
  Rechtlich und wirtschaftlich selbstständige Unternehmen schließen sich vertraglich zusammen, um den Wettbewerb untereinander einzuschränken oder ganz auszuschalten. Kartelle sind grundsätzlich verboten und nur in Ausnahmefällen zugelassen.
- **Konsortium, Arbeitsgemeinschaft:**
  vertragliche Zusammenschlüsse von rechtlich und wirtschaftlich selbstständig bleibenden Unternehmen zur Durchführung gemeinsamer Projekte (Arbeitsgemeinschaft in der Bauwirtschaft, Konsortium in der Seeschifffahrt)

- **Strategische Allianzen:**
  langfristige Kooperation beliebig vieler selbstständiger Unternehmen auf der Grundlage von Vereinbarungen, bei denen sich die Partner dazu verpflichten, Ressourcen gemeinsam zu nutzen oder Leistungen gemeinsam zu erbringen
- **Joint Venture:**
  dauerhaftes oder objektbezogenes Gemeinschaftsunternehmen von zwei oder mehreren, rechtlich und wirtschaftlich selbstständigen Unternehmen aus verschiedenen Staaten zur gemeinsamen Durchführung eines Projekts
- **Interessengemeinschaft:**
  Verbindung von Unternehmen, die rechtlich selbstständig bleiben, deren wirtschaftliche Selbstständigkeit aber vertraglich gemindert ist; häufig Vorstufe der Fusion

→ **Konzentration**

- **Konzern:**
  Zusammenschluss rechtlich selbstständiger Unternehmen unter einer einheitlichen Leitung, wobei die abhängigen Unternehmen rechtlich selbstständig bleiben, aber ihre wirtschaftliche Selbstständigkeit verlieren. Ein Konzern wird geleitet von der Muttergesellschaft. Sie hält die Mehrheit der Aktien der Tochtergesellschaften.
- **Trust/Fusion:**
  Mehrere Unternehmen werden miteinander verschmolzen (fusioniert) und geben dabei ihre rechtliche und wirtschaftliche Selbstständigkeit auf. Häufig wird zur Leitung des Trusts eine Holdinggesellschaft gegründet, die die Führungsfunktion für die Gesellschaft übernimmt.

Unternehmenszusammenschlüsse und -kooperationen sind entweder

→ **horizontale Zusammenschlüsse:** Zusammenarbeit/Zusammenschluss mehrerer Unternehmen auf der gleichen Produktionsstufe (Zusammenarbeit von Speditionen in Sammelgutkooperationen, Konzern aus mehreren Brauereien);

→ **vertikale Zusammenschlüsse:** Zusammenarbeit/Zusammenschlüsse von Unternehmen mehrerer aufeinanderfolgender Produktionsstufen (landwirtschaftlicher Betrieb, Mälzerei, Brauerei, Gaststätten) oder

→ **diagonale (anorganische) Zusammenschlüsse:** Zusammenarbeit/Zusammenschlüsse von Unternehmen unterschiedlicher Produktionsstufen und Branchen.

8.1.2 Kartellrecht

<table>
<tr><th colspan="3">Wettbewerbspolitik</th></tr>
<tr><th>Kartellverbot</th><th>Missbrauchsaufsicht</th><th>Fusionskontrolle</th></tr>
<tr><td>Kartelle sind nach dem Gesetz gegen Wettbewerbsbeschränkungen (§ 1) und nach dem Artikel 81 des EG-Vertrages verboten.</td><td>Unternehmen mit einer marktbeherrschenden Stellung dürfen diese Macht nicht missbräuchlich ausüben.</td><td rowspan="2">Der Zusammenschluss von Großunternehmen muss von den Kartellbehörden genehmigt werden. Er wird untersagt, wenn durch den Zusammenschluss eine marktbeherrschende Stellung entsteht oder verstärkt wird.</td></tr>
<tr><td colspan="2">Verbotene Kartelle und Missbrauch einer marktbeherrschenden Stellung werden von den Kartellbehörden untersagt. Die beteiligten Unternehmen werden mit Bußgeldern belegt und die Gewinne abgeschöpft.</td></tr>
</table>

Kartelle und Kartellverbot

→ **Kartell**
Ein Kartell ist die Kooperation wirtschaftlicher Aktivitäten von unabhängigen Unternehmen mit dem Zweck, Wettbewerb zu verhindern oder zu beschränken.

→ **absolutes Kartellverbot (Hardcorekartelle)**
Vereinbarungen zwischen Wettbewerbern, die Preis-, Quoten-, Kunden- oder Gebietsabsprachen betreffen, sowie eine Preisbindung der zweiten Hand sind verboten.

→ **Ausnahmen vom Kartellverbot für Nicht-Hardcore-Kartelle**

a) § 2 GWB: Zulässig sind Kartelle zur Verbesserung der Warenerzeugung und -verteilung sowie zur Förderung des technischen oder wirtschaftlichen Fortschritts, wenn die Verbraucher angemessen am Gewinn beteiligt werden und der Wettbewerb nicht vollständig ausgeschaltet wird.
b) § 3 GWB: **Mittelstandskartelle** sind zulässig, wenn damit die Wettbewerbsfähigkeit der kleinen und mittelständischen Unternehmen gegenüber Großunternehmen der gleichen Branche verbessert wird.
c) Kartelle, die durch eine **Gruppenfreistellungs-Verordnung der EU** erlaubt werden (Kfz-Verordnung, Technologietransfer-GVO, Spezialisierungsvereinbarungen, Versicherungssektor, vertikale Vereinbarungen).

d) **Bagatellkartelle**: Die Wettbewerbsbeschränkung durch die Unternehmenszusammenarbeit muss „spürbar“ sein, um vom Verbot erfasst zu werden.

→ Verfahren bei **Kartellausnahmen** (Legalausnahme)
Die Kartellverbote und die Zulässigkeit der Kartelle gelten ohne Verbots- oder Genehmigungsverfahren. Die Unternehmen müssen selbst einschätzen, ob die geplante Zusammenarbeit zu den zulässigen Ausnahmen vom Kartellverbot gehört.

→ **Rechtsfolgen** des Kartellverbots

a) Zivilrechtliche Folgen:
- Unterlassungsanspruch der Betroffenen
- Schadenersatzanspruch der Geschädigten

b) Öffentlich-rechtliche Sanktionen:
- Unterlassungsverfügung
- Buß- und Zwangsgeld (bis 10 % des Umsatzes eines Jahres)
- Vorteilsabschöpfung

8.2 Konjunktur

Die Wirtschaftsentwicklung in marktwirtschaftlichen Systemen verläuft in zyklischen Schwankungen. Sichtbar wird das durch die Steigerungsrate des Bruttoinlandsproduktes.

Das nominale Bruttoinlandsprodukt (BIP) ist ein Maß für die wirtschaftliche Leistung einer Volkswirtschaft in einem bestimmten Zeitraum und die zentrale Größe der Volkswirtschaftlichen Gesamtrechnungen. Es misst den Wert der im Inland hergestellten Waren und Dienstleistungen (Wertschöpfung) nach aktuellen Preisen, soweit diese nicht als Vorleistungen für die Produktion anderer Waren und Dienstleistungen verwendet werden. Das reale BIP ist preisbereinigt, um die Preissteigerungen der Produkte und Dienstleistungen korrigiert.

8.2.1 Konjunkturzyklus

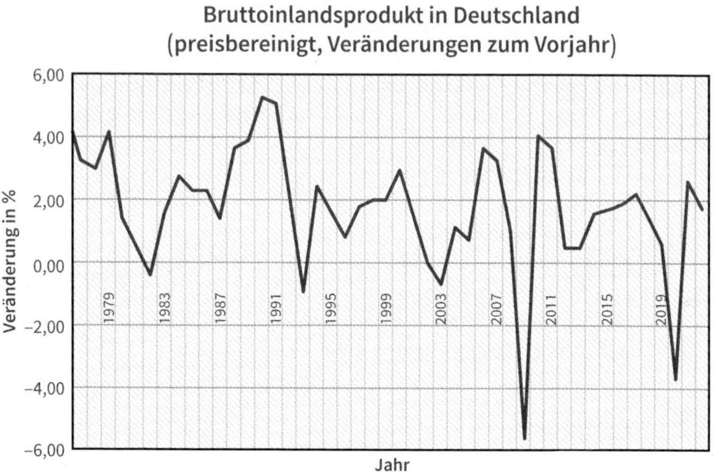

Phasen des Konjunkturzyklus

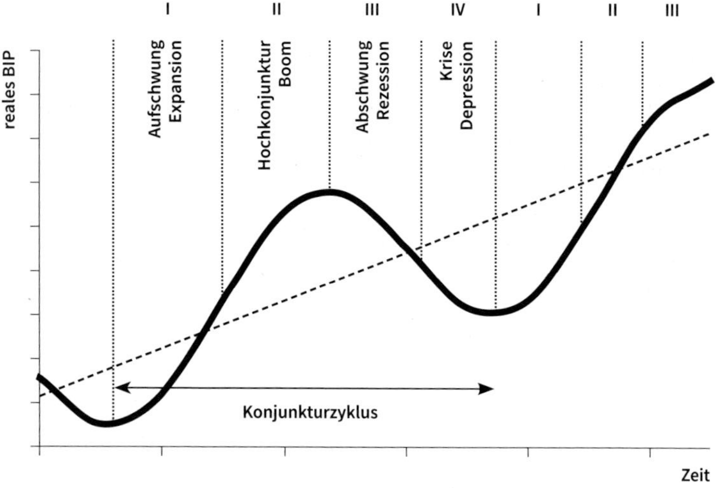

Merkmale der Konjunkturphasen

Phase	Expansion Aufschwung	Boom Hochkonjunktur	Rezession Abschwung	Depression Krise
Produktion	zunehmende Kapazitätsauslastung	industrielle Engpässe	sinkende Kapazitätsauslastung	geringe Kapazitätsauslastung
Investitionen	zunehmende Investitionen	hohe Investitionen	rückläufige Investitionen	Kapazitätsabbau, Desinvestition
Beschäftigung	zunehmende Beschäftigung	Arbeitskräftemangel	steigende Arbeitslosigkeit	Massenentlassungen
Lohnniveau	steigende Löhne	hohe Löhne	sinkende Löhne	niedrige Löhne
Preise	stabile Preise	steigende Preise	zurückgehende Preise	sinkende Preise

8.2.2 Konjunkturindikatoren

Um die Konjunktur beurteilen und vorhersagen zu können, werden verschiedene Konjunkturindikatoren verwendet.

⇢ **Bereich** der Indikatoren
- **Verbrauchsindikatoren:**
  - Einzelhandelsumsätze
  - Auftragseingang Konsumgüterindustrie
- **Produktionsindikatoren:**
  - Kapazitätsauslastung, Produktion und Beschäftigung
  - Auftragseingang aus In- und Ausland, Lagerbestände

⇢ **Voraussagezeitraum**
- **Frühindikatoren:**
  - Auftragseingang
  - Entwicklung der Aktienkurse
  - Geldmengenentwicklung
  - offene Stellen
  - Zukunftserwartungen der Unternehmen

- **Gegenwartsindikatoren:**
  - reales BIP
  - Industrieproduktion
  - Kapazitätsauslastungsgrad
- **Spätindikatoren:**
  - Preise
  - Löhne

8.3 Marktstrukturen

8.3.1 Marktarten

Ein Markt befindet sich überall dort, wo Angebot und Nachfrage zusammentreffen und sich ein Preis bildet. Ein Markt kann sich an einem konkreten Ort befinden (z. B. Marktplatz, Börse) oder im übertragenden Sinne vorhanden sein (z. B. der Ölmarkt, Devisenmarkt, der Arbeitsmarkt).

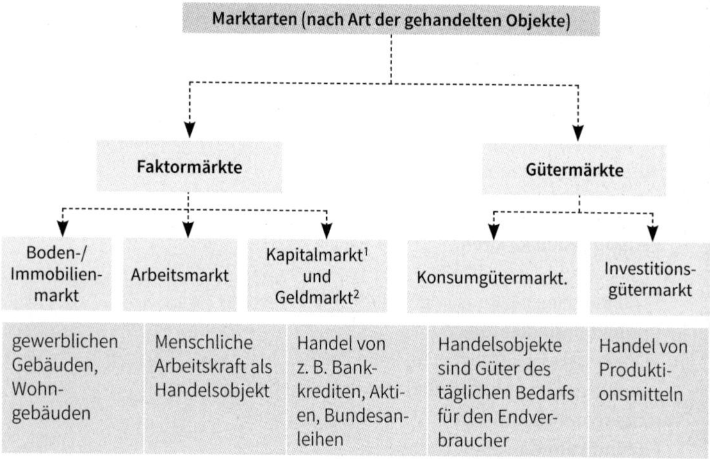

---

[1] *langfristige Kredite und Kapitaleinlagen*
[2] *kurzfristige Kredite und Kapitalanlagen*

8.3.2 Marktformen

Marktformen nach Zahl der Marktteilnehmer			
Zahl der Anbieter / Zahl der Nachfrager	Viele Anbieter	Wenige Anbieter	Ein Anbieter
Viele Nachfrager	Polypol	Angebotsoligopol	Angebotsmonopol
	Wochenmarkt, Wertpapierbörse, Gaststätten, Handwerksbetriebe	PKW-Neuwagen, Benzin und Mineralöl, Fluggesellschaften, Reiseveranstalter, Strom, Computersoftware, Versicherungen	Schienennetz der Bahn, Lotteriemonopol, Trinkwasser
Wenige Nachfrager	Nachfrageoligopol	Bilaterales Oligopol	Beschränktes Angebotsmonopol
	Molkereien, Zuckerrübenanbau (Zuckerfabriken)	Flugzeugbau, Schiffsbau, Automobilzulieferer, Flugbenzin	Magnetschwebebahn, Automobilzulieferer (mit Patentschutz), Spezialmedikamente für wenige Erkrankte,
Ein Nachfrager	Nachfragemonopol	Beschränktes Nachfragemonopol	Bilaterales Monopol
	Städtische Aufträge an Handwerker	Straßenbau, Produkte und Dienstleistungen für Bundesbehörden, Spezialprodukte für die Raumfahrtindustrie	Hochspezielle Kampfflugzeuge, die nur von einer Firma hergestellt und nur von einem Staat gekauft werden können

Das Idealbild eines marktwirtschaftlich wettbewerbsintensiven Marktes ist das Polypol auf einem vollkommenen Markt.

8.4 Wirtschaftspolitik

Durch die Wirtschaftspolitik sollen die konjunkturellen Schwankungen gedämpft und die negativen Folgen bekämpft werden.

8.4.1 Ziele der Wirtschaftspolitik

Die wirtschaftspolitischen Zielsetzungen werden durch das **„Magische Viereck“** nach dem Stabilitätsgesetz von 1967 beschrieben. Folgende Ziele sollen mit der Wirtschaftspolitik erreicht werden:

- → stetiges und angemessenes Wirtschaftswachstum
- → Stabilität des Preisniveaus
- → hoher Beschäftigungsstand
- → außenwirtschaftliches Gleichgewicht

Zwischen diesen Zielen bestehen Zielharmonien und Zielkonflikte.

- → Zielkonflikte
  - Preisniveaustabilität →← Vollbeschäftigung
  - Preisniveaustabilität →← Wachstum
- → Zielharmonien
  - Wachstum →← Vollbeschäftigung
  - Preisniveaustabilität →← außenwirtschaftliches Gleichgewicht

Zielharmonien können gemeinsam verfolgt werden. Bei Zielkonflikten muss eine Hierarchie zwischen den Zielen festgelegt werden.

8.4.2 Wirtschaftswachstum

Das stetige und angemessene Wirtschaftswachstum gehört in Deutschland zu den wichtigsten wirtschaftspolitischen Zielen. Die Idee ist, dass das Wirtschaftswachstum zu mehr Arbeitsplätzen und damit zu mehr Geld für alle führt und folglich auch zu mehr Wohlstand und Zufriedenheit.

Damit die Menschen eines Landes ein angemessenes Leben führen können, sind sie darauf angewiesen, durch ihre Arbeit in den Unternehmen der Industrie, des Handwerks und der Dienstleistungen Geld zu verdienen. Dieses Geld versetzt sie in Lage, die Güter und Dienstleistungen zu kaufen, die ihnen einen angemessenen Wohlstand erlauben.

Die Folge ist, dass die Menschen ihren Wohlstand ausbauen können und das führt u. a. auch zu mehr Zufriedenheit der Menschen. Das stetige Wachstum der Wirtschaft gehört daher in Deutschland zu den wichtigsten wirtschaftspolitischen Zielen.

Der Bundesrat hat im März 2024 dem Gesetz zur Stärkung von Wachstumschancen, Investitionen und Innovationen sowie Steuervereinfachung und Steuerfairness (kurz: Wachstumschancengesetz) zugestimmt. das Gesetz enthält eine Reihe von Maßnahmen, die das Ziel haben, Impulse für mehr Wachstum, Investitionen und Innovationen zu setzen. zudem sollen unter anderem auch für kleine und mittlere Unternehmen Steuervereinfachungen umgesetzt werden.

Im **Wachstumschancengesetz** werden die Eckpunkte für eine Weiterentwicklung der Bedingungen zur Förderung des Wachstums auf geführt. Das sind unter anderem:

- Degressive Abschreibung: Wirtschaftsgüter können mit dem doppelten AfA-Satz der linearen Afa, höchstens aber mit 20 % abgeschrieben werden.
- Sonderabschreibung nach § 7g EStG: Die Sonderabschreibung in Höhe von 40 % der Anschaffungskosten oder Herstellungskosten gelten für Betriebe, die die Gewinngrenze von 200.000,00 € im Jahr, das der Investition vorangeht, nicht überschreiten. Sie kann beliebig auf das Jahr der Anschaffung oder Herstellung und die folgenden 4 Jahre verteilt werde.
- Die Grenzen der Abschreibung auf geringwertige Wirtschaftsgüter (GWG) bleiben unverändert.
- Steuerfreie Geschenke an Geschäftspartner steigen von 35,00 € auf 50,00 €
- Umsatzsteuervoranmeldungen müssen statt wie bisher ab 1 000,00 € erst an 2 000,00 € Umsatzsteuer abgegeben werden.
- Die Rentenbesteuerung wird wesentlich verlangsamt
- Für Wohngebäude wird eine degressive Abschreibung in Höhe von 5 % eingeführt.

8.4.3 Arbeitslosigkeit und Arbeitsmarktpolitik

Arbeitslosigkeit in Deutschland
Arbeitslose im Jahresdurchschnitt in Mio. Arbeitslose

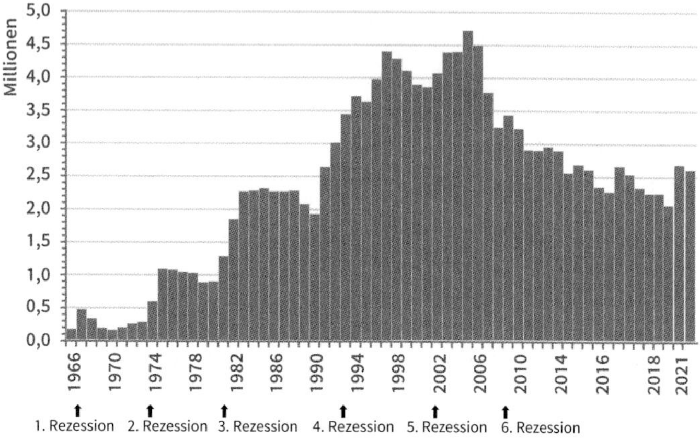

Arten der Arbeitslosigkeit

- **friktionelle Arbeitslosigkeit**
  kurzfristige Sucharbeitslosigkeit, z. B. nach Entlassungen, bei Umschulung oder beruflicher Veränderung (Fluktuation)
- **saisonale Arbeitslosigkeit**
  Folge jahreszeitlicher Produktions- und Nachfrageschwankungen, z. B. nachlassende Bautätigkeit im Winter, Modewechsel, Ferientermine
- **konjunkturelle Arbeitslosigkeit**
  Folge eines konjunkturellen Abschwungs (Krise) oder einer wirtschaftlichen Depression
- **strukturelle Arbeitslosigkeit**
  Folge des beruflichen, sektoralen und regionalen Strukturwandels in der Wirtschaft und auf dem Arbeitsmarkt

Für die Bekämpfung der Arbeitslosigkeit und die materielle Versorgung der Arbeitslosen ist die **„Agentur für Arbeit"** zuständig.

Aufgaben der Agentur für Arbeit

→ **passive Arbeitsmarktpolitik**

Passive Arbeitsmarktpolitik bezieht sich auf Lohnersatzleistungen im Falle von Arbeitslosigkeit.

- Arbeitslosengeld
- Arbeitslosengeld II
- Kurzarbeitergeld
- Insolvenzgeld
- Winterbauhilfe

→ **aktive Arbeitsmarktpolitik**

Aktive Arbeitsmarktpolitik bezieht sich auf Maßnahmen, die Wachstumshindernisse, Qualifikations- und Mobilitätsengpässe beseitigen und neue Arbeitsplätze schaffen sollen, z. B.:

- Arbeits- und Berufsberatung
- Arbeitsvermittlung
- Förderung der beruflichen Erstausbildung und beruflichen Weiterbildung, Umschulung und Rehabilitation, sonstige Trainingsmaßnahmen
- Arbeitsbeschaffungsmaßnahmen, Arbeitsgelegenheiten mit Mehraufwandsentschädigung (Ein-Euro-Jobs), Infrastrukturmaßnahmen, Eingliederungszuschüsse, Förderung der Selbstständigkeit
- Mobilitätshilfen

8.4.4 Fiskalpolitik

Eine wesentliche Aufgabe des Staates im Rahmen der Wirtschaftspolitik ist die **antizyklische Konjunkturpolitik**. Durch die **Einnahmenpolitik** (Steuererhöhung und -senkung) und die **Ausgabenpolitik** (Investitionen, Beschäftigungsprogramme, Subventionen) kann der Konjunkturverlauf gezielt beeinflusst werden.

Antizyklische Konjunkturpolitik

Wirtschaftspolitische Instrumente	Anwendung bei Hochkonjunktur	Anwendung im Abschwung
Ausgabenpolitik	**Ausgabenkürzung** Der Staat erteilt weniger Aufträge und bremst somit die gesamtwirtschaftliche Nachfrage.	**Ausgabenerhöhung** Der Staat erteilt mehr Aufträge zur Erhöhung der zu schwachen gesamtwirtschaftlichen Nachfrage.
Einnahmenpolitik	zeitlich befristete **Erhöhung der Einkommen- und Körperschaftsteuer** Durch Verringerung der Geldmittel, die für konsumtive Zwecke zur Verfügung stehen, soll eine dämpfende Wirkung auf die Nachfrage erzielt werden.	zeitlich befristete **Senkung der Einkommen- und Körperschaftsteuer** Durch Erhöhung der verfügbaren Einkommen der Haushalte und Entlastung der Unternehmen soll eine Nachfragebelebung erreicht werden.
Subventionspolitik (Abschreibungspolitik)	**Aussetzung** bzw. Verringerung der Möglichkeit **degressiver Abschreibungen** bzw. von Sonderabschreibungen in den Unternehmen Durch Verringerung der steuerlich geltend zu machenden AfA erhöhen sich die Unternehmergewinne. Durch die damit fälligen Steuern soll eine Konjunkturdämpfung erreicht werden.	**Wiedereinsetzung** der Möglichkeit, **degressiv abzuschreiben** bzw. Sonderabschreibungen in den Unternehmen vorzunehmen Durch Erhöhung der steuerlich geltend zu machenden AfA verringern sich die Unternehmergewinne und damit auch die fälligen Steuern. Den Unternehmen stehen somit mehr Mittel für Investitionen zur Verfügung.

8.4.5 Geldpolitik

Die Geldpolitik des Staates beeinflusst die Menge des zur Verfügung stehenden Geldes **(Geldmenge)** in einer Volkswirtschaft und damit die **Zinsen** und die Möglichkeiten der Banken, **Kredite** an Unternehmen (für Investitionen) und Privatleute (Konsumausgaben) auszugeben.

Im Euro-Währungsgebiet wird die Geldpolitik von der **Europäischen Zentralbank** mit Sitz in Frankfurt am Main wahrgenommen.

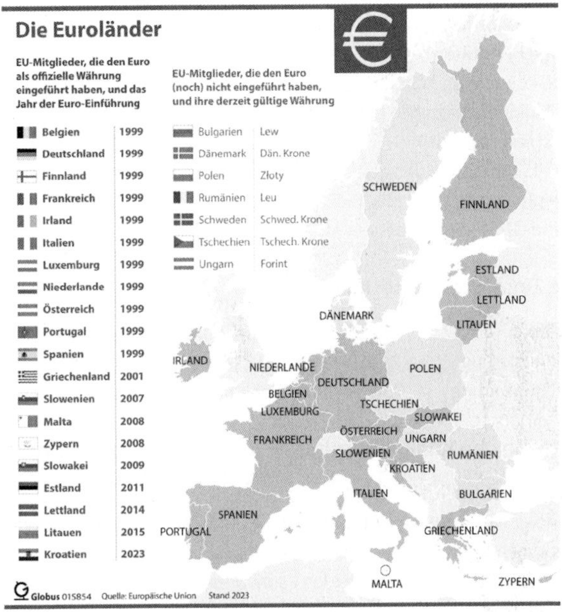

Geldpolitische Instrumente der Europäischen Zentralbank

→ **Offenmarktgeschäfte**

- **Hauptrefinanzierungsgeschäfte:**
  Mit diesem Instrument versorgt die EZB die Geschäftsbanken mit Geld. Sie legt dafür den **Hauptrefinanzierungssatz** (Leitzins) fest. Das Geld wird kurzfristig für eine Woche verliehen.
- **Längerfristige Refinanzierungsgeschäfte:**
  Geldversorgung der Banken, bei dem Geld für drei Monate verliehen wird
- **Feinsteuerungsoperationen:**
  kurzfristige Maßnahmen, um Zins- und Liquiditätsschwankungen auszugleichen

- **Strukturelle Operationen:**
  Die EZB kann Schuldverschreibungen am Kapitalmarkt ausgeben, Wertpapierpensionsgeschäfte oder Wertpapierverkäufe durchführen, sodass die Geldmenge, die den Banken zur Verfügung steht, sinkt.

--› **ständige Fazilitäten**
Banken können Geld über Nacht an die EZB geben **(Einlagefazilität)** oder über Nacht Liquidität beziehen **(Spitzenrefinanzierungsfazilität).**

--› **Mindestreservepolitik**
Geschäftsbanken werden gezwungen, einen bestimmten Prozentsatz ihrer reservepflichtigen Verbindlichkeiten bei der Notenbank als Einlagen zu halten. Der Mindestreservesatz beträgt seit 2012 rund 1 %.

Wichtige Zinssätze (Stand Juni 2025)

Einlagefazilität	2,0 %	Zinssatz auf die Mindestreserve	0,00 %
Hauptrefinanzierung	2,15 %	Basiszinssatz	2,27 %
Spitzenrefinanzierung	2,40 %	(zur Berechnung von Verzugszinsen)	

Geldpolitik in den Konjunkturphasen: Instrumente der Geldpolitik

--› **expansive Geldpolitik**
Hier erfolgt eine Ausweitung der Geldmenge und damit eine Senkung der Zinsen. So steht mehr Geld für Investitionen und Konsum zur Verfügung, das zu niedrigeren Zinsen verliehen werden kann. Diese Politik wird vor allem in der Rezession betrieben.

--› **restriktive Geldpolitik**
In Boomphasen der Konjunktur wird eine Einschränkung der Geldmenge betrieben, die mit Zinssteigerungen verbunden ist. Die Kreditvergabe wird reduziert und teurer, einer Überhitzung der Konjunktur soll so entgegengewirkt werden.

C

KAUFMÄNNISCHE STEUERUNG UND KONTROLLE

Kaufmännische Steuerung und Kontrolle

Steuerung und Kontrolle der Geschäftsprozesse

Unternehmenssteuerung
- Unternehmensziele
- Planung
- Geschäftsprozesse
- Informationssystem
- Controlling

Grundlagen des Rechnungswesens
- Gliederung des Rechnungswesens
- gesetzliche Grundlagen

Inventur, Inventar und Bilanz
- Inventur
- Inventar
- Bilanz

Organisation der Finanzbuchhaltung
- Bücher und Kontenrahmen
- Dokumentation von Geschäftsprozessen
- Bestandsrechnung: Wertströme
- Erfolgsrechnung: Leistungsströme
- Erfolgsermittlung
- Jahresabschluss

System der Umsatzbesteuerung
- Vorsteuer
- Umsatzsteuer
- Zahllast

Jahresabschluss der Unternehmen
- Funktion
- Bestandteile
- Bewertung
- Instrumente des Controllings

Kosten- und Leistungsrechnung (KLR)

Vollkostenrechnung
- Grundbegriffe der KLR
- Abgrenzungsrechnung
- Kostenartenrechnung
- Kostenstellenrechnung
- Betriebsabrechnungsbogen
- Kostenträgerrechnung

Teilkostenrechnung: Deckungsbeitragsrechnung
- Deckungsbeitrag
- Preisuntergrenze
- Zusatzauftrag
- mehrstufige Deckungsbeitragsrechnung
- Gewinnschwelle (Break-Even-Point)

1 Steuerung und Kontrolle der Geschäftsprozesse im Unternehmen

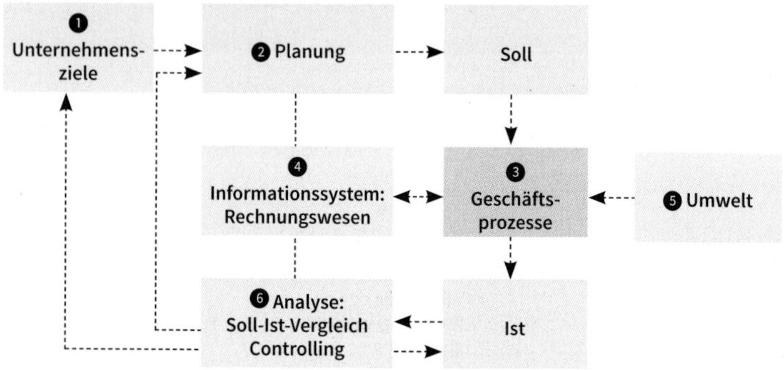

1.1 Unternehmenssteuerung als Regelkreis

Die Steuerung und Kontrolle der Geschäftsprozesse in einem Speditionsunternehmen lassen sich als Regelkreis (siehe Abbildung oben) darstellen. Die Grundlage der unternehmerischen Tätigkeit ist das Leitbild des Unternehmens. Aus diesem Leitbild werden die kurzfristigen, mittelfristigen und langfristigen Unternehmensziele abgeleitet. Sie bilden die Steuergrößen für die Geschäftsprozesse.

Der Ablauf der Unternehmenssteuerung im Regelkreis wird in den folgenden Abschnitten erläutert:

1.1.1 Unternehmensziele

Unternehmen setzen sich **Ziele**, die sie

- langfristig,
- mittelfristig oder
- kurzfristig

erreichen wollen. Sie sind **Grundlage der Planung**.

Unternehmensziele sind unter anderem:

- Kundenzufriedenheit
- Umsatz, Gewinn
- Marktvergrößerung, Prestige, Macht
- Mitarbeiterorientierung
- Ökologie

1.1.2 Planung

Der **Gesamtplan** eines Unternehmens besteht aus verschiedenen **Teilplänen:**

- **Absatzplan:** Planung von Art und Menge des Angebots an Speditionsleistungen
- **Beschaffungsplan:** Plan der Bereitstellung von Gütern und Leistungen zur Erstellung von Speditionsleistungen
- **Finanzplan:** Planung des Kapitalbedarfs und der Liquidität
- **Investitionsplan:** Planung der Investitionen und des Kapitalbedarfs
- **Personalplan usw.:** Planung der erforderlichen Mitarbeiter/-innen

1.1.3 Geschäftsprozesse: Erstellung der speditionellen Leistung

Die **Planung (Soll)** wird in den **Geschäftsprozessen** umgesetzt:

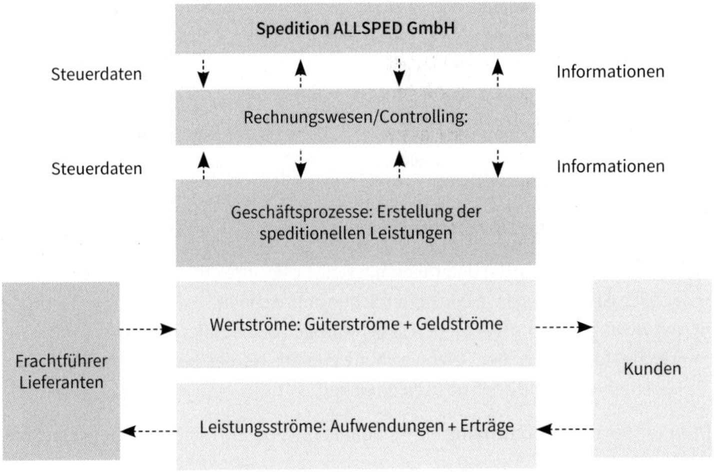

1.1.4 Informationssystem: Rechnungswesen

Im Rechnungswesen der Spedition werden die Geschäftsprozesse zahlenmäßig und systematisch erfasst, aufbereitet, überwacht und ausgewertet.

Das geschieht durch:

Dokumentation	Information
zur quantitativen Erfassung des Gesamtgeschehens: → Dokumentation aller Geschäftsvorgänge in der Buchführung → Spiegelung der geschäftlichen Prozesse (Vorgänge) in Zahlen → Erfüllung der gesetzlichen Auflagen (vgl. HGB) durch lückenlose und geordnete Aufzeichnung aller Geschäftsprozesse	**zur internen Verarbeitung:** → Erfolgsermittlung durch Erfassung von Aufwendungen und Erträgen → Erfassung der Vermögenswerte (= Kapazität) und der Schulden (= Finanzierung) **zur Unterrichtung externer Stellen:** → Finanzamt → Banken und weitere Kapitalgeber → Arbeitnehmer/-innen → Kommunen, Medien usw.

1.1.5 Auswirkungen der Umwelt

Ziele, Planung und Geschäftsprozesse sind **ständig beeinflusst** durch Einwirkung von

- Mitbewerbern am Markt,
- staatlichen Regelungen,
- Tarifverträgen,
- Konjunktur,
- Wechselkursen usw.

1.1.6 Controlling

Das Controlling hat die Aufgabe, die Ziele zu begleiten, d. h. laufend aufzuzeigen,

- in welchem Umfang die Unternehmensziele bisher erreicht worden sind,
- wo sich Gefährdungen in der Zielerreichung abzeichnen,
- mit welchem Ergebnis unter den gegenwärtigen Bedingungen zu rechnen ist,
- welche Maßnahmen bei Zielabweichung ergriffen werden können, um die Unternehmensziele doch noch zu erreichen.

Dazu vergleicht das **Controlling** die Plandaten (Soll-Daten) mit den Ist-Daten im **Soll-Ist-Vergleich**.

1.2 Grundlagen des Rechnungswesens

1.2.1 Gliederung des Rechnungswesens

Das Rechnungswesen ist die Basis für ein umfassendes **Informationssystem**, das sich in **folgende Bereiche untergliedert**:

Externes Rechnungswesen		Internes Rechnungswesen
Finanzbuchhaltung = Geschäftsbuchführung		Kosten- und Leistungsrechnung
Die Finanzbuchhaltung dokumentiert auf der Grundlage von Belegen **alle Geschäftsprozesse** eines Unternehmens in zeitlicher Ordnung im Grundbuch (Journal) und sachlicher Ordnung im Hauptbuch. Dabei erfasst sie 1. in der **Bestandsrechnung** (➡ **Wertströme**) ⇢ das Vermögen und seine Veränderungen, ⇢ die Schulden und deren Veränderungen; 2. in der **Erfolgsrechnung** (➡ **Leistungsströme**) ⇢ den Aufwand und Ertrag, ⇢ den Erfolg des Unternehmens (Gewinn/Verlust). Die Dokumentation bezieht sich auf einen Zeitraum (z. B. Jahr).		Die Kosten- und Leistungsrechnung erfasst und **überwacht die Kosten der Leistungserstellung** (➡ Geschäftsprozesse) nach ⇢ **Art** ➡ Personal, Energie, Versicherungen u. a.; ⇢ **Zeit** ➡ Monat, Quartal; ⇢ **Höhe** ➡ Wert in Euro und liefert so die Grundlage für die **Preisberechnung der Leistungen (Kalkulation)**. Sie ermittelt außerdem im Betriebsergebnis die **Ertragskraft des Leistungserstellungsprozesses** und stellt Informationen für ein erfolgreiches Controlling zur Verfügung.

1.2.2 Gesetzliche Grundlagen

Ohne die **Verankerung im Rechtssystem** des Staates sind Unternehmen mit ihrem externen Rechnungswesen nicht denkbar. Das **Handelsgesetzbuch regelt die Verpflichtungen für alle Kaufleute**. Hierbei handelt es sich z. B. um folgende Verpflichtungen:

- Jeder Kaufmann ist verpflichtet, **Bücher zu führen**, und in diesen seine Handelsgeschäfte und die Lage seines Vermögens nach den Grundsätzen ordnungsgemäßer Buchführung ersichtlich zu machen (§ 238 Handelsgesetzbuch).
- Unternehmer unterliegen der **Buchführungspflicht** (§ 141 Abs. 1 Abgabenordnung), wenn
  - der **Jahresumsatz mehr als 800 000,00 €** beträgt oder
  - der **Jahresgewinn mehr als 80 000,00 €** beträgt.
- **Aufbewahrung sämtlicher Buchführungsunterlagen** entsprechend der Aufbewahrungsfristen nach § 257 HGB (10 Jahre für Eröffnungsbilanzen, Inventare, Jahresabschlüsse und Lageberichte; 8 Jahre für Belege aus der Buchführung 6 Jahre für Handelsbriefe und Wiedergaben abgesandter Handelsbriefe)
- **Beachtung der Grundsätze ordnungsgemäßer Buchführung** (GoB) bzw. Grundsätze zur elektronischen Buchführung (GoBD)

HGB	AO	Vorschrift
§ 238 Abs. 1	§ 145 Abs. 1	Die Buchführung muss so beschaffen sein, dass ein buchführungskundiger Dritter sich nach kurzer Zeit einen Überblick über die gebuchten Geschäftsvorgänge und die wirtschaftliche Lage des Unternehmens machen kann.
§ 239 Abs. 2	§ 146 Abs. 1	Die Geschäftsfälle sind fortlaufend, vollständig, zeitnah und richtig geordnet aufzuzeichnen.
§ 239 Abs. 3	§ 146 Abs. 4	Die Eintragungen dürfen nicht in einer Weise verändert werden, dass der ursprüngliche Inhalt nicht mehr feststellbar ist.

1.2.3 Umsatzsteuer-ID

Die Umsatzsteuer-ID benötigt ein Unternehmen, wenn es Produkte und Dienstleistungen ins Ausland verkauft oder dort einkauft. Die USt-IdNr. dient der eindeutigen Identifikation eines Unternehmens und wird beim Bundeszentralamt für Steuern beantragt. Die USt-IDNr. ist verpflichtend im Impressum des Unternehmens anzugeben und kann alternativ zur Rechnungsnummer auf Rechnungen stehen.

2 Inventur, Inventar und Bilanz

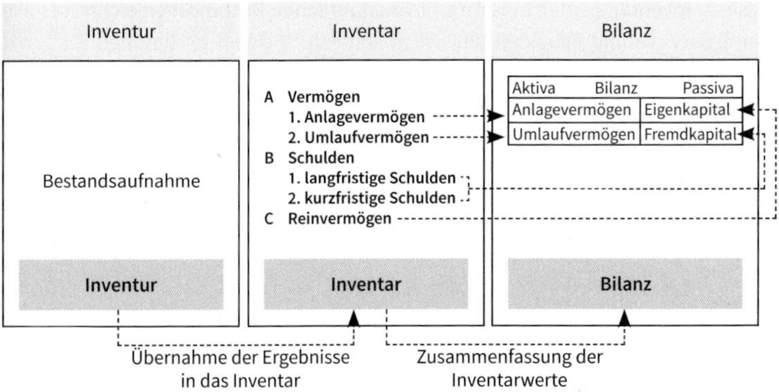

2.1 Inventur

Als **Inventur** bezeichnet man die Tätigkeit der körperlichen und buchmäßigen Aufnahme aller Vermögensteile und Schulden (Fremdkapital) eines Unternehmens zu einem bestimmten Zeitpunkt (Stichtag).

Inventurarten

körperliche Inventur

Gegenstände wie z. B. Gebäude, Geschäftsausstattung, der Fuhrpark und die Vorräte werden durch Zählen, Messen, Wiegen und Schätzen erfasst, und zwar nach Art, Menge und Preis.

Buchinventur

Forderungen gegenüber Kunden, der Kontostand auf dem Bankkonto oder die Verbindlichkeiten und das Eigenkapital werden aus den Buchführungsunterlagen ermittelt.

Inventurverfahren

Stichtagsinventur

Die Bestandsaufnahme soll (zeitnah) zum Bilanzstichtag durchgeführt werden.

verlegte Inventur

Die Bestandsaufnahme kann auch bis zu drei Monate vor oder bis zu zwei Monate nach dem Bilanzstichtag erfolgen.

permanente Inventur

Die Bestandsaufnahme einzelner Warengruppen wird auf mehrere Zeitpunkte des Geschäftsjahres verteilt.

2.2 Inventar

In einem **Inventar** werden in Form eines **ausführlichen Bestandsverzeichnisses** alle Vermögensteile und Schulden des Unternehmens zu einem bestimmten Zeitpunkt nach Art, Menge und Wert ausgewiesen. Das Inventar ist das **Ergebnis der Inventur**.

Inventar der Gerd Berger Spedition e. K. zum 31.12.20(0)[1]				
A	**Vermögen**		**Euro**	
	I	Anlagevermögen (AV)		
		1. Transportgeräte lt. Bestandsverzeichnis[2]	27 019,00	
		2. Fahrzeuge lt. Bestandsverzeichnis	69 280,00	
		3. Geschäftsausstattung lt. Bestandsverzeichnis	67 904,00	
	II	Umlaufvermögen (UV)		
		1. Forderungen lt. Forderungsliste	237 384,00	
		2. Bankguthaben Commerzbank	87 987,00	
		3. Kasse	3 120,00	
		Summe des Vermögens		**492 694,00**
B	**Schulden**			
	I	langfristige Schulden		
		Darlehen	114 000,00	
	II	kurzfristige Schulden		
		Verbindlichkeiten	121 652,00	
		Umsatzsteuer (Mehrwertsteuer)	6 678,00	
		Summe der Schulden		**242 330,00**
C	**Ermittlung des Eigenkapitals**			
		Summe des Vermögens		492 694,00
		Summe der Schulden		242 330,00
		Eigenkapital		250 364,00

[1] 20(0) = laufendes Jahr.
[2] Siehe Bestandsverzeichnis Seite 279.

Das **Vermögen** teilt sich in zwei Gruppen:

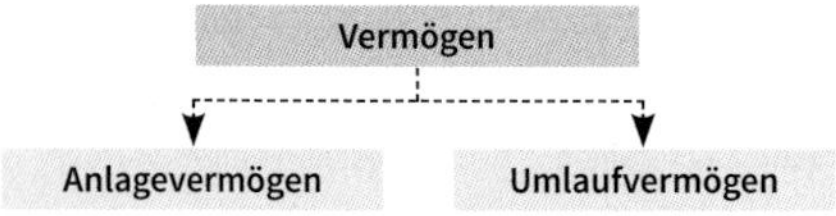

Gliederung nach **Liquidität:**
AV: verbleibt dauerhaft im Unternehmen = Kapazität
UV: ändert sich ständig durch Betriebstätigkeit

Die **Schulden** teilen sich in:

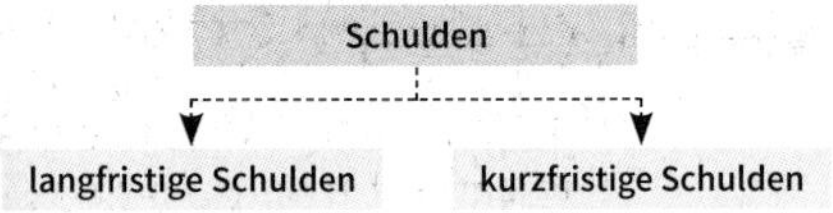

Gliederung nach **Fristigkeit:**
Langfristig:
Laufzeit > 4 Jahre
Kurzfristig:
Laufzeit < 4 Jahre

Ermittlung des Eigenkapitals ➡	Vermögen – Schulden	
Berechnung des **Eigenkapitals (EK)**	Eigenkapital am Ende des Jahres ./. Eigenkapital am Anfang des Jahres = Eigenkapitalmehrung + Entnahmen auf den erwarteten Gewinn ./. Einlagen des Eigentümers = Gewinn/Verlust	
Erfolg:	**EK-Mehrung ➡ Gewinn**	**EK-Minderung ➡ Verlust**

2.3 Bilanz

Die **Bilanz** stellt die **Kurzform des Inventars** dar, in der gleichartige Vermögens- und Schuldenwerte in einer Bilanzposition zusammengefasst werden. Auf eine mengenmäßige und detaillierte Auflistung wie beim Inventar wird verzichtet.

Die Bilanz ist vorgeschriebener **Bestandteil des Jahresabschlusses** und dient der Offenlegung der Vermögens- und Ertragslage des Unternehmens. Sie liefert verschiedenen Interessenten (Stakeholdern) wie Banken, Gläubigern, Mitarbeiterinnen und Mitarbeitern usw. vergleichbare **Informationen über das Unternehmen.**

Aktiva		Bilanz der ALLSPED GMBH zum 31.12.20(0)	Passiva
I. Anlagevermögen		**I. Eigenkapital**	1 305 700,00
1. Grundstücke	210 000,00	**II. Fremdkapital**	
2. Gebäude	490 000,00	**1. langfristige Schulden**	
3. Fuhrpark	950 000,00	1.1 Hypotheken	650 000,00
4. Geschäftsausstattung	555 000,00	1.2 Darlehen	410 000,00
II. Umlaufvermögen		**2. kurzfristige Schulden**	
1. Vorräte	30 000,00	2.1 Bankschulden	46 000,00
2. Forderungen	194 000,00	2.2 Verbindlichkeiten	75 300,00

3. Bank	85 000,00	2.3	Umsatzsteuerzahllast	32 000,00
4. Kasse	5 000,00			
	2 519 000,00			2 519 000,00
Ort, Datum, Unterschrift				

Bilanzgleichung
Vermögen (Aktiva) = **Kapital** (Passiva)

Die **Bilanz** ist eine **Gegenüberstellung von Vermögen und Kapital**:

Bilanz	
Vermögenspositionen	**Kapitalpositionen**
⇨ führen die im Unternehmen vorhandenen Werte auf	⇨ geben wieder, wie bzw. von wem das Vermögen finanziert wurde
Beispiele: ⇢ *Forderungen* ⇢ *Bank* ⇢ *Kasse*	**Beispiele:** ⇢ *Darlehen* ⇢ *Verbindlichkeiten* ⇢ *Eigenkapital*

Aktiva	=	Passiva
Vermögensarten		Vermögensquellen
Kapitalverwendung (Mitteleinsatz)		Kapitalherkunft (Kapitalquellen)
Investitionsseite		Finanzierungsseite
Die Aktivseite der Bilanz gibt Auskunft auf die Frage: **Wie ist das Kapital verwendet worden?**		Die Passivseite der Bilanz gibt Auskunft auf die Frage: **Wer hat das Kapital zur Verfügung gestellt?**

Die **Inventur ermittelt** zum Geschäftsjahresende die **tatsächlich** im Unternehmen **vorhandenen Werte.** Im Inventar und in der Bilanz werden diese Werte als Ist-Werte zum Bilanzstichtag (31.12.) dargestellt. Die Ist-Werte müssen mit den Werten der Finanzbuchhaltung abgeglichen und ggf. angepasst werden. Die **Ist-Werte sind maßgeblich** für **die Finanzbuchhaltung** des **folgenden Geschäftsjahres**.

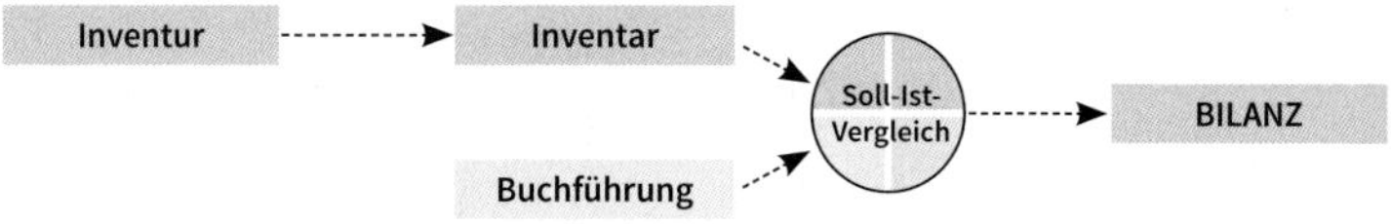

3 Organisation der Finanzbuchhaltung

Grundbuch und Hauptbuch

Jahr 20(0)		Grundbuch				
Datum	Beleg	Buchungstext	Konten		Betrag	
			Soll	Haben	Soll	Haben
05.07.	03	Banküberweisung für ER	1600 Verbindlichkeiten		1000,00	
				102 Bank		1000,00
06.07.	04	...	...			

Jahr 20(0)	Hauptbuch

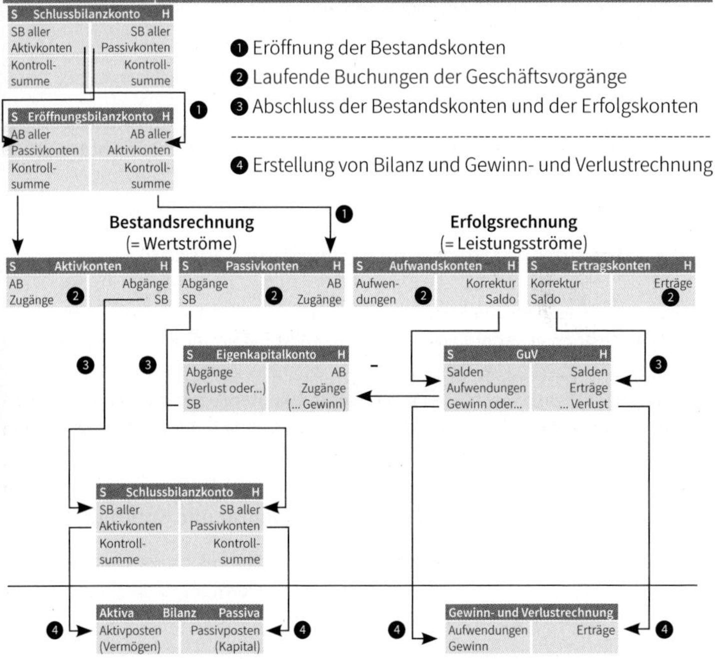

3.1 Überblick: Bücher und Kontenrahmen

Grundbuch	→ Buchung der Geschäftsvorgänge in zeitlicher Reihenfolge → Bezeichnung in EDV-Fibu: Journal
Hauptbuch	→ Buchung der Geschäftsvorgänge auf einzelnen Konten → = sachliche Ordnung ➡ Sachkonten
Nebenbücher	Weitere Aufgliederung der Konten des Hauptbuches: → Kontokorrentbuch: (= Geschäftsfreundebuch) • Debitoren: Kundenkonten ➡ einzelne Forderungen • Kreditoren: Frachtführer- und Lieferantenkonten ➡ einzelne Verbindlichkeiten → Anlagekartei/Bestandsverzeichnis: Zugänge, Abgänge von AV, Abschreibungen → Lohn- und Gehaltsbuch: Lohn- und Gehaltskonten für Arbeitnehmer/-innen
Kontenrahmen	→ Kontenordnungssystem für eine Branche (z. B. Spedition) → Zweck: Übersicht, Zeitvergleiche, Betriebsvergleiche
Kontenplan	Aus dem Kontenrahmen entwickelt jedes Unternehmen seinen eigenen Kontenplan, der die besonderen Bedingungen des Unternehmens berücksichtigt.

3.2 Dokumentation von Geschäftsprozessen

Zu Beginn der Geschäftstätigkeit und zu Beginn eines jeden Geschäftsjahres wird für jede Bilanzposition ein Konto angelegt und der Bestand aus dem Inventar/der Bilanz auf das Konto übertragen. Alle Konten, die aufgrund eines Inventars/einer Bilanz eingerichtet wurden, bezeichnet man als **Bestandskonten**, weil sie Auskunft über den **Bestand des Vermögens** und **des Kapitals** (Schulden) und dessen **Veränderungen durch Geschäftsprozesse** geben.

3.2.1 Zusammenhang zwischen Bilanz/Inventar und Kontoführung

Buchungstechnisch werden zu **Beginn des Geschäftsjahres** die Ist-Werte aus dem Inventar bzw. der Bilanz des letzten Jahres über das **Eröffnungsbilanzkonto** auf die Konten des Hauptbuches übertragen.

Aktiva	Bilanz	Passiva
Vermögen		**Kapital**
Aktivseite		Passivseite
⬇ ⬇		⬇ ⬇

Finanzbuchhaltung	
Aus jeder Bilanzposition wird ein Aktivkonto (= Vermögenskonto).	**Aus jeder Bilanzposition wird ein Passivkonto (= Kapitalkonto).**

Soll	Fahrzeuge Haben
Anfangsbestand	

Soll	Eigenkapital Haben
	Anfangsbestand

▶ **Aktivkonten** erfassen die Veränderungen des Vermögens.

▶ **Passivkonten** erfassen die Veränderungen des Kapitals.

3.2.2 Erfassung der Geschäftsprozesse im Grundbuch

Die Erfassung und Dokumentation der **Geschäftsprozesse im laufenden Geschäftsjahr** auf der Grundlage von Belegen geschieht zunächst im **Grundbuch (Journal).**

Nach dem Vorkontieren der Belege werden die Geschäftsfälle im Grundbuch festgehalten. Das Grundbuch nimmt in **zeitlicher Reihenfolge** alle Geschäftsvorgänge mit ihren **Buchungssätzen** (siehe dazu 3.4.3 Belege kontieren und buchen) auf. Dies bedeutet, dass alle Geschäftsfälle tageweise aufgelistet sind.

▶ **Grundbuch** → zeitliche Darstellung der Geschäftsprozesse

Das Grundbuch hat folgende Form:

Jahr 20(0)		Grundbuch				
Datum	Beleg	Buchungstext	Konten		Betrag	
			Soll	Haben	Soll	Haben

3.2.3 Erfassung der Geschäftsprozesse im Hauptbuch

Eine zeitliche Auflistung der Buchungen im Grundbuch allein genügt nicht, vielmehr müssen die **Geschäftsvorgänge** auch **in ihren sachlichen Auswirkungen** dargestellt werden. Die Zuordnung der Buchungen nach sachlichen Gesichtspunkten gewährleistet, dass z. B. alle Zahlungen über ein Bankinstitut nach ihrer sachlichen Zugehörigkeit auf dem Konto Bank erfasst werden. Nur durch die sachliche Zuordnung ist es möglich, Informationen über die Höhe des Bankguthabens, die Höhe der ausstehenden Forderungen oder die Ausgaben für Frachtführer usw. zu erhalten.

▶ **Hauptbuch** → sachliche Darstellung der Geschäftsprozesse

3.3 Wertbewegungen auf den Konten des Hauptbuches

Kundenaufträge (Speditionsverträge usw.) lösen in den Speditionen **spezielle Arbeitsabläufe (Geschäftsprozesse)** aus, die aus einer Vielzahl von wirtschaftlich bedeutsamen Geschäftsvorgängen bestehen. Jeder dieser Geschäftsvorgänge führt zur **Veränderung der Werte** im Unternehmen. Diese Veränderungen betreffen sowohl die **Wertströme (Güter- und Geldströme)** als auch die **Leistungsströme**.

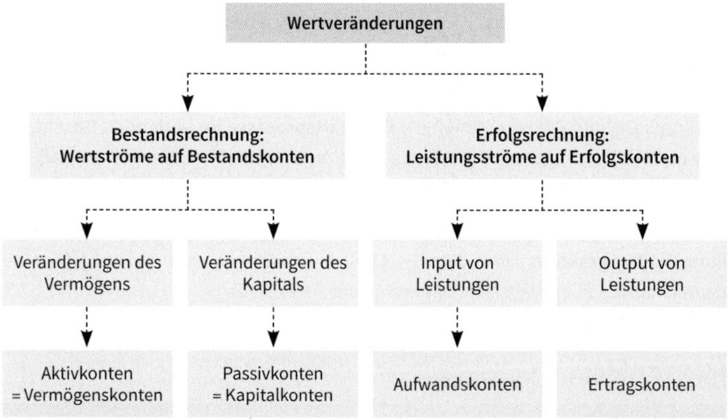

Die Finanzbuchhaltung erfasst die Veränderung der Wert- und Leistungsströme auf der Grundlage von Belegen in zeitlicher und sachlicher Ordnung im Grundbuch und auf den Konten des Hauptbuches.

3.4 Bestandsrechnung: Wertbewegungen auf Bestandskonten

Die Bestandsrechnung erfasst alle **Wertveränderungen** in den Bestandskonten.

3.4.1 Wertbewegungen der Vermögensbestände erfassen

Alle Werte, die ein Unternehmen besitzt (z. B. Bargeld, Bankguthaben, Forderungen, Geschäftsausstattung, Fuhrpark), bezeichnet man als Vermögen. Die Vermögenswerte und deren Veränderungen werden auf Vermögenskonten festgehalten.

▶ **Vermögenskonten** = Aktivkonten

Soll	Vermögenskonto Haben
Eröffnungsbestand	Minderungen (Abgänge)
Mehrungen (Zugänge)	Schlussbestand

3.4.2 Wertbewegungen der Kapitalbestände erfassen

Alle Vermögensteile in einem Unternehmen müssen finanziert werden. Die Mittel zur **Finanzierung des Vermögens** bezeichnet man als **Kapital**. Stammen die Mittel von Fremden, handelt es sich um **Fremdkapital.** Dagegen nennt man die Mittel, die der Eigentümer des Unternehmens selbst in sein Unternehmen investiert, **Eigenkapital.** Die Kapitalwerte und deren Veränderungen werden auf Kapitalkonten festgehalten.

▶ **Kapitalkonten** = Passivkonten

Soll	Kapitalkonto Haben
Minderungen (Abgänge)	Eröffnungsbestand
Schlussbestand	Mehrungen (Zugänge)

3.4.3 Belege kontieren und buchen

Grundlage der Datenerfassung und -verarbeitung sind im Rechnungswesen **Belege** wie Speditionsaufträge, Eingangsrechnungen der Frachtführer und anderer Dienstleister (ER), Ausgangsrechnungen an Kunden (AR), Kontoauszüge von Banken, Kundenschreiben.

Diese **Belege sind Informationsträger**, die Auskunft über den Ablauf von Vorgängen innerhalb der Spedition sowie außerhalb der Spedition mit deren Geschäftspartnern geben. Aus den Belegen werden die für das Rechnungswesen wichtigen Informationen entnommen und in der Buchung verarbeitet. Ohne diese Belege kann also keine Buchung erfolgen:

▶ **Keine Buchung ohne Beleg!**

Schritte zum richtigen Buchungssatz

Buchhalter müssen wissen, bei welchem Konto im Soll und bei welchem im Haben zu buchen ist. Um dies richtig zu entscheiden, müssen auf der Grundlage des jeweiligen Belegs, der ja alle wesentlichen Informationen über den zu buchenden Geschäftsvorgang enthält, folgende Fragen beantwortet werden:

Beispiel 1:

Geschäfts-vorgang:	Barabhebung von der Bank: 2 000,00 €	Beleg: Kontoauszug	
Schritt:	Frage:	Antwort:	
1	**Welche Konten** werden durch den Geschäftsvorgang berührt?	Bank	Kasse
2	Um **welche Kontenart** (Vermögenskonten oder Kapitalkonten) handelt es sich?	Vermögens-konto	Vermögens-konto
3	Wie verändern sich die Bestände auf den angesprochenen Konten? **(Bestands-mehrungen/Bestandsminderungen)**	Bestands-abgang	Bestands-mehrung
4	Auf **welcher Kontenseite** wird gebucht?	Haben	Soll

Die Frage, auf welchem Konto im Soll und auf welchem Konto im Haben zu buchen ist, ist für eine korrekte Buchführung von entscheidender Bedeutung. Das oben dargestellte Schema führt schrittweise zur Lösung dieser Frage.

Buchungssatz = Anweisung, welcher Betrag auf welchem Konto im Soll und auf welchem Konto im Haben zu buchen ist

Grundsätzlich gilt folgende Buchungsregel:

▶ **Erst Soll, dann Haben!**

Daraus ergibt sich in Beispiel 1 (oben) der folgende Buchungssatz.

Buchungssatz:	Kasse: Soll 2 000,00 €	
		Bank: Haben 2 000,00 €

Der zu buchende Beleg erhält den folgenden Kontierungsstempel, in den der Buchungssatz eingetragen wird.

Kontierung			
Konten		Betrag in Euro	
Soll	Haben	Soll	Haben
Kasse		2 000,00	
	Bank		2 000,00

Die Kontierung wird im nächsten Schritt sowohl im Grundbuch (Journal) als auch in den Konten des Hauptbuches erfasst.

Beispiel 2:

Geschäftsvorgang:	Banküberweisung für Eingangsrechnung Nr. 753 über 1 428,00 €	Beleg: Kontoauszug	
Schritt:	Frage:	Antwort:	
1	**Welche Konten** werden durch den Geschäftsvorgang berührt?	Bank	Verbindlichkeiten
2	Um **welche Kontenart** (Vermögenskonten oder Kapitalkonten) handelt es sich?	Vermögenskonto	Kapitalkonto
3	Wie verändern sich die Bestände auf den angesprochenen Konten? **(Bestandsmehrungen/Bestandsminderungen)**	Bestandsabgang	Bestandsabgang
4	Auf **welcher Kontenseite** wird gebucht?	Haben	Soll

Daraus ergibt sich der folgende Buchungssatz:

Buchungssatz:	Verbindlichkeiten:	
	Soll 1 428,00 €	
		Bank: Haben 1 428,00 €

Und führt zu folgender Kontierung:

Kontierung			
Konten		Betrag	
Soll	Haben	Soll	Haben
Verbindlichkeiten		1 428,00	
	Bank		1 428,00

Die Kontierung wird im nächsten Schritt sowohl im Grundbuch (Journal) als auch in den Konten des Hauptbuches erfasst.

3.4.4 Buchungskreislauf im Geschäftsjahr

Die Erfassung der kontierten Belege erfolgt zunächst in zeitlicher Reihenfolge im Grundbuch und dann im Hauptbuch. Die Buchungen folgen einem jährlich wiederkehrenden Kreislauf.

1	**Eröffnungsbestandskonto (EBK)** ➡ Übertrag der Kontenbestände aus dem Vorjahr (Inventar ➡ Bilanz)	5	**Inventur/Inventar** ➡ Abgleich der Kontenbestände mit den Ist-Werten des Inventars
2	**Konteneröffnung** ➡ Übertragung der Kontenbestände auf die Bestandskonten	6	**endgültiger Kontenabschluss** ➡ Schlussbestände der Bestandskonten = Ist-Werte des Inventars
3	**laufende Buchungen** ➡ Aufzeichnung der Geschäftsvorgänge (Leistungs- und Wertströme) auf den Konten	7	**Schlussbestandskonto (SBK) ➡ EBK d. n. J.** Übertrag der endgültigen SB auf das SBK
4	**vorläufiger Kontenabschluss** ➡ Probeabschluss, z. B. durch Summenbilanz	8	**Jahresabschluss** ➡ Erstellen der Bilanz + GuV + Lagebericht nach HGB

3.4.5 Kontenrahmen und Kontenplan

Alle Kontenarten eines Wirtschaftszweiges werden in einem **einheitlichen Kontenrahmen** zusammengefasst. Der einheitliche Kontenrahmen hat **folgende Vorteile**:

- einheitliche Untergliederung der Kontenarten, klare Übersicht
- rasches Auffinden der Konten durch systematischen Aufbau
- Grundlage für Branchen-Software (FiBu)
- Erleichterung des internen und externen Vergleichs mit den Daten früherer Perioden und denen anderer Unternehmen

Aufbau des Kontenrahmens

Der Kontenrahmen für das Speditions- und Lagereigewerbe ist nach dem Zehnersystem (Deweysche Dezimalklassifikation) aufgebaut. Die Konten werden nach Sachgruppen geordnet in Kontenklassen eingeteilt.

Kontenrahmen des Speditions- und Lagereigewerbes

Kontenklasse	Konteninhalte
0	Anlage- und Kapitalkonten
1	Finanz- und Privatkonten
2	Abgrenzungskonten (nicht betriebliche Aufwendungen und Erträge)
3	Vorräte
4	Kostenartenkonten (betriebliche Aufwendungen)
5	frei für interne Leistungsverrechnung
6	frei für interne Leistungsverrechnung
7	auftragsgebundene, direkt zurechenbare Speditionsaufwendungen (Einzelkosten)
8	Erlöskonten (Speditionserlöse)
9	Abschlusskonten

Kontenplan

Während der Kontenrahmen eine einheitliche Grundordnung für alle Speditions-, Lager- und Logistikunternehmen bildet, werden **auf der betrieblichen Ebene** aus dem Kontenrahmen **individuelle Kontenpläne** entwickelt, die auf die besonderen betrieblichen Belange abgestellt werden (Betriebsgröße, Struktur, Rechtsform).

So lässt sich die Kontenuntergliederung fortführen, bis die Unterteilung in die Kontenunterarten den speziellen Bedürfnissen des Betriebes entspricht. So könnte man z. B. die Konten der einzelnen Kreditinstitute solchen Kontenunterarten zuordnen:

Aus der Kontennummer 10201 erkennt man:						
Kontenrahmen	Kontenklasse:	1	Finanzkonten			
	Kontengruppe:		10	flüssige Mittel		
Kontenplan	Kontenart:			102	Banken und Sparkassen	
	Konten-unterart:				10201 x-Bank 10202 y-Bank	10203 Sparkasse A 10304 Sparkasse B

3.4.6 Überwachung von Zahlungen: Forderungen und Verbindlichkeiten

Kundenkonto (= Debitorenkonto)

Ausgangsrechnungen (AR) = Rechnungen an Kunden für Speditionsleistungen

Die **Ansprüche (= Forderungen a. LL.) des Spediteurs** an einen Kunden werden mit der Rechnungserstellung auf besonderen **Kundenkonten** erfasst (= Fakturierung).

Mithilfe des Kundenkontos kann ein Unternehmen folgende Fragen beantworten:

- Für wie viel Euro hat der Kunde/die Kundin in der Vergangenheit Speditionsleistungen eingekauft?
- Hat er/sie die Rechnungen pünktlich beglichen?
- In welcher Höhe bestehen noch Forderungen an den Kunden bzw. die Kundin?

Kunden schulden dem Unternehmen die Zahlung für erbrachte Leistungen. Man bezeichnet die Kunden daher auch als Debitoren [debet (lat.) = er schuldet]; die Konten, auf denen die **Forderungen an Kunden** aufgezeichnet werden, nennt man folglich **Debitorenkonten**. Auf diese Weise lässt sich jederzeit feststellen, welche Kunden die Forderungen noch nicht ausgeglichen haben. Die **ausstehenden Forderungen** werden in sogenannten **„Offene-Posten-Listen“** ausgewiesen.

Kundenkonto Nr. 140010			
Name	Manner GmbH	Jahr	20(0)
Straße	Wielandstraße 45	Kunden-Nr.	140010
Ort	47800 Krefeld	Sparkasse Krefeld IBAN: DE83 3205 0000 0457 8457 32 BIC: SPKKRDE33XXX	
Datum	**Text**	**Soll**	**Haben**
02.07.20(0)	Eröffnungsbestand	6 000,00	
18.07.20(0)	Ausgangsrechnung	3 570,00	
19.07.20(0)	Zahlungseingang		2 380,00
25.07.20(0)	Zahlungseingang		3 620,00
31.07.20(0)	Schlussbestand		3 570,00

Offene-Posten-Liste-Kunden		Zeit: 10:32:46		Datum: 31.07.20(0)		
Name	Rechnungs-datum	Betrag		Fälligkeit	Mahnung	
		Soll	Haben		Datum	Stufe
Wendering AG	10.07.20(0)	3320,00		14.07.20(0)		
Seidlitz GmbH	16.07.20(0)	1610,00		20.07.20(0)		
Manner GmbH	**18.07.20(0)**	**3570,00**		**03.08.20(0)**		

Konto 1400 Forderungen aus Dienstleistungen

Während das Kundenkonto (Debitorenkonto) der „Überwachung" des einzelnen Kunden dient, hat das **Konto Forderungen a. LL.** die Aufgabe, jederzeit **Auskunft über die Höhe der gesamten Kreditverkäufe** und der noch ausstehenden Kundenzahlungen zu geben.

Die **Buchung** auf den **Kundenkonten** und dem **Konto Forderungen a. LL.** erfolgt **„parallel"**.

Buchung der Ausgangsrechnung

Kontierung				
	Konten		Betrag	
Geschäfts-vorgang	**Soll**	**Haben**	**Soll**	**Haben**
Ausgangs-rechnung (AR) an einen Kunden	1400 Forderungen a. LL.			
	(140010 **Kunde Manner GmbH**)		3570,00	
		800 Speditionserlöse		3000,00
		1669 Umsatzsteuer		570,00

Soll		1400 Forderungen a. LL.			Haben
Datum	Text	Euro	Datum	Text	Euro
18.07.20(0)	AR Manner	3570,00			

Frachtführerkonten/Kreditorenkonten

Eingangsrechnungen (ER) = Rechnungen von Frachtführern und anderen Dienstleistern/Lieferanten

Die Notwendigkeit der ständigen **Beobachtung der Außenstände (Schulden)** gegenüber den Frachtführern und die termingerechte Bezahlung der Außenstände machen eine besondere Erfassung der Frachtführerrechnungen notwendig.

In der **Kreditorenbuchführung** werden die von den Frachtführern aufgrund der Erstellung von Transportleistung u. a. gewährten Kredite (Verbindlichkeiten) auf Frachtführerkonten festgehalten. In einer **„Offene-Posten-Liste-Frachtführer“** werden die Rechnungsposten ausgewiesen, die noch nicht bezahlt sind.

Frachtführerkonto Nr. 160003			
Name	Ellen Fahrland	Jahr	20(0)
Straße	Plockstraße 35	Kunden-Nr.	160003
Ort	40221 Düsseldorf	Sparkasse Düsseldorf IBAN: DE57 3015 0200 0000 9674 49 BIC: WELADED1KSD	
Datum	**Text**	**Soll**	**Haben**
02.08.20(0)	Eröffnungsbestand		3 000,00
08.08.20(0)	Eingangsrechnung		1 428,00
15.08.20(0)	Zahlungsausgang	3 400,00	
30.08.20(0)	Schlussbestand		800,00

Offene-Posten-Liste-Frachtführer		Zeit: 10:32:46		Datum: 20.08.20(0)		
Name	**Rechnungsdatum**	**Betrag**		**Fälligkeit**	**Mahnung**	
		Soll	Haben		Datum	Stufe
EUROTRANS	05.08.20(0)		14 153,00	20.08.20(0)		
Möller-Trans	05.08.20(0)		10 556,00	20.08.20(0)		
Fahrland	08.08.20(0)		1 428,00	23.08.20(0)		

Konto 1600 Verbindlichkeiten aus Lieferungen und Leistungen

Während das Frachtführerkonto (Kreditorenkonto) der Beobachtung der Außenstände bei einzelnen Frachtführern und Dienstleistern dient, hat das **Konto Verbindlichkeiten a. LL. die Aufgabe,** jederzeit Auskunft über die **Höhe der gesamten Einkäufe an Fremdleistungen** gegen Rechnung und die **Höhe der Außenstände** zu geben.

Die **Buchung** auf den **Frachtführerkonten** und dem **Konto Verbindlichkeiten a. LL. erfolgt „parallel"**.

Buchung der Eingangsrechnung

Kontierung				
	Konten		Betrag	
Geschäftsvorgang	**Soll**	**Haben**	**Soll**	**Haben**
Eingangsrechnung (ER) von Frachtführer Fahrland (160003)	7000 SpedA		1 200,00	
	1457 VSt.		228,00	
		1600 Verbindl. a. LL.		1 428,00
		(160003 Frachtführer Fahrland)		

Soll		1600 Verbindlichkeiten a. LL.			Haben
Datum	Text	Euro	Datum	Text	Euro
			08.08.20(0)	ER Fahrland	1 428,00

3.5 Erfolgsrechnung: Leistungsströme auf Erfolgskonten

Das **Hauptziel eines Unternehmens** ist die **Wertschöpfung** und der daraus entstehende **Gewinn**. Die Ermittlung des Erfolges (Gewinn/Verlust) geschieht in einem Speditionsunternehmen in der **Erfolgsrechnung**.

3.5.1 Erfolgsermittlung

In der **Erfolgsrechnung** (Leistungsströme) wird deutlich, ob und vor allem **auf welche Weise** ein Unternehmen einen **Gewinn** erwirtschaften konnte.

Dazu erfasst die **Erfolgsrechnung** alle Vorgänge, die mit dem **Prozess der Erstellung und Vermarktung von Produkten** (Speditionsleistungen bzw. Logistikdienstleistungen) im Zusammenhang stehen, und errechnet, ob dieser Prozess **Gewinn** abgeworfen hat.

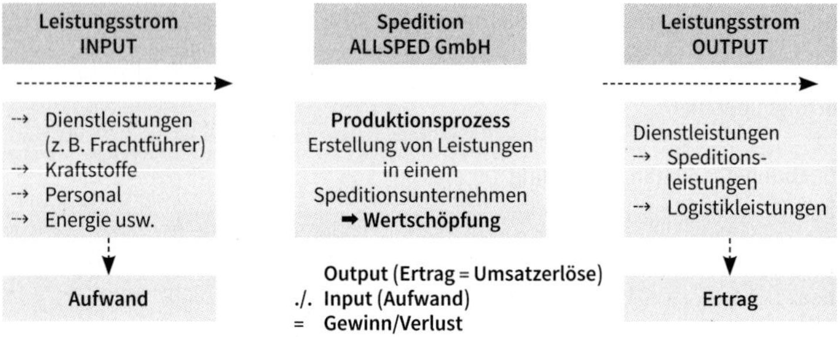

Die Aufwendungen und Erträge werden in den **Aufwandskonten** und **Ertragskonten** erfasst.

3.5.2 Aufwendungen erfassen (Input)

Es entstehen erhebliche Aufwendungen (Input), bevor die Speditionsleistung an die Kunden verkauft werden kann. Der Wert dieser Aufwendungen wird in Euro angegeben.

Aufwand = **Einsatz und Verbrauch von Gütern und Dienstleistungen in Euro (Input)**

Alle Aufwendungen werden unterschieden nach der Art des Aufwands und auf entsprechend bezeichneten Aufwandskonten (siehe unten) gebucht. **Die Buchung erfolgt im Soll (→ Input)**.

Soll	Aufwandskonto				Haben
Datum	Text	Euro	Datum	Text	Euro
	Aufwand im Soll				

Die Aufwendungen werden nach ihrer Art unterschieden und auf den unten stehenden Aufwandskonten gebucht.

Aufwandskonto	Aufwandsart
Speditionsaufwand	Speditions- und Frachtführerleistungen
Personalaufwand	Löhne, Gehälter und Sozialabgaben
Fahrzeugaufwand	Treibstoffverbrauch, Kfz-Versicherung/Steuer
Mietaufwand	Miete, Pacht, Reinigung, Energie
Abschreibungen	Wertminderungen des Anlagevermögens
Verwaltungsaufwand	Büromaterialverbrauch, Werbekosten, Kommunikationskosten

3.5.3 Erträge erfassen (Output)

Der von dem Unternehmen für diesen Verkauf der Speditionsleistung erzielte Wert bestimmt im Wesentlichen den Erfolg eines Unternehmens. Der erfolgswirksame Wertezufluss wird als Ertrag bezeichnet.

Erträge = erfolgswirksame Wertezuflüsse aus dem Verkauf von Speditionsleistungen in Euro (Output)

Alle Erträge werden unterschieden nach der Art des Ertrages und auf entsprechend bezeichneten Ertragskonten (siehe unten) gebucht. Die Buchung erfolgt im Haben (→ Output).

Soll	Ertragskonto				Haben
Datum	Text	Euro	Datum	Text	Euro
			Ertrag im Haben		

Die Erträge werden nach ihrer Art unterschieden und auf dem unten stehenden Ertragskonten gebucht.

Ertragskonto	Ertragsart
Speditionserträge	Speditionsleistungen
	Frachtführerleistungen im Selbsteintritt
	Einzug von Nachnahmen
	bar kassierte Hausfrachten
	Bareinzug von verauslagten Beträgen

3.5.4 Erfolgsermittlung auf dem GuV-Konto

Zum Ende einer Abrechnungsperiode muss entsprechend der Zielsetzung eines Speditionsunternehmens der **Erfolg der Geschäftstätigkeit** ermittelt werden.

Erfolgsermittlung	
Speditionserträge	Erträge
– Speditionsaufwand	
= Rohertrag	
– Betriebsaufwand	**– Aufwand**
= (Rein)Gewinn	= (Rein)Gewinn

Der **Erfolg eines Unternehmens** wird in der Finanzbuchhaltung auf dem **Konto Unternehmensergebnis (Gewinn- und Verlustkonto)** ermittelt. Dazu werden alle Aufwands- und Ertragskonten abgeschlossen und die **Salden der Erfolgskonten** auf dem **Konto Unternehmensergebnis** (Gewinn- und Verlustkonto) „gesammelt".

Das **Unternehmensergebniskonto (GuV)** zeigt dann die **Quellen des Unternehmenserfolges**. Durch Saldieren des Unternehmensergebniskontos (GuV) wird der **Differenzbetrag** zwischen den Aufwendungen und Erträgen errechnet und als **Gewinn oder Verlust** ausgewiesen.

Aufwandskonten **Ertragskonten**

Soll	90 Unternehmensergebnis (GuV) Haben
70 Speditionsaufwand	80 Speditionserträge
410 Gehälter	
420 Treibstoffverbrauch	
411 Werbekosten	
05 Gewinn	

Erträge > Aufwendungen = (Rein)Gewinn

Erträge < Aufwendungen = (Rein)Verlust

Der **Gewinn** führt zu einer **Erhöhung** des **Bestandes an Eigenkapital**. Buchhalterisch wird dieser Tatbestand dadurch erfasst, dass der Gewinn vom Konto Unternehmensergebnis (GuV) auf das Konto Eigenkapital gebucht wird. Bei einem **Verlust** dagegen muss der **Bestand an Eigenkapital** um den **Verlustbetrag gemindert** werden.

Über das Konto Eigenkapital verbindet sich also die **Bestandsrechnung mit der Ergebnisrechnung.** Die Bestandskonten und die Erfolgskonten bilden in der Finanzbuchhaltung jeweils einen in sich geschlossenen eigenen Kontenkreis.

Das Konto Eigenkapital ist das Bindeglied zwischen der Bestandsrechnung und der Erfolgsrechnung.

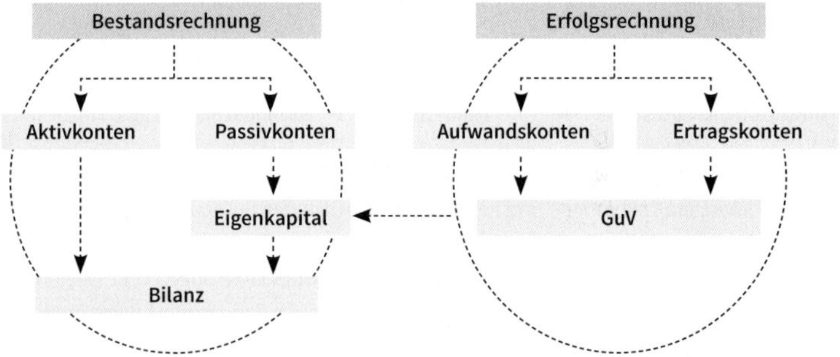

Der **Gewinn/Verlust** wurde in der **Erfolgsrechnung auf dem Konto GuV** ermittelt (gebucht) und in der **Bestandsrechnung im Konto Eigenkapital ausgewiesen** (gebucht).

Soll	Eigenkapital		Haben
(./. Verlust aus GuV)			Anfangsbestand
Schlussbestand			+ Gewinn aus GuV

4 Das System der Umsatzbesteuerung

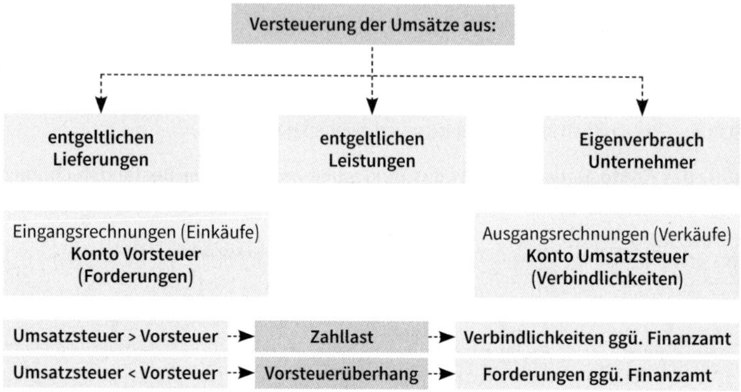

Unternehmen, die Lieferungen und Leistungen innerhalb des europäischen Binnenmarkt erbringen oder erhalten, benötigen eine Umsatzsteuer-Identifikationsnummer (USt-IdNr.). Sie ist eine der Voraussetzungen dafür, dass Unternehmen Lieferungen und Leistungen umsatzsteuerfrei erbringen und erhalten können, wenn auch das empfangende Unternehmen über eine gültige Umsatzsteuer-Identifikationsnummer verfügt und die Lieferung oder Leistung tatsächlich für unternehmerische Zwecke im EU-Ausland bestimmt ist.

4.1 Verkauf von Leistungen

Beim **Verkauf von Speditionsleistungen** sind auf der Grundlage der **Ausgangsrechnung (AR = Beleg) drei Werte (Beträge)** zu buchen. Für jeden Wert ist ein entsprechendes Konto einzurichten.

Der für den Verkauf von Speditionsleistungen erzielte Betrag ist der Ertrag für die erstellte Leistung. Er wird mit seinem Nettobetrag auf dem Ertragskonto Speditionserträge im Haben gebucht. Auf dem Konto Speditionserträge werden ausnahmslos Beträge ohne Umsatzsteuer (USt.) erfasst.

Ausgangsrechnung (AR)	Verkauf von Speditionsleistungen
Nettobetrag	Konto Speditionserträge
Umsatzsteuer	➡ **Konto Umsatzsteuer**
Rechnungsbetrag	➡ Konto Forderungen

Die Steuer, die der Spediteur seinen Kunden mit der Ausgangsrechnung (AR) berechnet, nennt man **Umsatzsteuer (USt.)**, weil sie sich auf die Umsätze mit den Kunden bezieht. Sie ist eine **Steuer des Staates (Verbindlichkeit)**. Der Unternehmer muss sie deshalb an das Finanzamt abführen. Gemäß § 12 Umsatzsteuergesetz beträgt der Regelsteuersatz 19,0 %. Darüber hinaus gilt für verschieden Produkte und Dienstleistungen ein ermäßigter Umsatzsteuersatz von 7 Prozent.

Umsatzsteuer auf Ausgangsrechnungen = Umsatzsteuer

Beim Einkauf von Speditionsleistungen lautet der Buchungssatz im Grundbuch wie folgt:

Kontierung				
	Konten		**Betrag**	
Geschäftsvorgang	**Soll**	**Haben**	**Soll**	**Haben**
Ausgangsrechnung (AR) an einen Kunden	1400 Forderungen (14001 Kunde X)		2 380,00	
		800 Speditionserlöse		2 000,00
		1669 USt.		380,00

4.2 Einkauf von Leistungen

Beim **Einkauf von Speditions- bzw. Transportleistungen** und sonstigen Leistungen sind aufgrund der **Eingangsrechnung (ER) drei Werte (Beträge)** zu buchen. Für jeden Wert ist ein entsprechendes Konto einzurichten.

Eingangsrechnung (ER)	Einkauf von Frachtführerleistungen u. a.
Nettobetrag	➡ Konto Speditionsaufwand und andere Aufwandskonten ➡ Konten des Anlagevermögens
Umsatzsteuer	➡ **Konto Vorsteuer**
Rechnungsbetrag (brutto)	➡ Konto Verbindlichkeiten

Die **Umsatzsteuer**, die der Frachtführer (oder andere Lieferanten von Leistungen und Gütern) für das Finanzamt berechnet und in seiner Rechnung an die Spedition getrennt ausweist, hat der Spediteur zusammen mit dem **Nettoumsatz (Wert der Leistung)** an den Frachtführer als **Rechnungsbetrag (brutto) zu zahlen**.

Weil der Spediteur diese Steuer vorab (vor dem Verkauf seiner Leistung an seine Kunden) an den Frachtführer zu zahlen hat, nennt man sie **Vorsteuer (VSt.)**. Sie wird auf ein speziell dafür vorgesehenes Konto, das Konto Vorsteuer, gebucht.

Umsatzsteuer auf Eingangsrechnungen = Vorsteuer

Wenn der Spediteur **umsatzsteuerpflichtige Leistungen** (Frachten, Provisionen, aber auch Kraftstoffe usw.) **in Anspruch genommen** hat, kann er die an den Vorlieferanten **gezahlte Umsatzsteuer (= Vorsteuer)** vom Finanzamt **zurückfordern**, weil diese schon **von dem Vorleistenden** (hier dem Frachtführer) über den Rechnungsbetrag eingenommen und an **das Finanzamt weitergeleitet** wurde. Für den Endverbraucher gilt das nicht.

Die **Vorsteuer aus der Eingangsrechnung** stellt damit für den Spediteur eine **Forderung an das Finanzamt dar**. Das Konto Vorsteuer ist deshalb ein **Vermögenskonto**. Zugänge auf einem Vermögenskonto werden auf der Sollseite gebucht.

Vorsteuern sind Forderungen an das Finanzamt.

Beim Einkauf von Speditionsleistungen lautet der Buchungssatz im Grundbuch wie folgt:

20(0)	Grundbuch					
Datum	**Beleg**	**Buchungstext**	**Konten**		**Betrag**	
			Soll	**Haben**	**Soll**	**Haben**
04.01.	0003	ER.541 EUROTRANS	700 SpedAufwand		540,00	
			1457 VSt.		102,60	
				1600 Verbindlichkeiten (16001 Frachtführer X)		642,60

Folgende Leistungen sind nicht umsatzsteuerpflichtig:

- Gewerbesteuer und andere Steuern
- Versicherungen (aber Versicherungsteuer)
- Mieten und Pachten
- Beiträge, z. B. für IHK

4.3 Ermittlung und Überweisung der Zahllast

Endverbraucherinnen und Endverbraucher (Konsumentinnen und Konsumenten) kaufen ihre Waren in der Regel in Einzelhandelsgeschäften. Auf dem Weg zu den Endverbrauchern durchlaufen diese Waren verschiedene **Produktionsstufen/Leistungsstufen** und werden im Laufe dieses Prozesses immer wertvoller. Man spricht in diesem Fall von **Wertschöpfung** bzw. von einer **Wertschöpfungskette**.

Mehrwertbesteuerung

Teil dieser Wertschöpfungskette sind auch die Speditionen und Frachtführer. Ihre **Dienstleistungen erzeugen einen Mehrwert**. Dieser Mehrwert errechnet sich aus der Differenz zwischen dem Wert der eingekauften und erbrachten **Vorleistungen (Input)** und dem Wert der **verkauften Leistungen (Output).**

Beispiel: *Bestimmung des Mehrwertes eines Speditionsauftrages*

Rechnung	netto (Euro)		USt. (Euro)		brutto (Euro)
AR an Kunden	720,00	+	136,80	=	856,80
./. ER vom Frachtführer	560,00	+	106,40	=	666,40
= Mehrwert/Zahllast	↓ **160,00**	➡	↓ **30,40**		

Mehrwert = Nettoverkaufspreis – Nettoeinkaufspreis

Zahllast

Eine Spedition muss den **erwirtschafteten Mehrwert** aus den Speditionsaufträgen versteuern und an den Staat abführen. Die Summe dieser Umsatzsteuerbeträge ist die **Zahllast**, die monatlich zu überweisen ist.

Die Zahllast entspricht der Besteuerung des Mehrwertes.

Die Zahllast wird als **Differenz zwischen eingenommener Umsatzsteuer und vorausbezahlter Vorsteuer** berechnet. Sie wird mit den Werten aus dem Konto Vorsteuer und dem Konto Umsatzsteuer ermittelt.

Zahllast = Umsatzsteuer – Vorsteuer

Beispiel: Berechnung und Buchung der Umsatzsteuerzahllast (Monat Mai)

1. Umsatzsteuer für den Monat aus dem Konto Umsatzsteuer herausrechnen

2. Übernahme der Vorsteuerbeträge für den Monat Mai aus dem Konto Vorsteuer

3. Berechnung der Zahllast:
von Kunden eingenommene Umsatzsteuer
– an Lieferanten vorausbezahlte Vorsteuer
= Zahllast

Buchung der Umsatzsteuerzahllast

Schritt 1: Umbuchung der Vorsteuer auf das Konto Umsatzsteuer
Schritt 2: Überweisung der Umsatzsteuerzahllast

Unternehmen (Unternehmer) sind nach den Vorschriften des Umsatzsteuergesetzes (UStG) verpflichtet, bis zum zehnten Tag nach Ablauf des Voranmeldezeitraums eine Voranmeldung der Umsatzsteuer an das Finanzamt zu übermitteln.
Diese Voranmeldungen müssen ab 2 000,00 € Umsatzsteuer abgeben werden.

Grundbuch				
Jahr 20(0) Datum	Konten		Euro	
	Soll	Haben	Soll	Haben
	Umbuchung der Vorsteuer			
10.06.	1669 Umsatzsteuer		5 000,00	
		1457 Vorsteuer		5 000,00
	Überweisung der Zahllast (vom Bankkonto)			
10.06.	1669 Umsatzsteuer		7 000,00	
		102 Bank		7 000,00

→ Die Umsatzsteuer ist für die Unternehmen **aufwandsneutral**.
→ Die Umsatzsteuer ist für die Unternehmen ein sogenannter **durchlaufender Posten**.

5 Jahresabschluss der Unternehmen

Jahresabschluss bei Einzelunternehmen und Personengesellschaften

Bilanz	GuV
→ Pflicht zur Erstellung (§ 242 Abs. 1 HGB) → Gliederung: Anlagevermögen, Umlaufvermögen, Eigenkapital, Schulden, Rechnungsabgrenzung → Kontenform	→ Pflicht zur Erstellung (§ 242 Abs. 2 HGB) → keine Formvorschrift

Jahresabschluss bei Kapitalgesellschaften

Bilanz	GuV	Anhang
→ Pflicht zur Erstellung (§ 264 Abs. 1 HGB) → Gliederung: • Vermögen nach Flüssigkeit • Schulden nach Fälligkeit (§ 266 HGB) → Kontenform	→ Pflicht zur Erstellung (§ 264 Abs. 1 HGB) → Gliederung: nach § 275 HGB → Staffelform	→ Pflicht zur Erstellung (§ 264 Abs. 1 HGB) → Erläuterung der Positionen der Bilanz und der GuV → Angabe der Bilanzierungs- und Bewertungsmethoden

Der Lagebericht (§ 289 HGB) gehört **nicht zum Jahresabschluss**. Er stellt den Geschäftsverlauf und die Lage der Kapitalgesellschaft dar:
- → Vorgänge von besonderer Bedeutung (insbesondere nach der Bilanzierung)
- → voraussichtliche Entwicklung
- → Pläne für Forschung und Entwicklung

↓ ↓

Auswertung des Jahresabschlusses im Controlling

5.1 Funktion des Jahresabschlusses

Nach § 242 HGB (Handelsgesetzbuch) müssen Unternehmen (Kaufleute) nach Ablauf eines Geschäftsjahres über die tatsächliche Vermögens-, Kapital- und Ertragslage im Jahresabschluss Auskunft geben.

Der Jahresabschluss hat **zwei Grundfunktionen**:

→ **Informationsfunktion**
Der Jahresabschluss unterrichtet alle Interessierten (Stakeholder) über die wirtschaftliche Lage des Unternehmens.

Zu den Interessenten (Stakeholder) gehört zunächst das **Unternehmen** selbst. Die Dokumentation der Vermögens-, Finanz- und Ertragslage zum Bilanzstichtag stellt die Basis für Planungen und künftige Entscheidungen dar. Die **Mitarbeiterinnen und Mitarbeiter, Lieferanten und Kunden** können auf seiner Grundlage einschätzen, wie sicher ihr Arbeitsplatz ist bzw. ob eine intensivere Zusammenarbeit von Vorteil wäre.
Das Ergebnis des Jahresabschlusses wird von **Anteilseignern** und **externen Gruppen** wie Investoren, Banken und anderen Gläubigern als Kriterium für Investitionen und Kreditvergabe herangezogen.

- **Bemessungsgrundlage**
  Der Jahresabschluss ist zum einen **Bemessungsgrundlage für die Besteuerung** des Unternehmens und dient zum anderen der **Ermittlung von erfolgsabhängigen Auszahlungen** wie Dividenden und Erfolgsbeteiligungen (= Gewinnverteilung).

5.2 Bestandteile des Jahresabschlusses

Der Jahresabschluss unterliegt je nach Unternehmensform unterschiedlichen Bedingungen.

- **Einzelunternehmen und Personengesellschaften (GbR/eGbR, OHG, KG)**
  - Der Jahresabschluss umfasst die Bilanz und die Gewinn- und Verlustrechnung.
  - Die Bilanz beschreibt die Vermögenssituation durch Gegenüberstellung von Vermögen und Kapital.
  - Die Gewinn- und Verlustrechnung veranschaulicht die Ertragssituation durch Gegenüberstellung von Aufwand und Ertrag.
- **Kapitalgesellschaften (GmbH, AG) und eingetragene Genossenschaften**
  - Der Jahresabschluss umfasst neben der Bilanz und Gewinn- und Verlustrechnung auch einen Anhang.
  - Die Bilanz beschreibt die Vermögenssituation durch Gegenüberstellung von Vermögen und Kapital mit Angabe von Laufzeiten von Forderungen und Verbindlichkeiten.

Die Gewinn- und Verlustrechnung erläutert die **Ertragssituation durch Gegenüberstellung von Aufwand und Ertrag**.

Der **Anhang** ergänzt die Angaben in Bilanz und GuV. Im **Lagebericht** werden weitere Angaben zur wirtschaftlichen und sozialen Lage des Unternehmens sowie seiner voraussichtlichen Entwicklung vorgenommen.

5.3 Bewertung im Jahresabschluss

Die Wertansätze in einer Bilanz sind das **Ergebnis von unternehmerischen Entscheidungen** und damit **abhängig von den Unternehmenszielen**.

Unternehmensziel/Adressat	Bewertungsmaßnahme	Ergebnis
Kreditwürdigkeit ➡ Gläubiger	Nur die gesetzlich geforderten **Mindestabschreibungen** werden angesetzt.	**hohes** Vermögen, **hoher** Gewinn
Verdecken von Gewinnteilen (Gewinnersparnis) ➡ Steuerbehörde, Gesellschafter	Alle gesetzlich zulässigen Abschreibungsmöglichkeiten werden ausgeschöpft.	**niedriges** Vermögen, **niedriger** Gewinn

Zum **Schutz der Gläubiger und Anteilseigner** eines Unternehmens sowie im Interesse einer einheitlichen Bewertung in allen Unternehmen gibt es daher gesetzlich vorgeschriebene **Bewertungsgrundsätze**.

5.3.1 Bewertungsgrundsätze

Die **Bewertung des Vermögens** und **des Kapitals** erfolgt **nach einheitlichen Grundsätzen**.

Bilanzidentität und Bewertungsstetigkeit	Der Grundsatz der Bilanzkontinuität verlangt die Beibehaltung der äußeren Form der Bilanz, die Wiederaufnahme der Werte des alten Jahres in die Eröffnungsbilanz und die Beibehaltung der Bewertungsgrundsätze.
Fortführung der Unternehmenstätigkeit	Bei der Bewertung ist von der Fortführung des Unternehmens auszugehen.
Einzelbewertung am Bilanzstichtag	Jeder Vermögensgegenstand und jeder Schuldposten ist grundsätzlich einzeln zu erfassen und zu bewerten (Inventar).

Grundsatz der Vorsicht

Grundsatz der Vorsicht	Der Gesetzgeber verlangt von Kaufleuten, dass sie in der Bilanz vorsichtig bewerten. Es soll verhindert werden, dass die Lage des Unternehmens zu positiv dargestellt wird. Der Grundsatz der vorsichtigen Bewertung von Vermögen und Schulden in der Bilanz hat Auswirkungen auf die Höhe der Aufwendungen und Erträge in der GuV-Rechnung und damit auf das Unternehmensergebnis.

Der Grundsatz der Vorsicht ist der bedeutendste Bewertungsgrundsatz.

Aus dem **Grundsatz der Vorsicht** werden u. a. folgende spezielle Prinzipien abgeleitet:

Niederstwertprinzip	Stehen für die Bewertung von **Vermögensposten zwei Wertansätze** zur Verfügung, wird grundsätzlich der **niedrigere Wert** verwendet.
Höchstwertprinzip	Bei der Bewertung von Schulden greift das Vorsichtsprinzip in der Weise, dass bei einer **Wahlmöglichkeit** mit dem **Höchstwert** zu bilanzieren ist.
Anschaffungswertprinzip	**Anschaffungskosten** dürfen nie überschritten werden.

5.3.2 Bewertung des Anlagevermögens

Gegenstände des Anlagevermögens und **Teile des Umlaufvermögens** werden mit ihren **Anschaffungswerten** in das Bestandsverzeichnis (vgl. Inventur/Inventar) aufgenommen.

Anschaffungswert = Wert des Anlagegutes zum Zeitpunkt des betriebsbereiten Zustandes

Anschaffungskosten (Herstellkosten)

Kaufpreis (netto) = Listenpreis	
+ Anschaffungsnebenkosten	**einmalige Ausgaben im Zusammenhang mit der Anschaffung** → Sonderzubehör → Verpackungskosten → Montagekosten → Notariatskosten → Transportkosten → Grunderwerbssteuer (nicht: Grundsteuer)
./. Anschaffungspreisminderungen	→ Skonti → Rabatte → Boni → Mängelrügen
= Anschaffungskosten	= Aktivierungsbetrag (➡ Aktivkonto + Bestandsverzeichnis)

Buchwert zum Bilanzstichtag

Den **Buchwert** ermittelt man, indem man von den Anschaffungskosten die Abschreibungen subtrahiert.

Buchwert = Anschaffungskosten ./. Abschreibungen

Für die Buchung des Kaufs ist zunächst die Eingangsrechnung und dann die Zahlung (ggf. unter Skontoabzug) zu buchen.

Eingangsrechnung (ER)
Nettowert
\+ Umsatzsteuer (USt.)
= Bruttorechnungsbetrag

Buchungen zum Anlagekauf

Kontierung				
	Konten		Betrag	
Geschäftsvorgang	**Soll**	**Haben**	**Soll**	**Haben**
Kauf eines Lkw auf Rechnung	022 Fuhrpark		60 000,00	
	1457 VSt.		11 400,00	
		1600 Verbindlichkeiten		71 400,00
Banküberweisung unter Abzug von Skonto	1600 Verbindlichkeiten		71 400,00	
		1020 Bank		69 258,00
		0220 Fuhrpark		1 800,00[1]
		1457 VSt.		342,00

[1] Skonto = Anschaffungsminderungen

Bestandsverzeichnis

Gegenstände des beweglichen Anlagevermögens hat ein Unternehmen in einem Bestandsverzeichnis aufzuzeichnen.

Nr.	Bezeichnung des Gegenstandes	Anschaffungsdatum	Nutzungsdauer Jahre	Anschaffungswert in Euro	AfA 20(−1) in Euro	Bestand 31.12.20(−1) in Euro	AfA 20(0) in Euro	Bestand 31.12.20(0) in Euro
04	Lkw	03.01.20(0)	9	58 200,00[1]				

[1] AW = 60 000,00 € – 1 800,00 € (Skonto) = 58 200,00 €

5.3.3 Abschreibungen

Die **Anlagegegenstände** eines Unternehmens **verlieren im Laufe der Zeit an Wert,**

- → weil die Nutzung eines Gegenstandes einen **natürlichen Verschleiß** zur Folge hat,
- → weil sie **technisch veralten** können, wenn leistungsfähigere Produkte entwickelt werden.

Diese **Wertminderung** stellt für das Unternehmen **Aufwand** dar, der auf dem **Konto Bilanzielle Abschreibungen** gebucht werden muss.

Lineare Abschreibung

Von linearer Abschreibung spricht man, wenn der **Anschaffungswert gleichmäßig über die Jahre der Nutzung verteilt** wird. Der **AfA-Betrag bleibt** so über die gesamte Nutzungsdauer **gleich**. Das Anlagegut ist am Ende der Nutzungsdauer voll abgeschrieben (Wert = 0).

Berechnung der jährlichen Abschreibung

Auf der Grundlage der Nutzungsdauer für das Anlagegut wird der Betrag der jährlichen Abschreibung berechnet.

▶ **Abschreibung** = Anschaffungswert : Nutzungsdauer

Beispiel: *Ein Pkw wird am 03.01.20(0) zu einem Wert von 30 000,00 € angeschafft. Die Nutzungsdauer laut AfA-Tabelle beträgt sechs Jahre.*

Abschreibung = Anschaffungswert : Nutzungsdauer
= 30 000,00 : 6 = 5 000,00 €

Der Pkw verliert durch die Nutzung an Wert. Diese Wertminderung entspricht dem „Verbrauch" des Pkw und wird als Aufwand in Höhe von 5 000,00 € in der Erfolgsrechnung unter Abschreibungen erfasst.

Anschaffungszeitpunkt

Grundsätzlich **beginnt** die Abschreibung **im Monat der Anschaffung**. Die Abschreibung des Wirtschaftsgutes wird dadurch zeitlich verschoben.

Beispiel: *Ein Pkw, der am 01.08.20(0) zu einem Wert von 29 800,00 € angeschafft wurde, wird im laufenden Jahr nur fünf Monate genutzt und unterliegt daher auch nur für diesen Zeitraum der Abnutzung.*

AfA-Prozentsatz (= 100 : Nutzungsdauer)

Die von der Finanzverwaltung festgelegte **Nutzungsdauer entscheidet** auch **über die Höhe des anzuwendenden AfA-Prozentsatzes**. Da der Anschaffungswert mit 100 % gleichzusetzen ist, erhält man den AfA-Prozentsatz, indem man **100 durch die Nutzungsdauer** teilt.

Degressive Abschreibung

Die degressive Abschreibung war bislang ausgesetzt. Sie ist nun im Rahmen des Wachstumschancengesetz vom April 2024 wieder möglich. Sie zielt besonders auf die Verbesserung der Liquidität der Unternehmen und damit auf dauerhafte Investitionen.

Die Höhe der degressiven Abschreibungssätze beträgt das Doppelte der linearen Abschreibung, aber höchstens 20 %. Wie bei der linearen AfA ist der Prozentsatz bei der degressiven AfA in jedem Jahr gleich.

Bei der degressiven Abschreibung erfolgt die Abschreibung im ersten Jahr der Abschreibung vom Anschaffungswert. In den folgenden Jahren wird vom jeweiligen Restwert abgeschrieben. Daher ist der Abschreibungsbetrag zu Beginn der Abschreibung höher und verringert sich von Jahr zu Jahr.

Beispiel:
Anschaffungswert des Wirtschaftsgutes:

	2.000,00 €
AfA 1. Jahr: 20 %	400,00 €
	1.600,00 €
AfA 2. Jahr: 20 %	320,00 €
	1.280,00 €

usw.

Abschreibung nach Leistung

Bestimmte **Wirtschaftsgüter** werden häufig im Laufe ihrer Nutzungsdauer **sehr unterschiedlich genutzt**. Je nach Auftragslage kann z. B. der Verschleiß eines Lkw einer Spedition erheblich schwanken. In diesem Fall kann die **Abschreibung** eines Anlagegegenstandes **nach der Leistung dieses Wirtschaftsgutes** bemessen werden, wenn der Unternehmer den jährlichen Leistungsumfang nachweist.

Beispiel: *Bei einem Lkw mit einem Anschaffungspreis in Höhe von 240 000,00 € wird eine betriebsgewöhnliche Gesamtleistung von 800 000 km angenommen. Folgende Jahresleistungen (lt. Kilometerzähler) werden mit dem Lkw erbracht:*

Berechnung der AfA:

1. *Berechnung der Leistungseinheit:*
   Anschaffungswert: Gesamtleistung (geplant) = 240 000,00 € : 800 000 km = 0,30 € pro km
2. *Berechnung der Jahres-AfA bei 150 000 km im ersten Jahr:*
   150 000 km • 0,30 € = 45 000,00 €
   (AfA-Berechnung der folgenden Jahre erfolgt entsprechend)

Abschreibung geringwertiger Wirtschaftsgüter (GWG)

Normalerweise können die Anschaffungskosten von Wirtschaftsgütern des Anlagevermögens nur abhängig von ihrer **Nutzungsdauer** (steuermindernd) abgeschrieben werden (siehe oben).

Eine **Ausnahme** gilt für **geringwertige Wirtschaftsgüter** (sogenannte GWG). Als „geringwertige Wirtschaftsgüter" (GWG) werden abnutzbare bewegliche Güter des Anlagevermögens bezeichnet, die selbstständig nutzungsfähig sind und deren **Anschaffungs- oder Herstellungskosten** einen **bestimmten Betrag (Nettowert) nicht übersteigen**.

Das heißt, es bestehen folgende Wahlmöglichkeiten (1. – 3.) für die Abschreibung von geringwertigen Wirtschaftsgütern (GWG) ab 01.01.2018:

1. Werte bis einschl. 250,00 €	➡ sofortige Betriebsausgabe
= betrieblicher Aufwand	➡ Gewinn- und Verlustkonto

<table>
<tr><th>2. Werte über 250,00 bis 800,00 €</th><th colspan="2">3. Werte über 250,00 bis 1 000,00 €</th></tr>
<tr><td rowspan="2">vollständige Abschreibung im Jahr der Anschaffung (+ Eintrag in das GWG-Verzeichnis)</td><td colspan="2">(1) Bildung eines Sammelpostens (Pool) für z. B. 20(0)
➡ Konto 0251 Sammelposten 20(0)</td></tr>
<tr><td colspan="2">(2) Abschreibung über 5 Jahre (linear)</td></tr>
<tr><td>= Aufwand</td><td>(1) Anlagevermögen</td><td>(2) Aufwand</td></tr>
<tr><td>➡ GuV-Konto</td><td>➡ SBK-Konto</td><td>➡ GuV-Konto</td></tr>
</table>

Alternativ: Aktivierung im AV + AfA über die betriebsgewöhnliche Nutzungsdauer.

5.3.4 Bewertung des Umlaufvermögens (Vorräte)

Gleichartige **Vermögensgegenstände des Vorratsvermögens** mit unterschiedlichen Beschaffungspreisen und Beschaffungszeitpunkten können zu einer Gruppe zusammengefasst werden und mit dem **gewogenen Durchschnittswert** angesetzt werden.

Beispiel: *Die Spedition ALLSPED GmbH bevorratet Lkw-Reifen der Größe 385/65R 22,5.*

Datum	Bezugspreis (Euro/Stück)	Zugang (Stück)	Euro
02.01.	397,46	20	7 949,20
20.04.	381,99	12	4 583,88
22.08.	330,68	6	1 984,08
30.11.	323,89	10	3 238,90
20.12.	356,85	9	3 211,65
		57	***20 967,71***

Durchschnittliche Anschaffungskosten = gewogener Wert : Menge = 20 967,71 € : 57 Stück = 367,85 €. Bei einem Schlussbestand von 17 Reifen ergeben sich durchschnittliche Anschaffungskosten von 6 253,45 € (= 17 Reifen x 367,85 €).

Nach dem HGB (Niederstwertprinzip) muss der errechnete Wert mit dem Tageswert zum Bilanzstichtag (31.12.) verglichen werden.

Beispiel: *Die Berechnung des Durchschnittswertes der Reifen ergab 367,85 €/Stück (s. o.).*

<table>
<tr><td>Errechneter Wert:
367,85 €/Stück</td><td>></td><td>Tageswert:
345,00 €/Stück</td><td>➡</td><td>Bewertung zum Tageswert, da niedrigster Wert: 345,00 €/Stück</td></tr>
<tr><td colspan="5">Inventurwert: 17 Reifen · 345,00 € = 5 865,00 €</td></tr>
</table>

Das Niederstwertprinzip gilt auch für die folgenden Verfahren der Sammelbewertung.

Verbrauchsfolgebewertung (Sammelbewertung)

Neben der Bewertung nach dem Durchschnitt der Anschaffungskosten ist auch eine **Bewertung von gleichartigen Vorräten** nach der **zeitlichen Reihenfolge der Zu- und Abgänge** möglich.

Inventurkarte: Motoröl SW 45				Euro
Datum	Vorgang	Menge in Liter	AW je Einheit	Gesamtwert
02.01.	AB	↓ **Lifo (2)** 500	2,50	1 250,00
15.04.	Zugang	1 000	3,00	3 000,00
20.08.	Zugang	↑ 2 000	3,25	6 500,00
31.11.	Zugang	**Fifo (1)** 300	3,50	1 050,00
		3 800		11 800,00

Fifo-Methode = first in – first out (1)

Die **zuerst erworbenen Vorräte** (siehe Inventurkarte oben) werden auch **zuerst verbraucht**. Der **Endbestand** laut Inventur stammt daher **aus den letzten Zugängen** und muss somit auch **mit den Preisen für die letzten Zugänge bewertet** werden.

300 Liter zu je 3,50 €	=	1 050,00 €
1 700 Liter zu je 3,25 €	=	5 525,00 €
Endbestand lt. Inventur: 2 000 Liter	=	6 575,00 €

Der Preis je Liter beträgt dann 3,29 € (6 575,00 € : 2 000 Liter). Liegt der **Marktpreis am Bilanzstichtag** bei 3,24 €, wird dieser nach dem **Niederstwertprinzip** angewendet (2 000 Liter · 3,24 € = 6 480,00 €).

Lifo-Methode = last in – first out (2)

Die **zuletzt erworbenen Vorräte** (siehe Inventurkarte oben) werden als **erste verbraucht**. Der **Endbestand** laut Inventur stammt daher **aus dem Anfangsbestand und den ersten Zugängen** und muss somit auch **mit deren Preis bewertet** werden.

500 Liter zu je 2,50 €	=	1 250,00 €
1 000 Liter zu je 3,00 €	=	3 000,00 €
500 Liter zu je 3,25 €	=	1 625,00 €
Endbestand lt. Inventur: 2 000 Liter	=	5 875,00 €

Der Preis je Liter beträgt dann 2,94 € (5875,00 € : 2000 Liter). Liegt der Marktpreis am Bilanzstichtag bei 3,24 €, wird nach dem Niederstwertprinzip der Wert von 2,94 € angesetzt.

5.3.5 Bewertung des Fremdkapitals

Bei den Positionen der Passivseite hat der Unternehmer kaum Wahlmöglichkeiten bei der Bewertung. Die Fremdkapitalien sind zu ihren Rückzahlungsbeträgen (jeweilige Schuldenhöhe) anzusetzen. Bei **Darlehens- bzw. Hypothekenschulden** ist der Auszahlungsbetrag oft um das Disagio (Abschlag) kleiner als der vereinbarte Darlehensbetrag (= Rückzahlungsbetrag). Nach dem **Grundsatz der Vorsicht** (§ 252 HGB) gilt bei der Bewertung von Schulden das **Höchstwertprinzip**. Daher werden Darlehens- bzw. Hypothekenschulden mit dem Kreditbetrag (= Rückzahlungsbetrag) passiviert.

Währungsschulden unterliegen **Wechselkursschwankungen**. So kann der Zahlungsbetrag am Bilanzstichtag höher ausfallen als die gebuchte Verbindlichkeit. Auch hier gilt das Prinzip der Vorsicht (§ 252 HGB), sodass die Schulden nach ihrem **Höchstwert** zu passivieren sind. Am Bilanzstichtag muss von zwei möglichen Werten jeweils der höhere in die Bilanz übernommen werden (§ 253 HGB; Höchstwertprinzip).

Beispiel: *Die Spedition ALLSPED schuldet einer Reederei für einen Importauftrag noch einen Betrag von 10000,00 USD. Der Kurs beträgt bei Rechnungsstellung am 20.12.20(0) 1,23 USD.*

Am Bilanzstichtag steht der Kurs bei 1,31 USD.

Kurs am		Kurs am Bilanzstichtag	➡	Bewertung zum Kurs
20.12.20(0): 1,23 USD	>	31.12.20(0): 1,31 USD	➡	Am 31.12.20(0): 1,31 USD da höchster Wert
oder				
20.12.20(0): 1,23 USD	<	31.12.20(0): 1,18 USD	➡	Am 20.12.20(0): 1,23 USD da höchster Wert

5.4 Auswertung des Jahresabschlusses: Instrumente des Controllings

Unternehmen bewegen sich in ständig verändernden Märkten. Auf diese Veränderungen müssen die Unternehmen durch **flexible Anpassung** und **geeignete Strategien** reagieren. Das **Controlling-System** hat für diese Aufgabe im Rahmen von **Planung, Kontrolle und Steuerung** ein umfangreiches und **effizientes Instrumentarium** entwickelt.

5.4.1 Strategien des Controllings

Die Strategien des Controllings sind **zielorientiert, zukunftsorientiert, markt- und kundenorientiert**. Zu unterscheiden sind das operative und das strategische Controlling.

Operatives Controlling umfasst die kurzfristige Planung, Kontrolle und Steuerung mit dem Ziel, **Korrekturen bei Abweichungen vom Kurs des Unternehmens** zu ermöglichen.

Operative Ziele könnten konkret folgendermaßen aussehen:

- Erhöhung des Gewinns um 7 %
- Erhöhung der Umsatzrentabilität auf 2 % usw.

Durch den konsequenten Einsatz der folgenden **Analysen und Werkzeuge** kann **das operative Controlling** nachweisen, ob und inwieweit die beschriebenen Ziele erreicht wurden.

- **Analyse der Bilanz:** Finanzierung, Anlagendeckung, Liquidität
- **Analyse der GuV:** Rentabilität, Cashflow usw.
- **Break-even-Analyse**
- **Deckungsbeitragsrechnung**
- **kurzfristige Erfolgsrechnung (KER)**

Das **strategische Controlling** plant und überwacht alle Maßnahmen, die auf die **langfristige Weiterentwicklung** des Unternehmens abzielen: Aufbau von Kapazitäten, Verwendung neuer Technologien, Qualifizierung von Mitarbeitern und Verbesserung der betrieblichen Prozesse.

Zu den **strategischen Zielsetzungen** gehören:

- **Erschließung neuer Märkte**
- **Ausbau von Marktanteilen**
- **Entwicklung neuer Produkte/Dienstleistungen**

Die **Instrumente zur Beobachtung** der **langfristigen Ziele des Unternehmens** im strategischen Controlling sind:

- **Stärken- und Schwächenanalyse**
- **Konkurrenzanalyse**
- **Qualitätsmanagement**

5.4.2 Kennzahlen

Kennzahlen dienen dazu, den **wirtschaftlichen Erfolg** eines Unternehmens näher zu bestimmen. Sie erleichtern darüber hinaus ein zielgerichtetes Verhalten des Spediteurs und seiner Beschäftigten für zukunftsbezogene Entscheidungen. Besonders aussagekräftig werden Kennzahlen gewöhnlich erst durch Vergleiche.

Kennzahlenvergleich		
Zeitvergleich	**Soll-Ist-Vergleich**	**Betriebsvergleich**
Zeitvergleiche sind innerbetriebliche Vergleiche. Dabei werden bestimmte Kennzahlen aus unterschiedlichen Zeiträumen miteinander verglichen.	Auch hierbei handelt es sich um einen innerbetrieblichen Vergleich. Ein Spediteur setzt sich bestimmte Ziele für verschiedene Kennzahlen. Diese Soll-(Plan-)Vorgaben werden regelmäßig auf ihren Erreichungsgrad (Ist-Zustand) hin überprüft.	Externe Kennziffern (z. B. von Speditions- und Logistikverbänden oder aus Fachzeitschriften) werden genutzt, um sie mit den eigenen Zahlen des Betriebes zu vergleichen. Dies lässt Rückschlüsse auf die eigene Leistungsfähigkeit zu.

Kennnzahlen zur Vermögenslage: Vermögensaufbau (Konstitution)

Bei der **vertikalen Vermögensanalyse** wird die Aktivseite der Bilanz untersucht, um genauere Aussagen zu treffen, wie das Vermögen im Unternehmen verteilt ist.

Anlagenintensität	$\frac{\text{Anlagevermögen} \cdot 100}{\text{Gesamtvermögen}}$	Die Anlageintensität beschreibt, welchen Anteil das Anlagevermögen am Gesamtvermögen hat.
Umlaufintensität	$\frac{\text{Umlaufvermögen} \cdot 100}{\text{Gesamtvermögen}}$	Die Umlaufintensität beschreibt, welchen Anteil das Umlaufvermögen am Gesamtvermögen hat.
Forderungsintensität	$\frac{\text{Forderungen} \cdot 100}{\text{Gesamtvermögen}}$	Eine steigende Forderungsintensität lässt darauf schließen, dass die Forderungen eher zeitlich verzögert von den Kunden ausgeglichen werden.

Kennzahlen zur Kapitalstruktur

Um die **Kapitalausstattung** beurteilen zu können, muss die **Finanzierung des Unternehmens** und die **Bindungsdauer** der einzelnen Finanzierungen untersucht werden. Darüber gibt die Passivseite der Bilanz Aufschluss.

Eigenkapitalquote (Grad der finanziellen Unabhängigkeit)	$\frac{\text{Eigenkapital} \cdot 100}{\text{Gesamtkapital (EK + FK)}}$	Die Eigenkapitalquote gibt darüber Auskunft, wie hoch der Anteil des von den Eigentümern bzw. Gesellschaftern eingebrachten Kapitals am Gesamtkapital ist. Eine hohe Eigenkapitalquote lässt die Unabhängigkeit und die Sicherheit des Unternehmens erkennen.
Fremdkapitalquote (Grad der Verschuldung)	$\frac{\text{Fremdkapital} \cdot 100}{\text{Gesamtkapital (EK + FK)}}$	Die Fremdkapitalquote ist eine Kennzahl, um das Verhältnis von Gesamtkapital zum Fremdkapital zu berechnen. Sie ergänzt die Eigenkapitalquote.
Umschlaghäufigkeit	$\frac{\text{Umsatzerlöse}}{\text{durchschnittliches Kapital}^{1}}$ [1] Durchschnitt aus AB und SB	Diese Kennzahl drückt aus, wie oft sich das gesamte Kapital im Jahr umschlägt, wie produktiv also das im Unternehmen befindliche Kapital eingesetzt wird.

Vorteile eines hohen Eigenkapitalanteiles: hohe Haftungssumme, hohe Kreditwürdigkeit, Unabhängigkeit von Gläubigern, geringe Zins- und Tilgungsbelastung, Sicherheit in Krisenzeiten.

Kennzahlen zur Liquidität

Um einen objektiven Maßstab für die **Zahlungsfähigkeit des Unternehmens** zu erhalten, werden Kennzahlen zur Liquidität gebildet. Die einzelnen Grade der Liquidität (vgl. Kennzahlen unten) erlauben eine Bewertung darüber, wie schnell das Unternehmen seinen Zahlungsverpflichtungen nachkommt.

Liquidität 1. Grades (Barliquidität)	$\frac{\text{flüssige Mittel} \cdot 100}{\text{kurzfristige Verbindlichkeiten}}$	Bei der Liquidität 1. Grades werden die flüssigen Mittel ins Verhältnis zu den kurzfristigen Verbindlichkeiten gesetzt. Damit wird ausgedrückt, wie viel Prozent (%) der kurzfristigen Verbindlichkeiten (z. B. Frachtführerrechnungen) sofort per Banküberweisung bezahlt werden können.
Liquidität 2. Grades (einzugsbedingte Liquidität)	$\frac{\text{flüssige Mittel} + \text{Forderungen} \cdot 100}{\text{kurzfristige Verbindlichkeiten}}$	Bei der Liquidität 2. Grades kommen zu den flüssigen Mitteln noch die Forderungen aus Lieferungen und Leistungen (kurzfristige Forderungen) hinzu. In dieser Kennzahl kommt zum Ausdruck, dass die flüssigen Mittel und die noch ausstehenden Geldmittel (Forderungen) ausreichen müssen, um kurzfristige Verbindlichkeiten ausgleichen zu können.
Liquidität 3. Grades (umsatzbedingte Liquidität)	flüssige Mittel + Forderungen $\frac{+ \text{Vorräte} \cdot 100}{\text{kurzfristige Verbindlichkeiten}}$	Die Liquidität 3. Grades berücksichtigt neben den flüssigen Mitteln und den Forderungen auch noch die Vorräte, d. h. das gesamte Umlaufvermögen.
Working Capital	Umlaufvermögen – kurzfristige Verbindlichkeiten = Working Capital	Ein positiver Wert des Working Capitals sagt aus, dass ein Teil des Umlaufvermögens mit langfristig zur Verfügung stehendem Kapital (Eigenkapital oder langfristiges Fremdkapital) finanziert wird. Das bedeutet, dass nicht das gesamte kurzfristig verfügbare Vermögen zur Deckung der kurzfristigen Verbindlichkeiten erforderlich ist. So ermöglicht die Kennziffer Working Capital auch eine Beurteilung der Bonität des Unternehmens.

Kennzahlen zur Finanzstruktur

Bei der Frage nach der **Finanzstruktur eines Unternehmens** werden **langfristig genutzte Vermögensgegenstände** (Anlagegüter) mit **langfristig zur Verfügung stehendem Kapital verglichen** (horizontale Betrachtungsweise).

Die **finanzielle Struktur** eines Unternehmens sollte so gestaltet sein, dass **langfristig genutzte Vermögensgegenstände** (Anlagegüter) auch durch **langfristig zur Verfügung stehendes Kapital finanziert** (gedeckt) werden.

Anlagendeckungsgrad 1	$\frac{\text{Eigenkapital} \cdot 100}{\text{Anlagevermögen}}$	Beim Deckungsgrad 1 wird untersucht, ob das Anlagevermögen durch das Eigenkapital gedeckt ist.

Häufig ist aber eine volle Deckung durch langfristiges Kapital nicht möglich. Daraus leitet sich die „Goldene Finanzierungsregel" ab.

Anlagendeckungsgrad 2	$\frac{\text{Eigenkapital + langfristiges Fremdkapital} \cdot 100}{\text{Anlagevermögen}}$	Beim Deckungsgrad 2 wird untersucht, ob das Anlagevermögen durch das Eigenkapital und das langfristige Fremdkapital gedeckt ist.

Kennzahlen des Unternehmenserfolgs

Der Gewinn eines Unternehmens sagt – isoliert betrachtet – noch nichts darüber aus, ob rentabel (wirtschaftlich) gearbeitet wurde. Die **Frage nach der Rentabilität** kann man erst beantworten, wenn man den **Gewinn zu anderen Größen** (z. B. zum Eigenkapital am Anfang des Geschäftsjahres) **in Beziehung** setzt.

Eigenkapitalrentabilität (Unternehmerrentabilität)	$\frac{\text{Gewinn} \cdot 100}{\text{Eigenkapital}}$	Bei der Eigenkapitalrentabilität wird ermittelt, mit wie viel Prozent sich das Eigenkapital im Geschäftsjahr verzinst hat.
Gesamtkapitalrentabilität (Unternehmensrentabilität)	$\frac{\text{Gewinn + Fremdkapitalzinsen} \cdot 100}{\text{Gesamtkapital}}$	Zum Jahresgewinn werden die gezahlten Fremdkapitalzinsen hinzugerechnet. Der so ermittelte Gewinn des Gesamtkapitals ist zum Eigenkapital zuzüglich des Fremdkapitals (= Gesamtkapital) zu Beginn des Geschäftsjahres in Beziehung zu setzen.
Umsatzrentabilität (Gewinnquote)	$\frac{\text{Gewinn} \cdot 100}{\text{Umsatz}}$	Die Umsatzrentabilität zeigt, wie viel Prozent der Umsatzerlöse dem Unternehmen als Gewinn zufließen. Dies ist der Anteil am Umsatz, der nicht durch Aufwand gebunden ist und für Gewinnausschüttungen bzw. zu Investitionszwecken zur freien Verfügung steht.

Cashflow	Cashflow (vereinfacht)
Jahresüberschuss (Gewinn)	**Jahresüberschuss (Gewinn)**
+ Abschreibungen	+ Abschreibungen
+ Veränderungen der Rückstellungen (Einstellung von Aufwendungen)	
+ außerordentliche Aufwendungen	
./. außerordentliche Erträge	
= Cashflow	= Cashflow

Der Cashflow ist die Kennzahl für die **innere Finanzkraft** eines Unternehmens und damit die Messzahl für die **Ertrags- und Selbstfinanzierungskraft**.

Unter Cashflow versteht man den Finanzüberschuss. So stehen z. B. den Buchungen von **Abschreibungen** und Rückstellungen **keine Auszahlungen** gegenüber. Deswegen steht diese Differenz dem Unternehmen zur Verfügung für die Finanzierung von Investitionen, Schuldentilgung und Gewinnausschüttung.

Cashflow-Rate	$\frac{\text{Cashflow} \cdot 100}{\text{Umsatzerlöse}}$

Die Cashflow-Rate zeigt, wie viel Prozent vom Umsatz zur Selbstfinanzierung verbleiben und damit für Investitionszwecke und Kredittilgung zur Verfügung stehen.

6 Kosten- und Leistungsrechnung

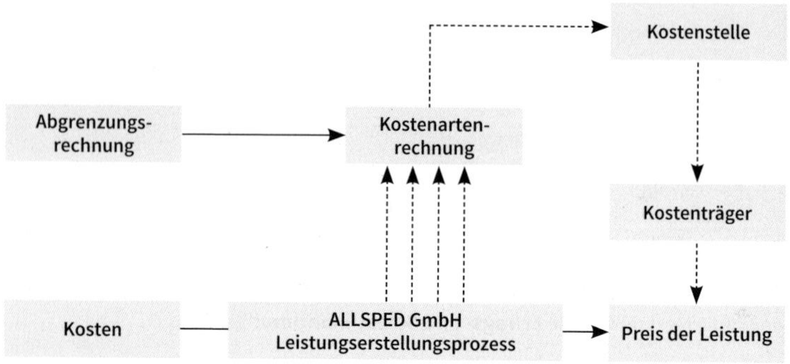

6.1 Grundbegriffe der Kosten- und Leistungsrechnung

Der Hauptzweck der Kosten- und Leistungsrechnung besteht darin, das **innerbetriebliche Geschehen** zu erfassen, zu dokumentieren und zu bewerten. Daher ist es die **Hauptaufgabe der Kosten- und Leistungsrechnung, alle Aufwendungen und Erträge zu erfassen, die durch den eigentlichen Betriebszweck einer Spedition,** d. h. der Produktion speditioneller Leistungen, **verursacht werden**. Ausdruck der erfolgreichen Produktion speditioneller Leistungen ist der **Betriebsgewinn**.

Aufwendungen und Erträge

Aufwendungen und Erträge werden in der Geschäftsbuchführung erfasst. Immer dann, wenn ein Speditionsunternehmen Güter und Dienstleistungen bei der Erstellung von Speditionsleistungen verbraucht (Input) und die Leistungen am Markt verkauft (Output), entstehen Aufwendungen und Erträge. Und das geschieht unabhängig davon, ob der Aufwand oder Ertrag mit Ausgaben (= Geldmittelabfluss) oder Einnahmen (Geldmittelzufluss) verbunden ist.

Spedition ALLSPED GmbH		
INPUT	➡ Produktionsprozess ➡	**OUTPUT**
Aufwand	➡ Leistungsströme ➡	**Ertrag**

- **Aufwand** = Einsatz und Verbrauch von Gütern und Dienstleistungen in Euro (Input)
- **Ertrag** = erfolgswirksame Wertezuflüsse aus dem Verkauf von Speditionsleistungen in Euro (Output)

Aufwand – Kosten

Für die Kosten- und Leistungsrechnung werden die Aufwendungen in **Zweckaufwand** und **neutralen Aufwand** getrennt.

Zweckaufwand = Kosten	Neutraler Aufwand
Zweckaufwendungen sind betrieblich verursachte Aufwendungen. Der **Zweck** eines Speditionsbetriebes ist es, **speditionelle Leistungen** zu **erstellen** und zu verkaufen, um dadurch bestimmte Unternehmensziele zu erreichen.	**Neutrale Aufwendungen** stammen aus → **betriebsfremden** Geschäften, → zurückliegenden Geschäftsperioden (**periodenfremd**), → Erfolgsvorgängen, die ungewöhnlicher Natur (**außerordentlich**) sind.
→ **Kosten- und Leistungsrechnung**	→ **Geschäftsbuchführung**

Kosten:	**betriebliche Aufwendungen = Zweckaufwendungen**

Kontenklasse 4: Betriebskosten	**Kontenklasse 7: auftragsgebundene Speditionskosten**
➡ **Kosten- und Leistungsrechnung**	➡ **Kosten- und Leistungsrechnung**

Ertrag – Leistungen

Auch die **Erträge** müssen für die Kosten- und Leistungsrechnung in **Leistungen** und **neutrale Erträge** getrennt werden.

Leistungen	Neutrale Erträge
Betriebliche Erträge sind das **Ergebnis der betrieblichen Leistungserstellung** und Leistungsverwertung und stellen den Wert der erstellten Speditionsleistung dar	**Neutrale Erträge** stammen aus → **betriebsfremden** Geschäften, → zurückliegenden Geschäftsperioden **(periodenfremd)**, → Erfolgsvorgängen, die ungewöhnlicher Natur **(außerordentlich)** sind.
→ **Kosten- und Leistungsrechnung**	→ **Geschäftsbuchführung**

Leistungen:	**betriebliche Erträge**

Kontenklasse 8: Erlöskonten
➡ **Kosten- und Leistungsrechnung**

Die **Kosten- und Leistungsrechnung** gibt Auskunft über die **Wirtschaftlichkeit** des betrieblichen Leistungserstellungsprozesses.

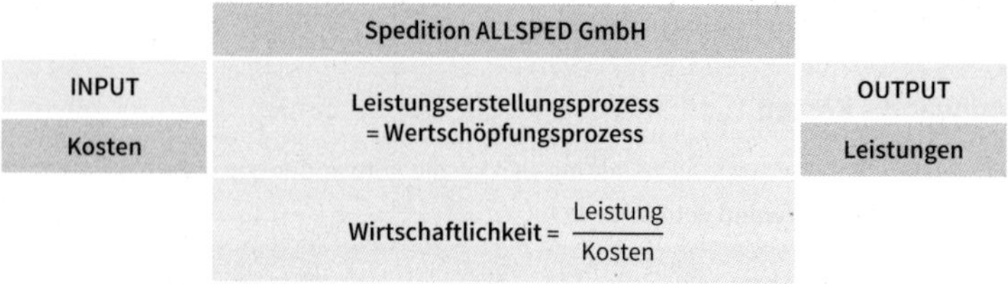

6.2 Abgrenzungsrechnung

Die Abgrenzungsrechnung stellt ein **Bindeglied zwischen der Geschäftsbuchführung und der Kosten- und Leistungsrechnung** dar. Ihre Aufgabe ist es, die neutralen Aufwendungen und Erträge von den betrieblichen Aufwendungen und Erträgen zu trennen und für die Erfassung der Kosten und Leistungen in der Betriebsergebnisrechnung zu sorgen.

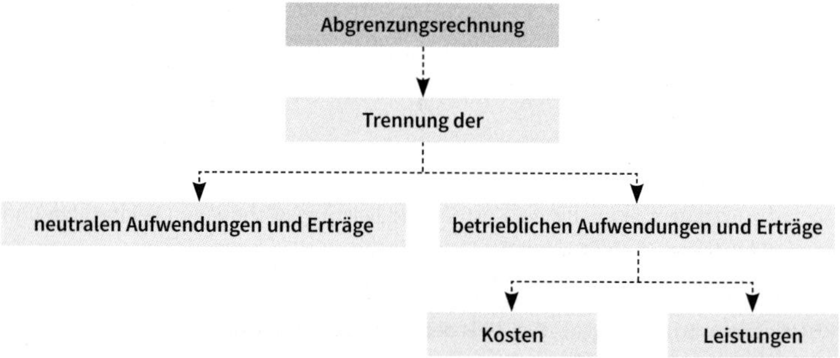

Abgrenzungs- und Ergebnistabelle

Die Abgrenzungsrechnung überführt in **vier Schritten** die Aufwendungen und Erträge aus der Geschäftsbuchführung als Kosten und Leistungen **in die Kosten- und Leistungsrechnung**.

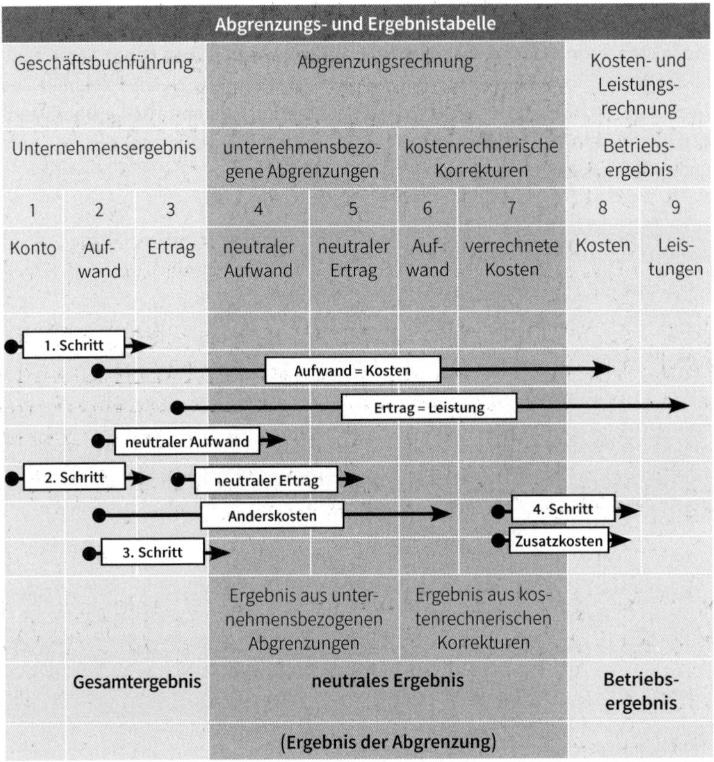

1. Schritt	Welche Aufwendungen/Erträge stellen in gleicher Höhe Kosten/Leistungen dar?	aufwandsgleiche Kosten + Leistungen aus Kontenklasse 4 + 7 + 8 → **Grundkosten** → **Leistungen**	**Übernahme** in die KLR **in gleicher Höhe**

2. Schritt	Welche Aufwendungen/Erträge stellen keine Kosten und Leistungen dar?	neutrale Aufwendungen und Erträge	**keine Übernahme** in die KLR

Kostenrechnerische Korrekturen

Die **kostenrechnerischen Korrekturen** werden notwendig, weil neben den Grundkosten auch solche Aufwendungen in der Geschäftsbuchführung erfasst wurden, die zwar betrieblich bedingt sind (= Kosten), aber **aufgrund kalkulatorischer Überlegungen** in anderer Höhe (**Anderskosten**) oder zusätzlich (**Zusatzkosten**) in die Kosten- und Leistungsrechnung eingehen.

Aufwand gemäß Geschäftsbuchführung			
Neutraler Aufwand	**Betrieblich bedingte Aufwendungen**		
aus der Kontenklasse 2	aus der Kontenklasse 4 und 7	aus der Kontenklasse 2	
wird nicht in die KLR übernommen.	werden in derselben Höhe in die KLR übernommen.	werden in anderer Höhe in die KLR übernommen.	Wird in errechneter Höhe in die KLR übernommen.
	aufwandsgleiche Kosten	aufwandsungleiche Kosten	aufwandslose Kosten
	= Grundkosten	**= Anderskosten**	**= Zusatzkosten**
		kalkulatorische Kosten	
	Kosten im Sinne der KLR		

3. Schritt	Welche Aufwendungen stellen in **anderer Höhe** Kosten dar?	**Anderskosten**	**Umbewertung** in den kostenrechnerischen Korrekturen und Übernahme in die KLR in anderer Höhe

4. Schritt	Welche Kosten stellen **keinen** Aufwand dar?	**Zusatzkosten**	**Neuansatz** in den kostenrechnerischen Korrekturen und Übernahme in die KLR in voller Höhe

Kalkulatorische Kosten

Die folgenden kalkulatorischen Kosten werden in der Kosten- und Leistungsrechnung erfasst:

- **kalkulatorische Abschreibungen** → **Anderskosten**
- **kalkulatorische Zinsen** → **Anderskosten**
- **kalkulatorischer Unternehmerlohn** → **Zusatzkosten**
- **kalkulatorische Miete** → **Zusatzkosten**
- **kalkulatorische Wagnisse** → **Anders-/Zusatzkosten**

6.3 Aufbau einer Vollkostenrechnung

Aus der Geschäftsbuchführung sind mithilfe der Abgrenzungsrechnung die durch den betrieblichen Leistungsprozess verursachten Kosten und Erlöse so aufbereitet worden, dass sie nun der **Kosten- und Leistungsrechnung (KLR) als Datenquelle für die Steuerung und Kontrolle der speditionellen Leistungserstellungsprozesse** zur Verfügung stehen.

Die KLR ist Teil eines umfassenden Controlling- und Informationssystems, mit dem die **Wirtschaftlichkeit** des Unternehmens gesteuert werden kann.

Die KLR verarbeitet die Daten in folgenden Bereichen:

Bereiche der Kostenrechnung		
Kostenartenrechnung	**Kostenstellenrechnung**	**Kostenträgerrechnung**
Welche Kosten sind entstanden? (Was verursacht Kosten?)	**Wo** sind die Kosten verursacht worden? (An welcher Stelle wurden die Kosten verursacht?)	**Wofür** sind Kosten angefallen? (Durch wen wurden Kosten verursacht?)
→ Speditionskosten → Personalkosten → Abschreibungen	→ nationale Spedition → internationale Spedition → Luftfrachtspedition	→ Aufträge → Produkte → Dienstleistungen

6.3.1 Kostenartenrechnung

Innerhalb der Kostenrechnung dient die Kostenartenrechnung der **vollständigen Erfassung der Kosten** in einem Unternehmen während eines bestimmten Abrechnungszeitraums (z. B. Monat, Geschäftsjahr) nach Art und Wert.

Die **Kostenartenrechnung** hat die Aufgabe, die bereitgestellten Kosten und Leistungen eines Geschäftsjahres in ihrer **Entwicklung und Struktur innerhalb eines Geschäftsjahres (statische Analyse)** und **im Zeitvergleich (dynamische Analyse) über mehrere Geschäftsjahre zu analysieren** und für die Steuerung und Kontrolle des Unternehmens zu nutzen.

Mithilfe **betriebswirtschaftlicher Auswertungen (BWA)** untersucht ein Unternehmen, in welchem Umfang die Unternehmensziele zu bestimmten Zeitpunkten erreicht wurden und welche Entwicklungen die Kostenarten genommen haben.

Die **Analyse der Kostenarten** durch eine betriebswirtschaftliche Auswertung (BWA) ermöglicht

- die **Beobachtung der Entwicklung** einzelner **Kostenarten**,
- **Vergleichsanalysen im Zeitablauf** einer Rechnungsperiode oder im Periodenvergleich,
- **Vergleiche von Plan- und Ist-Daten** der unterschiedlichen Abrechnungsperioden,
- die **Offenlegung der Schwachstellen** im Unternehmen durch die Kontrolle der Entwicklung der einzelnen Kostenarten.

Die **Kostenarten** werden nach folgenden Gesichtspunkten **unterteilt**:

- Nach ihrer **Entstehungsursache**: **Personalkosten, Kraftfahrzeugkosten**
- Nach ihrer **kalkulatorischen Verrechenbarkeit**: **Einzelkosten, Gemeinkosten**
- Nach ihrem **Verhalten bei schwankendem Beschäftigungsgrad**: **fixe Kosten, variable Kosten**

6.3.2 Kostenstellenrechnung

Die **Kostenstellenrechnung** ist die **zweite Stufe** des Systems der Kosten- und Leistungsrechnung. Während die **Kostenartenrechnung** alle angefallenen Kosten nach Art und Wert **ohne einen Bezug zu den Verantwortungsträgern** erfasst, **fragt die Kostenstellenrechnung:**

An welchem Ort (= Stelle) sind die Kosten entstanden?	Wem sind die Kosten zuzurechnen?
→ **Funktionsbereiche** → Sammelladungsspedition → Luftfrachtspedition	→ **Verantwortungsbereiche** → Abteilung → Profitcenter → Produkte

Bildung der Kostenstellen

Kostenstellen müssen nach **folgenden Kriterien** eingerichtet werden.

Kostenstellen müssen	**damit**
→ eindeutig voneinander abgegrenzt sein, → eine organisatorische Einheit bilden, → in der Lage sein, die Kosten zu beeinflussen,	→ die Kostenentwicklungen in den einzelnen Kostenstellen kontrolliert, → die Wirtschaftlichkeit des Leistungserstellungsprozesses überwacht und kontrolliert, → die Angebote für Speditionsleistungen kalkuliert, → die Abteilungs- bzw. Stellenergebnisse errechnet und analysiert werden können.

Die **Kostenstellenrechnung** trägt dazu bei, **Kostenbewusstsein** bei den Verantwortlichen und Mitarbeitern herzustellen und bei ihnen die **Wirtschaftlichkeit als Zielgröße** für das Handeln zu verankern.

Für die **Bildung von Kostenstellen,** die auch **zugleich Leistungsstellen** sind, bieten sich in Speditionsbetrieben die einzelnen **Verkehrsarten** entsprechend der Einteilung in den Kontenklassen an.

Kontenklasse 7: Speditionskosten → Sammelladung, Luftfracht usw.

Kontenklasse 8: Speditionserlöse → Sammelladung, Luftfracht usw.

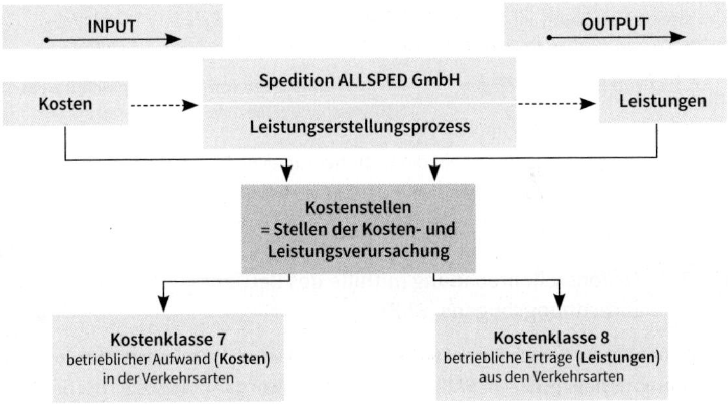

Die nach den Verkehrsträgern gebildeten Kostenstellen sind **Erwerbsabteilungen** (Leistungsstellen). Daher werden sie als **Hauptkostenstellen** bezeichnet.

Gemeinkosten in der Kostenstellenrechnung

Neben der Aufgabe der **Kostenstellenrechnung** als **Instrument der Kostenkontrolle** usw. hat sie vor allem die Aufgabe der **Vorbereitung auf die Kostenträgerrechnung** (= **Auftragskalkulation/Preisermittlung**).

Die **Einzelkosten** (Speditionskosten der Kontenklasse 7) können den **Kostenträgern** (z. B. Auftrag) als auftragsgebundene Kosten **direkt zugeordnet** werden.

Die **Gemeinkosten** (Betriebskosten/kalkulatorische Kosten aus Abgrenzungsrechnung) müssen, weil ein **direkter Zuordnungsnachweis** auf einen Kostenträger **fehlt**, entsprechend dem **Verursachungsprinzip** zunächst den jeweiligen **Kostenstellen** (Verkehrsarten/Abteilungen/Profitcenter) zugewiesen werden.

Die **Zuordnung der Gemeinkosten** zu den einzelnen **Kostenstellen** erfolgt im **Betriebsabrechnungsbogen (BAB)** nach dem **Verursachungsprinzip**. Als **Grundlage für die Zuordnung** können genutzt werden:

- **kostenstellenbezogene Belege**
- **Verteilungsschlüssel**
- **andere geeignete Zurechnungsbasen**

Danach unterscheidet man die **Gemeinkosten** in:

Kostenstellen-Einzelkosten	Kostenstellen-Gemeinkosten
→ **direkte Verteilung** auf die Kostenstellen	→ **indirekte Verteilung** auf die Kostenstellen
auf der **Grundlage von Belegen**	auf der **Grundlage von Verteilungsschlüsseln** (Wertschlüssel bzw. Mengenschlüssel)

Die **Verteilungsschlüssel** spiegeln die **Kostenverursachung durch Proportionalität zwischen der Zurechnungsbasis** und den **zu verteilenden Kosten** wieder: z. B. je größer die zu beheizende Fläche, umso größer der Verbrauch an Heizenergie.

6.3.3 Kostenstellenrechnung mithilfe des Betriebsabrechnungsbogens (BAB)

Die **Verteilung der Gemeinkosten auf die Kostenstellen** wird **in tabellarischer Form** im **Betriebsabrechnungsbogen (BAB)** durchgeführt. Er dient dazu, die Kosten der Gemeinkostenarten auf die **Kostenstellen** (Ort der Leistungserstellung und Kostenverursachung) zu verteilen. Neben der **Überwachung und Kontrolle der Kosten in den Kostenstellen** werden die **Zuschlagssätze für die Kostenträgerrechnung** (= Kalkulation) ermittelt.

Einstufiger Betriebsabrechnungsbogen (BAB)

Der **einstufige BAB** enthält **nur die Hauptkostenstellen,** z. B. Lager oder internationale Spedition, auf die die **Kosten anteilig und verursachungsgerecht** verteilt werden.

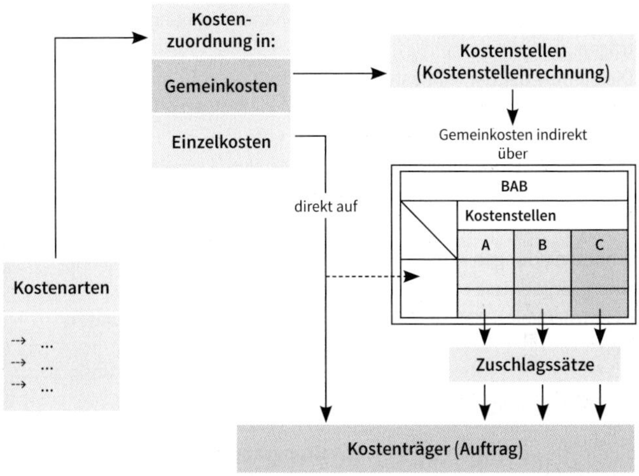

Beispiel:

Betriebsabrechnungsbogen						
Kostenarten (Gemeinkosten)	❶	Verteilungsgrundlage	Verteilungsschlüssel ❸		Abteilung I: Kraftwagenspedition	Abteilung II: internationale Spedition
			Abt. I	Abt. II		
	Euro				Euro ❸	Euro ❸
Personalkosten	269 000,00	Gehaltslisten	direkt	direkt	229 148,00	39 852,00
Fuhrparkkosten	112 000,00	Verbrauch	direkt	direkt	67 200,00	44 800,00
Miete	47 250,00	Fläche in m^2	230 m^2	40 m^2	40 250,00	7 000,00
Steuern	34 000,00	Umsatz			usw.	usw.
	Summe ❷				**Summe** ❹	**Summe** ❹

Der **einstufige BAB** weist in den **Zeilen die Kostenarten verteilt auf die einzelnen Kostenstellen** und in den **Spalten die Summe der gesamten Kosten der einzelnen Kostenstellen** aus. Der BAB wird in den folgenden Schritten erstellt (siehe Schema des BAB auf der vorigen Seite):

Schritt ❶: Die Gemeinkosten werden aus der Kostenartenrechnung in den BAB übertragen.
Schritt ❷: Die Summe der Gemeinkosten wird ermittelt.
Schritt ❸: Die einzelnen Gemeinkostenarten werden mithilfe der Verteilungsschlüssel auf die Kostenstellen verteilt.
Schritt ❹: Die Summen der Gemeinkosten je Kostenstelle werden ermittelt.

Der Betriebsabrechnungsbogen gibt der Unternehmensleitung nun Gelegenheit,

- die **Kostenentwicklungen** in den einzelnen Kostenstellen zu kontrollieren,
- die **Abteilungsergebnisse** zu analysieren und
- die **Wirtschaftlichkeit** der Kostenstellen = Abteilungen zu ermitteln und zu vergleichen.

Mehrstufiger Betriebsabrechnungsbogen

In größeren Betrieben existieren eigene **Verwaltungsabteilungen, Reparaturwerkstätten, Werbeabteilungen** u. ä. Die **Kosten** dieser Kostenstellen werden **durch die übrigen Kostenstellen verursacht;** sie stehen gewissermaßen als **Hilfsstellen** im Dienst der übrigen Kostenstellen. Daher unterscheidet man in **Hilfskostenstellen** und **Hauptkostenstellen**.

Die **Kosten der Hilfskostenstellen** müssen **auf die anderen Kostenstellen (Hauptkostenstellen) verteilt** werden. Dies erweitert den oben beschriebenen Sachverhalt, man spricht dann von einem **mehrstufigen BAB.**

In einem **mehrstufigen BAB** werden **alle Gemeinkosten** (wie im einstufigen BAB) aus der Kostenartenrechnung übernommen und zunächst auf alle Kostenstellen verteilt, sowohl **auf die Hauptkostenstellen** als auch **auf die Hilfskostenstellen** (Kostenumlage).

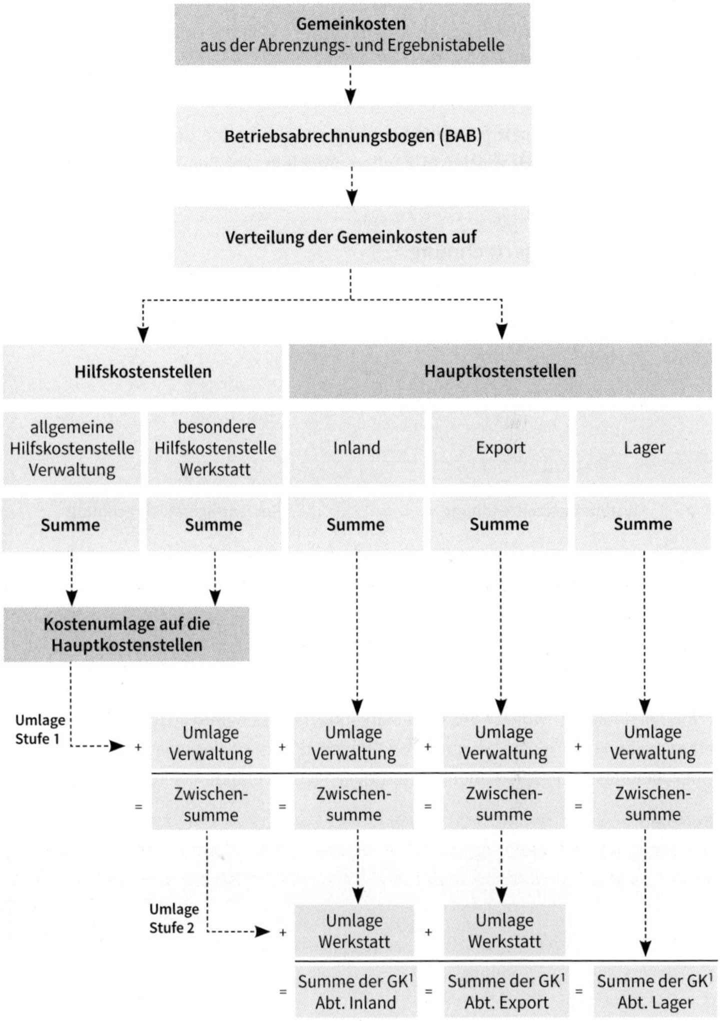

[1] *Gemeinkosten*

Die **Kostenumlage** von Hilfskostenstellen auf Hauptkostenstellen erfolgt **schrittweise**. Begonnen wird in einem **ersten Schritt (Stufe 1)** mit der **Umlage der Kosten der allgemeinen Hilfskostenstelle**. Dies erfolgt auf der Grundlage eines verursachungsgerechten Schlüssels.

In einem **zweiten Schritt (Stufe 2)** werden dann die Kosten **der besonderen Hilfskostenstellen auf die Hauptkostenstellen umgelegt**. Das Ergebnis der Kostenumlage ist die Summe aller Gemeinkosten in den jeweiligen Hauptkostenstellen.

6.3.4 Kostenträgerrechnung

Die **Kostenträgerrechnung ermittelt**, in welcher **Höhe Kosten für einzelne Kostenträger** angefallen sind. **Kostenträger** sind einzelne **Leistungseinheiten** einer Spedition, z. B. ein Speditionsauftrag.

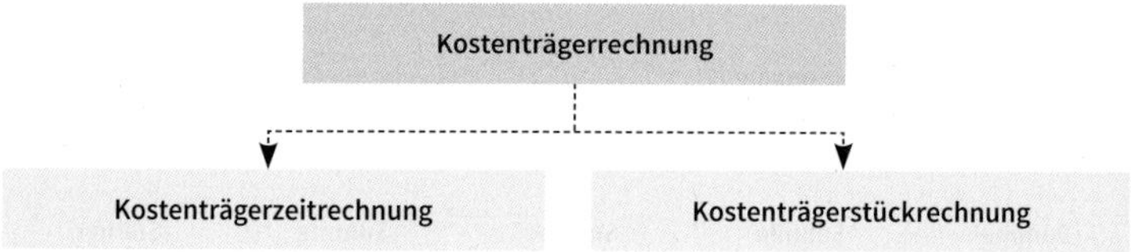

Kostenträgerzeitrechnung

Die Kostenträgerzeitrechnung hat vor allem die Aufgabe, die **Wirtschaftlichkeit der Abteilungen**, bezogen auf einzelne Aufträge innerhalb eines Zeitraumes, zu überprüfen. Die Auswertung der auftragsbezogenen Einzelergebnisse eröffnet die Möglichkeit, erfolgreiche Bereiche durch gezieltes Marketing (Marketingmix) zu fördern. In weniger erfolgreichen oder auch verlustreichen Bereichen müssen dagegen die Kosten durch Umstrukturierung gesenkt oder das Auftragsangebot verändert werden.

Beispiel:

Auszug aus dem BAB der Spedition ALLSPED GmbH: Kostenträgerzeitrechnung

		Lager	Nationaler Straßengüterverkehr	Internationaler Straßengüterverkehr
	Abteilungserlöse (Speditionserlöse/Umsatz)	309 000,00 €	1 590 000,00 €	1 396 750,00 €
–	Einzelkosten (Speditionskosten)	59 250,00 €	399 750,00 €	455 000,00 €

Fortsetzung: Auszug aus dem BAB der Spedition ALLSPED GmbH: Kostenträgerzeitrechnung				
		Lager	Nationaler Straßengüterverkehr	Internationaler Straßengüterverkehr
=	Rohergebnis	249 750,00 €	1 190 250,00 €	941 750,00 €
–	Gemeinkosten je Hauptkostenstelle (Abteilung)	228 750,00 €	1 176 000,00 €	882 000,00 €
=	Abteilungsergebnis	21 000,00 €	14 250,00 €	59 750,00 €

Kostenträgerstückrechnung

In der **Kostenträgerstückrechnung** ermittelt man die **Selbstkosten** für die einzelnen Produkte bzw. Aufträge einer Spedition. Grundlage für die Berechnung ist auch hier der mehrstufige BAB.

Der BAB weist die Gesamtkosten und Gesamterlöse der jeweiligen Abteilungen aus. Damit kann aber nicht gesagt werden, in welcher Höhe der einzelne Auftrag Kosten verursacht hat.

Schritt ❶: Daher muss zunächst die **Kalkulation der Selbstkosten** und der **Erlöse** auf der Basis des BAB als **Gesamtkalkulation** durchgeführt werden.

Schritt ❷: Auf der Grundlage der Gesamtkalkulation werden nun **Zuschlagssätze** errechnet, mit denen die gesamten **Kosten auf die einzelnen Aufträge verteilt werden** (Stückkalkulation).

Beispiel:

Gesamtkalkulation: Ermittlung der Zuschlagssätze für die Abteilung Internationaler Straßengüterverkehr						
Gesamtkalkulation						
❶	Einzelkosten der Abt.	455 000,00 €	=	100 %		
+	Gemeinkosten	882 000,00 €	=	x %	**Zuschlagssatz für Gemeinkosten ❷**	**193,85 %***[1]
=	Selbstkosten	1 337 000,00 €	=	100 %		

Fortsetzung: Gesamtkalkulation: Ermittlung der Zuschlagssätze für die Abteilung Internationaler Straßengüterverkehr						
+	Gewinn	59 750,00 €	=	x %	**Zuschlagssatz für Gewinn** ❷	**4,47 %***2
=	**Erlöse (Umsatz)**	**1 396 750,00 €**				

*1 Berechnung des Zuschlagssatzes:

Einzelkosten der Abteilung:	455 000,00 € =	100 %
Gemeinkosten der Abteilung:	882 000,00 € =	x %
		x = 193,85 %

*2 Berechnung des Gewinnzuschlagssatzes:

Selbstkosten der Abteilung:	1 337 000,00 € =	100 %
Gewinn der Abteilung:	59 750,00 € =	x %
		x = 4,47 %

Mithilfe der in der **Gesamtkalkulation** ermittelten **Zuschlagssätze** kann nun in der **Kostenträgerstückrechnung (Kalkulation)** der **Preis für einen Speditionsauftrag** in einer speziellen Abteilung auf der Grundlage der Zuschlagssätze für die in dieser Abteilung angefallenen Gemeinkosten **berechnet werden**.

In der **Preiskalkulation** (Kostenträgerstückrechnung) werden für **jeden Auftrag die Einzelkosten des Auftrages unabhängig** vom BAB ermittelt. Die **anfallenden Gemeinkosten** werden den **Einzelkosten anteilig** durch die **Zuschlagssätze hinzugerechnet**.

Kalkulation (Kostenträgerstückrechnung) für die Abteilung Internationaler Straßengüterverkehr auf der Grundlage des BAB

Gesamtkalkulation		Euro		Stückkalkulation		Euro
	Einzelkosten der Abt.	455 000,00		**Einzelkosten des Auftrags**		500,00
+	Gemeinkosten der Abt.	882 000,00	+	**Zuschlag für Gemeinkosten**	193,85 %	969,25
=	Selbstkosten der Abt.	1 337 000,00	=	**Selbstkostenpreis**		1 469,25
+	Gewinn der Abt.	59 750,00	+	**Zuschlag für Gewinn**	4,47 %	65,68
=	Erlöse (Umsatz) der Abt.	1 396 750,00	=	**Nettopreis der Leistung**		**1 534,93**

In der Praxis wird die **Kostenträgerrechnung** u. a. in der **Kalkulation der Fahrzeugkosten** angewendet: Darstellung ab Seite 64 f.

7 Aufbau einer Teilkostenrechnung: Deckungsbeitragsrechnung

Die **Teilkostenrechnung** setzt voraus, dass alle Kosten eines Betriebes in **beschäftigungsunabhängige = fixe Kosten** und **beschäftigungsabhängige Kosten = variable Kosten** unterteilt werden. Damit wird die Abhängigkeit der Kosten von der Beschäftigung erkennbar.

Kosten	
fixe Kosten zeitabhängig/beschäftigungsunabhängig	**variable Kosten** beschäftigungsabhängig
Kosten, die unabhängig von der Leistung (Umsatz, geleistete Stunden eines Fahrzeugs u. Ä.) **eines Betriebes anfallen, sind fix**. Sie werden auch **Kosten der Betriebsbereitschaft** genannt, weil sie durch die Bereitstellung einer bestimmten Betriebsgröße verursacht werden. **Beispiele für fixe Kosten:** --› *Gehälter* --› *Miete u. a.*	**Kosten, die nur anfallen, wenn eine Leistung erbracht wird, bezeichnet man als variable Kosten.** Sie verändern sich folglich mit dem Umsatz. **Beispiele für variable Kosten:** --› *auftragsgebundene Kosten* --› *Fahrerlöhne* --› *Kraftstoffverbrauch*

Die Aufteilung in fixe und variable Kosten dient zur **Ermittlung des Deckungsbeitrages.**

▶ **Deckungsbeitrag = Differenz zwischen Umsatzerlösen und variablen Kosten**

Der **Deckungsbeitrag** wird wie folgt berechnet:

Umsatzerlöse (netto)	**Umsatzerlöse (netto)**
./. Speditionskosten (variable Einzelkosten)	
= Rohergebnis	
./. variable Gemeinkosten	./. variable Kosten (zusammengefasst)
= Deckungsbeitrag	**= Deckungsbeitrag**

Aus dem **Deckungsbeitrag** müssen die **fixen Kosten** und **der Gewinn** des Unternehmens **bestritten** werden:

↓	↓
= Deckungsbeitrag	= Deckungsbeitrag
./. fixe Kosten	./. fixe Kosten
= Betriebsergebnis	= Betriebsergebnis

Für das Betriebsergebnis gilt:

- **Deckungsbeitrag > fixe Kosten = Gewinn**
- **Deckungsbeitrag < fixe Kosten = Verlust**

7.1 Preisuntergrenze

Die **Preisuntergrenze** entspricht dem **Verkaufspreis (netto)**, der von den Auftraggebern (Kunden) **verlangt werden muss**, wenn das Speditionsunternehmen im **Wettbewerb bestehen** will.

Man unterscheidet in diesem Zusammenhang zwischen **langfristiger** und **kurzfristiger Preisuntergrenze**.

Langfristige Preisuntergrenze

Langfristig müssen die Umsatzerlöse höher liegen als die gesamten Kosten, damit ein Gewinn erwirtschaftet wird, der das Überleben eines Betriebes sichert.

- **Langfristige Preisuntergrenze: Verkaufspreis (netto) deckt variable und fixe Kosten, erwirtschaftet aber keinen Gewinn (Gewinn = 0).**

Bei der **Vollkostenrechnung** fragt man, ob die **Umsatzerlöse** die **gesamten Kosten** übersteigen, in der **Deckungsbeitragsrechnung** (Teilkostenrechnung) muss die Summe aller **Deckungsbeiträge** über den fixen Kosten liegen.

Kurzfristige Preisuntergrenze

Kurzfristig kann man davon ausgehen, dass bei einer gegebenen Betriebsgröße fixe Kosten in bestimmter Höhe anfallen. **Jeder Auftrag**, der einen **positiven Deckungsbeitrag** aufweist, trägt zur **Deckung der fixen Kosten** bei und wird daher **angenommen**.

- **Kurzfristige (absolute) Preisuntergrenze: Verkaufspreis (netto) deckt die variablen Kosten.**

Wenn ein Auftrag keinen Deckungsbeitrag erwirtschaftet **(DB = 0)**, ist damit die **absolute Preisuntergrenze** erreicht.

7.2 Zusatzauftrag

Über die Annahme eines zusätzlichen Auftrages entscheidet ein Unternehmen auf der Grundlage der Deckungsbeitragsrechnung.

Die **Annahme** oder Ablehnung eines **Zusatzauftrages** ist davon abhängig, ob der Zusatzauftrag einen **positiven Deckungsbeitrag** erbringt.

Jeder **Deckungsbeitrag > 0** trägt zur Deckung der sowieso anfallenden fixen Kosten und damit zur **Verbesserung des Betriebsergebnisses** bei.

Auftragsannahme, wenn Deckungsbeitrag größer 0 ist

Beispiel:

Ergebnisrechnung ohne Zusatzauftrag		**Ergebnisrechnung mit Zusatzauftrag (Erlös 10 000,00 €)**	
Umsatzerlöse	**250 000,00 €**	**Umsatzerlöse**	**260 000,00 €**
./. variable Kosten	160 000,00 €	./. variable Kosten	168 000,00 €
= Deckungsbeitrag	**90 000,00 €**	**= Deckungsbeitrag**	**92 000,00 €**
./. fixe Kosten	110 000,00 €	./. fixe Kosten	110 000,00 €
= Verlust	**20 000,00 €**	**= Verlust**	**18 000,00 €**

Der zusätzliche Auftrag trägt mit 2 000,00 € zur Deckung der fixen Kosten bei. Der Verlust verringert sich in gleicher Höhe.

7.3 Sortimentspolitik

Umsatzerlöse
./. variable Kosten
Summe der Deckungsbeiträge
./. fixe Kosten
Gewinn

In der Deckungsbeitragsrechnung wird dann ein Gewinn ausgewiesen, wenn **die Summe aller Deckungsbeiträge** (kumulierte Werte) **einer Periode** die **entstandenen Fixkosten übersteigt**.

Ein Unternehmen wird daher in seiner **Sortimentspolitik** jene Sortimentsteile (z. B. Leistungsgruppen/Abteilungen) besonders fördern, die den **höchsten Deckungsbeitrag** erbringen.

Absolute Deckungsbeiträge

Ein Unternehmen kann die **absoluten Deckungsbeiträge** zur **Grundlage seiner Sortimentspolitik** machen. Die **Förderung der Abteilungen**, z. B. aus dem Werbebudget, erfolgt entsprechend dem **Ranking der Deckungsbeiträge:** Abteilung 1 – Abteilung 3 – Abteilung 2.

	Abteilung 1	Abteilung 2	Abteilung 3
DB pro Abteilung	1 650 560,00 €	−12 500,00 €	464 475,00 €
DB pro Auftrag	360,00 €	−5,00 €	275,00 €
Rangfolge	**1**	**3**	**2**

(DB = Deckungsbeitrag)

Erwirtschaftet eine Leistungsgruppe/Abteilung längerfristig einen **negativen Deckungsbeitrag**, ist zu erwägen, ob z. B. die Abteilung geschlossen werden soll. Durch die **Schließung der Abteilung entfallen die negativen Deckungsbeiträge** und zusätzlich wird das Ergebnis durch den **Wegfall der fixen Kosten** verbessert.

Relative Deckungsbeiträge

Setzt man die Deckungsbeiträge mithilfe der Prozentrechnung zu den Umsätzen in Beziehung, erhält man eine Information darüber, welche Leistungsgruppe pro 100,00 € Umsatz den besten Deckungsbeitrag erwirtschaftet. Diese **relativen Deckungsbeiträge spiegeln die Ertragskraft einer Leistungsgruppe** besonders gut wider.

	Abteilung 1	Abteilung 2	Abteilung 3
Umsatzerlöse	400 000,00 €	600 000,00 €	200 000,00 €
Deckungsbeitrag	163 000,00 €	170 000,00 €	110 000,00 €
Rangfolge	**40,715 % (2)**	**28,33 % (3)**	**55,00 % (1)**

7.4 Mehrstufige Deckungsbeitragsrechnung

Erste Stufe

In der **mehrstufigen Deckungsbeitragsrechnung** werden **zunächst** (wie in der einstufigen Deckungsbeitragsrechnung) die variablen Kosten (**variable Einzelkosten** = Speditionskosten und die **variablen Gemeinkosten**) von den Umsatzerlösen abgezogen, um den **Deckungsbeitrag 1** zu erhalten.

	Speditionserlöse
–	**Speditionskosten**
=	**Abteilungsrohertrag**
–	**variable Gemeinkosten**
=	**Deckungsbeitrag 1**

Zweite Stufe

	Deckungsbeitrag 1
–	**abteilungsfixe Kosten**
=	**Deckungsbeitrag 2**
–	**unternehmensfixe Kosten**
=	**Betriebsergebnis**

Der **Fixkostenblock** wird aufgeteilt in

- **abteilungsfixe Kosten** und
- **unternehmensfixe Kosten**.

Abteilungsfixe Kosten sind solche Kosten, die von der **einzelnen Abteilung verursacht werden** und ihr damit **direkt zugeordnet** werden können. Sie lassen sich **durch Entscheidungen der Führungskräfte** während des Geschäftsjahres **beeinflussen**.

Auch die **unternehmensfixen Kosten** werden durch die einzelnen Abteilungen verursacht, können aber **nicht einer Abteilung direkt zugeordnet** werden, weil der direkte Nachweis der Verursachung durch die jeweilige Abteilung nicht möglich ist. Die unternehmensfixen Kosten werden daher **von allen Abteilungen gemeinsam** getragen.

Die unternehmensfixen Kosten werden weitgehend von der Unternehmensleitung gestaltet.

Die mehrstufige Deckungsbeitragsrechnung ermöglicht also die **Erfassung der Kosten** und des **Ergebnisses für die Abteilungen**:

Zweistufige Deckungsbeitragsrechnung				
Umsatzerlöse/Kostenarten		Nationale Spedition	Internationale Spedition	Insgesamt
	Speditionserlöse	950 000,00 €	550 000,00 €	1 500 000,00 €
./.	Speditionskosten	100 000,00 €	220 000,00 €	320 000,00 €
=	Abteilungsrohertrag	850 000,00 €	330 000,00 €	1 180 000,00 €
./.	variable Gemeinkosten	65 000,00 €	25 000,00 €	90 000,00 €
=	**Deckungsbeitrag 1**	**785 000,00 €**	**305 000,00 €**	**1 090 000,00 €**
./.	abteilungsfixe Kosten	590 000,00 €	195 000,00 €	785 000,00 €
=	**Deckungsbeitrag 2**	**195 000,00 €**	**110 000,00 €**	**305 000,00 €**
./.	unternehmensfixe Kosten	144 000,00 €	36 000,00 €	180 000,00 €
=	**Betriebsergebnis**	**51 000,00 €**	**74 000,00 €**	**125 000,00 €**

Besonders deutlich wird, **in welchem Umfang die einzelne Abteilung einen Beitrag zur Deckung** der von der Abteilung verursachten **direkten Kosten erwirtschaftet** hat und in welchem Maße sie auch zur **Deckung der unternehmensbezogenen Fixkosten beiträgt**. Nur dann, wenn die **Summe der Deckungsbeiträge 2** aus den Abteilungen **positiv** ist, werden die **unternehmensfixen Kosten abgedeckt** und ein positives Betriebsergebnis **(Betriebsgewinn)** erzielt.

Die **Schließung einer Abteilung**, deren **Deckungsbeitrag 2 negativ** ist, hat zur **Folge**, dass zwar einerseits **die abteilungsfixen Kosten, aber auch die Erlöse der Abteilung entfallen**, andererseits aber **die unternehmensfixen Kosten auf die übrigen Abteilungen verteilt** werden müssen. Die Entscheidung über eine Schließung ergibt sich aus der **Auswirkung** der Schließung auf das **Gesamtergebnis** des Unternehmens.

7.5 Gewinnschwelle (Break-Even-Point)

Die **Deckungsbeitragsrechnung** beruht auf dem **Prinzip der Kostentrennung** der **Gesamtkosten in fixe und variable Kosten**.

In diesem Zusammenhang ist immer **von Bedeutung**, ob letztlich – auf eine Abrechnungsperiode bezogen – die **Summe der Deckungsbeiträge aus den Aufträgen** die **angefallenen Gesamtkosten (fixe + variable) decken** konnte und zusätzlich der **geplante Gewinn** erwirtschaftet wurde.

Daher stellt sich die Frage:

Ab welcher **Auftragsmenge/Umsatzmenge** gelangt das Unternehmen **aus der Verlustzone in die Gewinnzone?**

Dieser Punkt ist erreicht, wenn die **Höhe der Umsatzerlöse gleich der Höhe der Gesamtkosten** ist.

- **Gewinnschwelle (Break-Even-Point): Umsatzerlöse = Gesamtkosten**

oder anders ausgedrückt:

- **Summe der Deckungsbeiträge = Summe der fixen Kosten**

Weitere Berechnungen zur Gewinnschwelle (Break-Even-Point):

- **Gewinnmaximum:** → Kapazitätsgrenze → maximale Beschäftigung = 100 %

- **Absatzmenge am BEP =** (Gewinnschwellenmenge)

$$\frac{\textit{Fixkosten}}{\textit{Deckungsbeitrag pro Auftrag (db)}^{1}}$$

- **Umsatz am BEP =** (Gewinnschwellenumsatz)

$$\frac{\textit{Fixkosten}}{\textit{Deckungsbeitrag pro Stk.(db)}} \cdot \textit{VK-Preis}$$

- **Beschäftigungsgrad** $= \frac{\textit{tatsächliche Beschäftigung (Auslastung)}}{\textit{maximale Beschäftigung}} \cdot 100$

[1] *Auch: DB pro Stück bzw. DB pro Menge.*

D

KAUFMÄNNISCHES RECHNEN

Kaufmännisches Rechnen

- **Durchschnittsrechnung**
  - einfacher Durchschnitt
  - gewogenen Durchschnitt
- **Verteilungsrechnung**
- **Dreisatzrechnung**
  - gerades Verhältnis
  - ungerades Verhältnis
  - zusammengesetzt
- **Währungsrechnung**
  - EUR in Fremdwährung
  - Fremdwährung in EUR
- **Prozentrechnung**
  - Vergleichsrechnung
  - vermehrter Grundwert
  - verminderter Grundwert
- **Zinsrechnung**
  - Zinsen, Zeit und Kapital
  - summarische Zinsrechnung
  - Effektivverzinsung

1 Durchschnittsrechnen

1.1 Einfacher Durchschnitt

Mithilfe der Durchschnittsrechnung wird aus mehreren Einzelwerten ein mittlerer Wert (= Durchschnittswert) errechnet.

Beispiel: *In einer Berufsschule stellen die Schülerinnen und Schüler fest, dass ihre Ausbildungsbetriebe unterschiedliche Beträge als Ausbildungsvergütung auszahlen: 460,00 €, 480,00 €, 590,00 €, 620,00 € und 650,00 €. Sie möchten wissen, wie viel ihre Betriebe im Durchschnitt vergüten.*

Lösungsweg

Zunächst werden die einzelnen Werte zu einer Summe addiert:	460,00 € + 480,00 € + 590,00 € + 620,00 € + 650,00 € **= 2 800,00 €**	
Um den Durchschnittswert aller Ausbildungsvergütungen zu berechnen, muss nun die ermittelte Summe durch die Anzahl der einzelnen Vergütungen geteilt werden:	$\frac{2\,800{,}00\ €}{5} = 560{,}00\ €$	
Kürzer dargestellt:	(460,00 € + 480,00 € + 590,00 € + 620,00 € + 650,00 €) : 5	$\frac{\mathbf{2\,800{,}00\ €}}{5} = 560$
Kaufleute bevorzugen häufig die Staffelform als Lösungsweg:	Euro Größe 1 460,00 + Größe 2 480,00 + Größe 3 590,00 + Größe 4 620,00 + Größe 5 650,00 2 800,00 : 5 Posten = 2 800,00 : 5 = 560,00 €	

Allgemein lautet die Formel zur Berechnung des einfachen Durchschnitts (n = beliebige ganze Zahl):

$$\frac{\text{Größe 1} + \text{Größe 2} + \text{Größe 3} \ldots + \text{Größe n}}{\text{Anzahl der Posten}} = \textbf{einfacher Durchschnitt}$$

Arbeitsschritte

Einfacher Durchschnitt:

1. Die einzelnen Posten addieren.
2. Die Summe aus der Addition durch die Anzahl der einzelnen Posten teilen.

1.2 Gewogener Durchschnitt

Der Durchschnitt kann auch dann errechnet werden, wenn die Größen (Einzelwerte) in unterschiedlichen Anteilen (Mengen, Gewichten) an einer Gesamtgröße (Gesamtmenge, Gesamtwert) beteiligt sind. Da in diesem Fall die verschiedenen Größen ihrem Anteil entsprechend berücksichtigt, d. h. gewogen oder gewichtet werden müssen, wird das Ergebnis „gewogener Durchschnitt" genannt.

Beispiel: *Die Schülerinnen und Schüler der oben erwähnten Berufsschule stellen fest, dass 9 Azubis von ihren Ausbildungsbetrieben 460,00 € Ausbildungsvergütung, 8 Azubis 480,00 €, 5 Azubis 490,00 €, 6 Azubis 520,00 € und 2 Azubis 550,00 € erhalten. Sie möchten die durchschnittliche Ausbildungsvergütung ermitteln.*

Lösungsweg

Zunächst werden die unterschiedlichen Euro-Beträge mit der jeweiligen Zahl der Schüler, die eine Ausbildungsvergütung in dieser Höhe erhalten, multipliziert. Die sich daraus ergebenden Einzelergebnisse werden addiert:	$(9 \cdot 460{,}00\,€) + (8 \cdot 480{,}00\,€) + (5 \cdot 490{,}00\,€) + (6 \cdot 520{,}00\,€) + (2 \cdot 550{,}00\,€)$ $= 4\,140{,}00\,€ + 3\,840{,}00\,€ + 2\,450{,}00\,€ +$ $3\,120{,}00\,€ + 1\,100{,}00\,€$ $= 14\,650{,}00\,€$
Um den gewogenen Durchschnitt zu erhalten, ist nun die Gesamtsumme durch die Zahl der Schüler zu teilen:	$\dfrac{\mathbf{14\,650{,}00\,€}}{30} = \mathbf{488{,}33\,€}$
Kürzer dargestellt:	$\dfrac{(9 \cdot 460{,}00\,€) + (8 \cdot 480{,}00\,€) + (5 \cdot 490{,}00\,€) + (6 \cdot 520{,}00\,€) + (2 \cdot 550{,}00\,€)}{30} = 488{,}33$

Kaufleute bevorzugen häufig die Staffelform als Lösungsweg:	Menge 1: 9 Schüler · Größe 1: 460,00 € = 4 140,00 € + Menge 2: 8 Schüler · Größe 2: 480,00 € = 3 840,00 € + Menge 3: 5 Schüler · Größe 3: 490,00 € = 2 450,00 € + Menge 4: 6 Schüler · Größe 4: 520,00 € = 3 120,00 € + Menge 5: 2 Schüler · Größe 5: 550,00 € = 1 100,00 € 30 Schüler	14 650,00 € : 30 **= 488,33 €**
	(Summe der Mengen)	**(gewogener Durchschnitt)**

Allgemein lautet die Formel zur Berechnung des gewogenen Durchschnitts:

$$\frac{\text{Menge 1} \cdot \text{Größe 1} + \text{Menge 2} \cdot \text{Größe 2} + \text{Menge 3} \cdot \text{Größe 3} \ldots + \text{Menge n} \cdot \text{Größe n}}{\text{Summe der Mengen}} = \text{gewogener Durchschnitt}$$

Arbeitsschritte

Gewogener Durchschnitt:

1. Die unterschiedlichen Mengen (z. B. Schüler/-innen) mit den verschiedenen Größen (z. B. Euro-Beträge) multiplizieren.
2. Die in 1. ermittelten Zwischenergebnisse addieren.
3. Die in 2. errechnete Gesamtsumme wird durch die Summe der Mengen (z. B. 30 Schüler/-innen einer Klasse) geteilt.

2 Verteilungsrechnung

Geldbeträge, Warenmengen usw. werden auf verschiedene Verteilungsträger (z. B. Beschäftigte, Niederlassungen, Filialen usw.) auf der Grundlage von **Verteilungsschlüsseln** verteilt.
Diese Verteilungsschlüssel sind entweder

- fest vorgegeben, z. B. 1 : 3 : 5 oder
- müssen aus einer Verteilungsgrundlage errechnet werden.

Beispiel: *Der Gesamtumsatz von drei Kundenberaterinnen betrug in der 15. Woche 36 000,00 €.*

Umsatz Kundenberaterin A:	*7 200,00 €*
Umsatz Kundenberaterin B:	*10 800,00 €*
Umsatz Kundenberaterin C:	*18 000,00 €*
Summe	*36 000,00 €*

Auf den Umsatz von 36 000,00 € wird eine Umsatzprämie in Höhe von 540,00 € gezahlt. Wie soll die Vergütung auf die drei Kundenberaterinnen verteilt werden? Gesucht wird also der Verteilungsschlüssel.

Lösungsweg

Die Grundlage für die Verteilung der Vergütung sind die von den Kundenberaterinnen jeweils erzielten Umsätze. Aus den Umsätzen der einzelnen Kundenberaterinnen lässt sich der Verteilungsschlüssel durch Kürzen errechnen:
Umsatz Kundenberaterin A: 7 200,00 € : 100 = 72 Anteile : 36 = 2 Anteile
Umsatz Kundenberaterin B: 10 800,00 € : 100 = 108 Anteile : 36 = 3 Anteile
Umsatz Kundenberaterin C: 18 000,00 € : 100 = 180 Anteile : 36 = 5 Anteile

Rechenschema

Kundenberater	Umsatz in Euro	Verteilungsschlüssel	Anteil in Euro [1]	Vergütung in Euro
A	7 200,00	2	54,00	(2 · 54,00 =) **108,00**
B	10 800,00	3	54,00	(3 · 54,00 =) **162,00**
C	18 000,00	5	54,00	(5 · 54,00 =) **270,00**
		10		

[1] *10 Teile entsprechen 540,00 €. 1 Teil entspricht* $\frac{540{,}00\ €}{10} = 54{,}00\ €$.

Manchmal sind als Verteilungsschlüssel auch Bruchzahlen vorgegeben. Dann müssen diese Bruchzahlen in ganze Zahlen umgewandelt werden.

Beispiel:

1/2	=	*3/6*	*3 Anteile*	*Die Zähler (als ganze Zahlen) gelten als Verteilungsschlüssel.*
1/3	=	*2/6*	*2 Anteile*	
1/6	=	*1/6*	*1 Anteil*	
Summe		*6/6*	*6 Anteile*	

(Anmerkung: Die vorgegebenen Bruchzahlen müssen zunächst mit den Regeln der Bruchrechnung „gleichnamig“ gemacht werden. Der gleichnamige Nenner der Nenner: bei 2/3/6 ist der Nenner 6.)

Arbeitsschritte

Verteilungsrechnen:

1. Verteilungsgrundlage ermitteln
2. Rechenschema erstellen
3. gegebene Werte in das Schema eintragen
4. vorgegebenen Verteilungsschlüssel benutzen oder errechnen
5. Summe der Teile bestimmen
6. Wert für 1 Teil ermitteln = Verteilungssumme/Summe der Teile = 1 Anteil
7. Anteile nach Verteilungsschlüssel errechnen

3 Dreisatzrechnen

3.1 Dreisatz mit geradem Verhältnis

Mithilfe der Dreisatzrechnung lassen sich rechnerische Probleme lösen, bei denen aus einer gegebenen Situation auf eine neue Situation geschlossen wird. Dabei sind die Werteverhältnisse der jeweiligen Größen gerade, d. h., bei Änderung einer Größe verändert sich die andere im gleichen Verhältnis.

Beispiel: *Ein Arbeitnehmer erhält für durchschnittlich 167 Arbeitsstunden im Monat 1 700,00 €. Durch eine Betriebsvereinbarung wird die Stundenzahl auf 175 Stunden erhöht. Das Gehalt soll im gleichen Maße steigen; Überstundenzuschläge werden nicht bezahlt. Mit welchem Gehalt kann der Arbeitnehmer rechnen?*

Lösungsweg

1. Liegt ein gerades oder ungerades Verhältnis der Zahlen vor?

Wenn der Arbeitnehmer 167 Stunden arbeitet, erhält er 1 700,00 € Monatsgehalt. Arbeitet er mehr Stunden, erhält er auch mehr Gehalt.	167 Stunden 175 Stunden **mehr** Stunden	≙ ≙ ≙	1 700,00 € mehr Euro **mehr** Gehalt
	+		+

2. Berechnung

Die ursprüngliche Situation wird im Bedingungssatz dargestellt. Der Bedingungssatz enthält die beiden bekannten Größen:	**Bedingungssatz:**	Für 167 Arbeitsstunden erhält der Arbeitnehmer 1 700,00 €.
Die veränderte Situation wird dann im Fragesatz erfasst. Der Satz bezieht sich auf die gesuchte (unbekannte) Größe:	**Fragesatz:** Kürzer ausgedrückt:	Wie viel Euro erhält er für 175 Arbeitsstunden? 167 Stunden ≙ 1 700,00 € 175 Stunden ≙ x €

Im Bruchsatz wird von der bekannten Vielheit (hier 167 Stunden) zunächst auf 1 Einheit (hier 1 Stunde) geschlossen und dann auf die gesuchte Größe (hier 175 Stunden) umgerechnet:	**Bruchsatz:**	167 Stunden ≙ 1 700,00 175 Stunden ≙ x € $\frac{1\,700{,}00 \cdot 175}{167} = 1\,781{,}44$	
	Erläuterung:	1 700,00 $\frac{1\,700{,}00}{\searrow 167}$ $\frac{1\,700{,}00 \cdot 175}{167 \nearrow}$	167 Stunden entsprechen 1 700,00 €. Teilt man 1 700,00 € durch 167 Stunden, erhält man die Vergütung für 1 Stunde. (1 700,00 : 167 = 10,18 €) Da man aber wissen möchte, wie hoch die Vergütung für 175 Stunden ist, multipliziert man das Zwischenergebnis mit 175 und erhält 1 781,44 €. Die Pfeile im Bruch sollen deutlich machen, wie in der Dreisatzrechnung zu überlegen ist.
Die Aufgabe wird also in drei Rechenschritten gelöst:	(1) Für 167 Stunden erhält er 1 700,00 €. (2) Für 1 Stunde erhält er weniger, nämlich $\frac{1\,700{,}00\ €}{167\ \text{Stunden}}$ (3) Für 175 Stunden erhält er mehr als für 1 Stunde, nämlich = $\frac{1\,700{,}00 \cdot 175}{167}$ 1 781,44 €.		

Für 175 Stunden erhält der Arbeitnehmer 1 781,44 € (Antwort auf die Ausgangsfrage).

Fazit

- Je mehr Stunden ein Arbeitnehmer leistet, desto mehr Geld erhält er bzw.
- je weniger Stunden geleistet werden, desto weniger Geld wird gezahlt.

Je **mehr** ...,	desto **mehr** ... bzw.
+	+
je **weniger** ...,	desto **weniger** ...
–	–

Arbeitsschritte

Dreisatzrechnen mit geradem Verhältnis:

1. Was ist gegeben (= Bedingungssatz)?
2. Wie verändert sich die Situation (= Frage)?
3. Berechnung in den Schritten der Dreisatzrechnung:
   - --→ Bedingung formulieren
   - --→ Bezug nehmen auf die Einheit
   - --→ Bezug nehmen auf die gesuchte Größe

3.2 Dreisatz mit ungeradem Verhältnis

Bei der Dreisatzrechnung mit ungeradem Verhältnis vollziehen sich die Wertveränderungen der jeweiligen Größen im entgegengesetzten Sinn, d. h., die Vergrößerung eines Wertes führt zu einer Verringerung des anderen Wertes.

Beispiel: *Die Inventurarbeiten im Warenlager eines Unternehmens der Kontaktlogistik werden von sechs Arbeitskräften in 12 Stunden erledigt. Wie lange dauern die Inventurarbeiten, wenn noch zwei weitere Arbeitskräfte für diese Arbeiten abgestellt werden?*

Lösungsweg

1. Liegt ein gerades oder ungerades Verhältnis der Zahlen vor?

Wenn die Inventurarbeiten von 6 Arbeitskräften in 12 Stunden erledigt werden können, brauchen **mehr** Arbeitskräfte **weniger** Arbeitszeit.	6 Arbeitskräfte 8 Arbeitskräfte **mehr** Arbeitskräfte	≙ ≙ ≙	12 Stunden weniger Stunden **weniger** Stunden
	+		–

2. Berechnung

Die ursprüngliche Situation (Bedingungssatz) lautet:	**Bedingungssatz:**	6 Arbeitskräfte sind 12 Stunden lang beschäftigt.
Die veränderte Situation wird dann im Fragesatz erfasst:	**Fragesatz:** Zusammengefasst:	Wie viele Stunden brauchen 8 Arbeitskräfte für die gleiche Arbeit? 6 Arbeitskräfte ≙ 12 Stunden 8 Arbeitskräfte ≙ x Stunden

Die Lösung erfolgt in drei Gedankenschritten:	(1) 6 Arbeitskräfte brauchen 12 Stunden. (2) 1 Arbeitskraft braucht länger, nämlich $12 \cdot 6$ Stunden. (3) 8 Mitarbeiter/-innen brauchen weniger Zeit, nämlich $\frac{12 \cdot 6}{8}$ Stunden.	
Kürzere Darstellung:	**Bedingungssatz:** **Fragesatz:** **Bruchsatz:**	6 Arbeitskräfte ≙ 12 Stunden 8 Arbeitskräfte ≙ x Stunden $\frac{12 \cdot 6}{8}$ = **9 Stunden**

Fazit

- Je mehr Arbeitskräfte mit einer Aufgabe beauftragt sind, desto weniger Bearbeitungszeit brauchen sie bzw.
- je weniger Arbeitskräfte zur Verfügung stehen, desto mehr Bearbeitungszeit brauchen sie.

Je **mehr** ...,	desto **weniger** ... bzw.
+	–
je **weniger** ...,	desto **mehr** ...
–	+

Arbeitsschritte

Dreisatzrechnen mit ungeradem Verhältnis:

1. Was ist gegeben (= Bedingungssatz)?
2. Wie verändert sich die Situation (= Frage)?
3. Berechnung in den Schritten der Dreisatzrechnung:
   - Bedingung formulieren
   - Bezug nehmen auf die Einheit
   - Bezug nehmen auf die gesuchte Größe

3.3 Zusammengesetzter Dreisatz

Mithilfe des zusammengesetzten Dreisatzes lassen sich rechnerische Probleme lösen, bei denen sich mehrere Größen gleichzeitig ändern. Wie der Name sagt, handelt es sich um mehrere Dreisätze, die in einem Rechengang gelöst werden.

Dabei kann es sich um Dreisätze mit geradem oder ungeradem Verhältnis handeln. Der Rechenweg aus der Dreisatzrechnung wird nur unwesentlich verändert.

Beispiel: *In einer Spedition wurde der Reinigungsdienst bisher von 5 Arbeitskräften in der Zeit von 18:30 bis 21:30 Uhr geleistet. Die zu reinigende Fläche betrug 600 m². Nach einem Umbau beträgt die Reinigungsfläche 800 m². Außerdem steht nur noch die Zeit von 19:00 bis 21:30 Uhr als Arbeitszeit zur Verfügung. Der Personalchef möchte wissen, wie viele Arbeitskräfte er unter diesen Bedingungen benötigt.*

Lösungsweg

Die ursprüngliche Situation (Bedingungssatz) lautet:	**Bedingungssatz:**	Bei 600 m² Fläche und 3 Stunden Arbeitszeit sind für die Reinigung 5 Arbeitskräfte erforderlich.
Die veränderte Situation wird dann im Fragesatz erfasst:	**Fragesatz:** Zusammengefasst:	Wie viele Arbeitskräfte sind notwendig, wenn 800 m² zu reinigen sind und lediglich 2,5 Stunden Arbeitszeit zur Verfügung stehen? 600 m² ≙ 3 Stunden ≙ 5 Arbeitskräfte 800 m² ≙ 2,5 Stunden ≙ x Arbeitskräfte
Für die Lösung wird der zusammengesetzte Dreisatz in einzelne Dreisätze aufgeteilt:	**1. Dreisatz (gerades Verhältnis)** (1) Für 600 m² benötigt man 5 Arbeitskräfte. (2) Für 1 m² benötigte man weniger, nämlich $\frac{5}{600}$ Arbeitskräfte. (3) Für 800 m² benötigt man mehr als für 1 m², nämlich $\frac{5 \cdot 800}{600}$ Arbeitskräfte.	
	2. Dreisatz (ungerades Verhältnis) (1) Bei 3 Stunden Arbeitszeit benötigt man $\frac{5 \cdot 800}{600}$ Arbeitskräfte. (2) Bei 1 Stunde Arbeitszeit benötigt man mehr, nämlich $\frac{5 \cdot 800 \cdot 3}{600}$ Arbeitskräfte. (Da die gleiche Arbeit in kürzerer Zeit zu erledigen ist). (3) Bei 2,5 Stunden benötigt man weniger Arbeitskräfte, als wenn nur 1 Stunde gearbeitet werden würde, nämlich $\frac{5 \cdot 800 \cdot 3}{600 \cdot 2{,}5}$ = **8 Arbeitskräfte.**	

Erläuterung:

1. Dreisatz (600 m² … 5 Arbeitskräfte)
2. Dreisatz (3 Stunden … 5 Arbeitskräfte)

600 m^2	≙	3 Stunden	≙	5 Arbeitskräfte
800 m^2	≙	2,5 Stunden	≙	x Arbeitskräfte

Bruchsatz: $\frac{5 \cdot 800 \cdot 3}{↘ 600 ↗ \cdot 25 ↙}$ **= 8 Arbeitskräfte**

Arbeitsschritte

Dreisatzrechnen (zusammengesetzter Dreisatz):

1. Bedingungs- und Fragesatz formulieren
2. Für jede Größe einen einfachen Dreisatz in folgenden Schritten aufstellen:
   - → Was ist gegeben?
   - → Bezug auf eine Einheit
   - → Bezug auf die gesuchte Größe

4 Währungsrechnen

4.1 Die Kursangabe bei Fremdwährungen

Als **Währung** bezeichnet man das gesetzliche Zahlungsmittel eines Staates, z. B. den Dollar (USD) in den USA, oder eines Zusammenschlusses von Staaten, z. B. den Euro (EUR) in den Ländern der Europäischen Union. Beim Geldumtausch wird ausländische Währung durch die Banken wie eine Ware an- bzw. verkauft.

Der **Kurs** gibt das Wertverhältnis zwischen zwei Währungen wieder. Kurse für Fremdwährungen werden in Form der sogenannten Mengennotierungen dargestellt. Nach diesem Verfahren gibt der Kurs Auskunft darüber, wie viele Fremdwährungseinheiten (welche Fremdwährungs-„Menge“) man für 1,00 EUR erhält oder bezahlen muss. Tauscht ein Unternehmen bei seiner Bank z. B. Euro gegen US-Dollar für eine Auslandsreise um, gibt die Bank dem Unternehmen nach der unten stehenden Kurstabelle 1,0863 USD für 1,00 EUR (Ankaufkurs = Geldkurs: siehe unten).

Hat ein Unternehmen z. B. von einem Kunden US-Dollar erhalten, die es bei seiner Bank gegen Euro eintauschen möchte, so erhält das Unternehmen dafür von seiner Bank jeweils 1,0923 USD pro 1,00 EUR (Verkaufkurs = Briefkurs: siehe unten).

Für Umrechnungen mit Ländern außerhalb der EU gelten die jeweils aktuellen Kursangaben der Kurstabellen (siehe unten).

Beispiel (Stand: Juni 2024):

Kurs	Schweizer Franken CHF	=	
Bedeutet:	1,00 EUR	=	0,9958 CHF

Banken handeln mit Geld, d. h. sie kaufen und verkaufen Währungen wie **eine Ware**. Die in der Eurozone gehandelte Währung (= Ware) ist der Euro. Die Banken **kaufen** den Euro zu einem **geringeren Kurs** an und **verkaufen** den Euro zu einem **höheren Kurs**. Die Differenz verbleibt der Bank zur Deckung der Kosten und als Gewinn.

Gehandelte Währung ist der Euro (ISO-Code: EUR).	
Die Bank nimmt = kauft EUR (zum Ankaufkurs)	**Die Bank gibt = verkauft EUR** (zum Verkaufskurs)
und	und
gibt Fremdwährung (Zahlungsmittelausgang in fremder Währung).	**nimmt Fremdwährung** (Zahlungsmitteleingang in fremder Währung).
Ankaufkurs	**Verkaufkurs**

Weil der Wert einer Währung (der Kurs) schwankt, wird er täglich in Kurstabellen veröffentlicht. Die aktuellen Kurse werden bei Banken öffentlich ausgehängt und können telefonisch bei ihnen erfragt werden.

Kurstabelle (Stand: Juni 2024)				
Land	**Währung**		**Kurse für 1,00 EUR**	
	Name	**ISO-Code**	**Ankauf (Geld)**	**Verkauf (Brief)**
USA	US-Dollar	USD	1,0863	1,0923
Großbritannien	Pfund	GBP	0,8816	0,8856
Schweiz	Franken	CHF	0,9958	0,9998
Kanada	Dollar	CAD	1,4434	1,4554
Dänemark	Krone	DKK	7,4190	7,4590
Polen	Sloty	PLZ	4,313	4,7514

4.2 Euro in Fremdwährung umrechnen

Handels- oder Industrieunternehmen, die international und grenzüberschreitend auch außerhalb der Eurozone der EU tätig sind, benötigen zur Abwicklung ihrer Geschäfte ausländische Währung.

Beispiel: *Umtausch am Bankschalter*

Die Geschäftsführerin der Spedition ALLSPED GmbH plant einen Besuch bei einem Kunden in der Schweiz. Als Ergänzung zu ihren Kreditkarten möchte sie aber auch über Bargeld verfügen. Daher tauscht sie bei der Hausbank des Unternehmens 500,00 EUR in Schweizer Franken (CHF) um. Die Frage lautet: Über welchen Betrag an CHF kann sie verfügen?

Zur Eurozone gehören zurzeit (Stand: 01.01.2024) die EU-Staaten Belgien, Deutschland, Estland, Finnland, Frankreich, Griechenland, Irland, Italien, Kroatien, Lettland, Litauen, Luxemburg, Malta, Niederlande, Österreich, Portugal, Slowakei, Slowenien, Spanien und Zypern. Aber auch die Nicht-EU-Länder Montenegro und der Kosovo.

Vorüberlegung

ALLSPED GmbH

gibt 500,00 EUR

erhält ? CHF

Ankaufkurs: 0,9958

Bank

Die Bank nimmt = kauft 500,00 EUR

und **gibt Schweizer Franken (CHF).**

Lösungsweg

Bei der Umrechnung von Euro in Schweizer Franken muss der Ankaufkurs für den CHF aus der Kurstabelle abgelesen werden. Die Notierung lautet: CHF = 0,9958 (➡ Ankaufkurs).

Währungsrechnen ist die Anwendung der Dreisatzrechnung mit geradem Verhältnis. Daher wird die Kursangabe CHF = 0,9958 zur Kursgleichung.

Kursgleichung:	**1,00 EUR**	=	**0,9958 CHF**	**➡ Bedingungssatz**
Bedingungssatz = Kursgleichung:	**1,00 EUR**	=	**0,9958 CHF**	
Fragesatz:	**500,00 EUR**	=	**x CHF**	
Bruchsatz:	x	=	$\frac{0{,}9958 \cdot 500}{1}$ **= 497,90 CHF**	

Wenn die Höhe einer Auslandswährung gesucht wird, gilt grundsätzlich die Formel:

▶ **Auslandswährung** = Kurs ausländischer Währung • Betrag in Euro

Arbeitsschritte

Umrechnung von Euro in eine ausländische Währung:

1. Kurs für ausländische Währung aus Kurstabelle entnehmen: Ankaufkurs
2. Kursgleichung (Bedingungssatz) formulieren
3. Frage entwickeln
4. Höhe der ausländischen Währung mit der Dreisatzrechnung berechnen
5. Umrechnung von Euro in ausländische Währung
   = Kurs ausländische Währung · Betrag in Euro

4.3 Fremdwährung in Euro umrechnen

Beispiel: *Umtausch am Bankschalter*

Nach der Rückkehr von der Reise in die Schweiz hat die Geschäftsführerin der Spedition ALLSPED GmbH noch 200,00 CHF in ihrer Brieftasche. Sie legt die Fremdwährung am Schalter der Geschäftsbank vor. Über welchen Auszahlungsbetrag in Euro kann sie verfügen?

Vorüberlegung:

ALLSPED GmbH

gibt 200,00 CHF

erhält ? EUR

Verkaufskurs:
0,9998

Bank

Die Bank nimmt 200,00 CHF

und **gibt = verkauft EUR**

Lösungsweg

Bei der Umrechnung von Schweizer Franken in Euro muss der Verkaufkurs für den Schweizer Franken aus der Kurstabelle abgelesen werden. Die Notierung lautet: CHF = 0,9998.

Währungsrechnen ist die Anwendung der Dreisatzrechnung mit geradem Verhältnis. Daher wird die Kursangabe CHF = 0,9998 zur Kursgleichung.

Kursgleichung:	**1,00 EUR**	=	**0,9998 CHF**	➡ **Bedingungssatz**
Bedingungssatz = Kursgleichung: Der 1. Satz der Dreisatzrechnung (Bedingungssatz) entspricht der umgekehrten Kursgleichung.	**0,9998 CHF**	=	**1,00 EUR**	
Fragesatz:	**200,00 CHF**	=	**x EUR**	
Bruchsatz:	x	=	$\frac{1 \cdot 200{,}00}{0{,}9998}$ = **200,04 EUR**	

Wenn die Höhe einer Inlandswährung gesucht wird, gilt grundsätzlich die Formel:

$$\textbf{Inlandswährung} = \frac{\text{Auslandswährung}}{\text{Kurs}}$$

Arbeitsschritte

Umrechnung von ausländischer Währung in Euro:

1. Kurs für ausländische Währung aus Kurstabelle entnehmen: Verkaufkurs
2. Kursgleichung (Bedingungssatz) formulieren
3. Frage entwickeln
4. Höhe der ausländischen Währung mit der Dreisatzrechnung berechnen
5. Umrechnung von ausländischer Währung in Euro

$$= \frac{\text{Betrag in ausländischer Währung}}{\text{Kurs ausländische Währung}}$$

5 Prozentrechnen

5.1 Rechnen mit der Vergleichszahl 100

Für einen Industrie- oder Handelskonzern, der im Jahr 15 Milliarden € umsetzt (ausgeschrieben 15 000 000 000,00 €) sind 500,00 € ein lächerlich kleiner Betrag. Ein Auszubildender, der im Jahr 6 000,00 € erhält, würde sich über 500,00 € zusätzlich bestimmt sehr freuen.

Eine Zahl allein sagt häufig nicht viel aus. Erst wenn man eine Vergleichszahl hinzuzieht, entsteht ein Sinn. In der Prozentrechnung werden Zahlen auf die **Vergleichszahl 100** bezogen.

Anwendungsbeispiele:

- *Die Spedition ALLSPED GmbH möchte wissen, welchen Anteil am Gesamtumsatz des Geschäftes bestimmte Großkunden haben.*
- *Alle Arbeitskräfte der Spedition ALLSPED GmbH sollen 3 % mehr Gehalt bekommen. Frau Yildirim, die Bereichsleiterin, erhielt bisher 2 926,00 €, Frau Esser aus der Abteilung III: Export bekam 2 276,00 €. Wie hoch sind ihre neuen Gehälter?*
- *Auch Deniz hat eine höhere Ausbildungsvergütung erhalten. Statt bisher 570,00 € sind es nun 593,00 €. Ob das auch 3 % zusätzlich sind?*

Rechenbeispiel:

Der Jahresumsatz eines Frachtführers beträgt 900 000,00 €. Daran hat der Kunde Maurer GmbH einen Anteil von 22 500,00 €. Wie hoch ist der Anteil des Umsatzes dieses Kunden am Jahresumsatz des Unternehmens in Prozent?

Das Unternehmen will feststellen, welchen Umsatzanteil ein Kunde am Gesamtumsatz hat. Der Umsatz eines Kunden wird auf den Gesamtumsatz bezogen. Der Gesamtumsatz ist daher mit 100 % gleichzusetzen. Der Umsatz des Kunden ist als Teil der Vergleichszahl 100 auszudrücken.

Lösungsweg

In der Prozentrechnung wird die Dreisatzrechnung angewandt.

Behauptungssatz:	Der Jahresumsatz des Unternehmens beträgt 100 %.
Fragesatz:	Wie hoch ist der Umsatzanteil des Kunden Maurer GmbH?

	Jahresumsatz des Unternehmens = 100 % ∣ Umsatzanteil eines Kunden = x % ∣ $\frac{100 \cdot 22\,500{,}00}{900\,000{,}00}$ **= 2,5 %** 900 000,00 € = 100 % 22 500,00 € = x % 900 000,00 € entsprechen 100 %. $\frac{100}{900\,000{,}00}$ Teilt man 100 % durch 900 000,00 €, erhält man den Anteil, den 1,00 € an 100 % hat. ($\frac{100}{900\,000{,}00}$ = 0,00011111)
Bruchsatz:	$\frac{100 \cdot 22\,500{,}00}{900\,000{,}00}$ Da man aber wissen möchte, welchen Anteil 22 500,00 € an 100 % haben, multipliziert man das Zwischenergebnis mit 22 500,00 und erhält 2,5 von 100 (2,5 %).
Kontrolle:	100 % = 900 000,00 € ∣ 2,5 % = x € ∣ $\frac{900\,000{,}00 \cdot 2{,}5}{100}$ = 22 500,00

Begriffe

In der Prozentrechnung werden drei Begriffe verwandt: Prozentsatz, Grundwert und Prozentwert. In der Beispielaufgabe werden sie wie folgt verwendet:

2,5 %	900 000,00 €	22 500,00 €
Prozentsatz Zahl als Teil von Hundert	**Grundwert** Wert, der mit 100 % gleichgesetzt wird	**Prozentwert** Teil des Grundwertes, der mithilfe des Prozentsatzes errechnet wird

Formeln

Prozentsatz, Grundwert und Prozentwert lassen sich mithilfe der Dreisatzrechnung ermitteln. Man kann aber auch Formeln verwenden.

Prozentsatz = $\frac{100 \cdot \text{Prozentwert}}{\text{Grundwert}}$	**Beispiel** (siehe oben): *Wie viel Prozent beträgt der Umsatz eines Kunden (22 500,00 €) am Gesamtumsatz (900 000,00 €)?*	$\frac{100 \cdot 22\,500{,}00}{900\,000{,}00}$ = 2,5 %

Grundwert = $\frac{100 \cdot \text{Prozentwert}}{\text{Prozentsatz}}$	**Beispiel:** *Der Umsatz eines Kunden (22 500,00 €) beträgt 2,5 % am Gesamtumsatz. Wie hoch ist der Gesamtumsatz?*	$\frac{100 \cdot 22\,500{,}00}{2{,}5} = 900\,000{,}00$
Prozentwert = $\frac{\text{Grundwert} \cdot \text{Prozentsatz}}{100}$	**Beispiel:** *Ein Kunde hat am Gesamtumsatz eines Geschäftes (900 000,00 €) einen Anteil von 2,5 %. Wie hoch ist der Umsatz des Kunden?*	$\frac{900\,000{,}00 \cdot 2{,}5}{100} = 22\,500{,}00$

Rechenbeispiel 1: *Die Inhaberin der Spedition Wanders e. K. möchte die Umsätze der Jahre 20(–1) und 20(0) miteinander vergleichen. Der Umsatz im Jahr 20(–1) betrug 770 000,00 €. Die Veränderungen in Euro hat sie bereits ermittelt (+25 000,00 €).*

Sie möchte den Umsatzzuwachs nun in Prozent ausdrücken.

Lösungsweg

Wird die zeitliche Entwicklung von zwei Werten verglichen, wird gewöhnlich der **alte** (vorhergehende, ehemalige, erste) **Wert** mit 100 % gleichgesetzt.

Das Ergebnis lässt sich mithilfe der Dreisatzrechnung ermitteln:

Behauptungssatz:	Der Umsatz des Jahres 20(–1) beträgt 100 %.
Fragesatz:	Wie viel Prozent beträgt die Steigerung des Umsatzes von 25 000,00 €?
	Umsatz 20(–1) = 100 % Umsatzsteigerung = x % 770 000,00 € = 100 % 25 000,00 € = x % | $\frac{100 \cdot 25\,000{,}00}{770\,000{,}00}$ = **3,25 %** (gerundet)
	$\frac{100}{770\,000{,}00}$ 770 000,00 € entsprechen 100 %. 25 000,00 € sind wie viel Prozent? 100 geteilt durch 770 000,00 € gibt an, welchen Prozentanteil 1,00 € ausmacht.

Bruchsatz:	$\frac{100 \cdot 25\,000{,}00}{770\,000{,}00}$	Gesucht ist aber der Prozentanteil von 25 000,00 €, also ist mit 25 000,00 zu multiplizieren.

Rechenbeispiel 2: *In der Abteilung II: Luftfracht der Spedition ALLSPED GmbH hatte der Abteilungsleiter eine zusätzliche Teilzeitkraft (0,2 Stellen) beantragt und erhalten. Nach einem Jahr vergleicht die Personalabteilung, wie sich die Umsätze pro Arbeitskraft im Jahr in der Abteilung verändert haben.*

Bei 3 Arbeitskräften:	78 000,00 € Umsatz pro Arbeitskraft
Bei 3,2 Arbeitskräften:	74 500,00 € Umsatz pro Arbeitskraft

Lösungsweg

Wird die zeitliche Entwicklung von zwei Werten verglichen, wird gewöhnlich der **alte** (vorhergehende, ehemalige, erste) **Wert** mit 100 % gleichgesetzt.

Das Ergebnis lässt sich mithilfe der Dreisatzrechnung ermitteln:

Behauptungssatz:	Der Umsatz pro Arbeitskraft im Vorjahr beträgt 100 %.
Fragesatz:	Wie viel Prozent beträgt der Umsatz pro Arbeitskraft in diesem Jahr?
	Umsatz Vorjahr = 100 % Umsatz dieses Jahr = x %
Bruchsatz:	78 000,00 € = 100 % 74 500,00 € = x % $\Big\vert\ \frac{100 \cdot 74\,500{,}00}{78\,000{,}00}$ **= 95,51 %** 78 000,00 € entsprechen 100 %. 74 500,00 € sind wie viel Prozent? 100 geteilt durch 78 000,00 € gibt an, welchen Prozentanteil 1,00 € ausmacht. Gesucht ist aber der Prozentanteil von 74 500,00 €, also ist mit 74 500,00 zu multiplizieren. Ergebnis: Der Umsatz pro Mitarbeiter/-in ist um 4,49 % zurückgegangen.

▶ Grundsatz: Der frühere, ältere, erste Wert ist in der Regel mit 100 % gleichzusetzen.

Arbeitsschritte

Prozentrechnung mithilfe des Dreisatzes:

1. den bekannten Euro-Wert mit dem bekannten Prozentsatz gleichsetzen = Bedingungssatz (häufig ist das der Grundwert, der 100 % entspricht)

2. Fragesatz entwickeln
3. die gesuchte Größe berechnen, indem auf die Einheit geschlossen wird

5.2 Vermehrter Grundwert

Bei der Prozentrechnung kann nicht immer vom reinen Grundwert (100 %) ausgegangen werden, da häufig ein Wert zugrunde gelegt werden muss, der um einen bestimmten Prozentwert(-satz) über dem reinen Wert (Grundwert) von 100 % liegt. Man nennt die Rechnung vom vermehrten Grundwert daher auch Auf-Hundert-Rechnung.

Beispiel: *Die Auszubildende Deniz der Spedition ALLSPED GmbH kauft Büromaterial bei der Firma Adler, Bürobedarf für 357,00 €.*

Sie wünscht eine Quittung, auf der Nettobetrag, Umsatzsteueranteil und Gesamtbetrag getrennt angegeben sind.

Lösungsweg

Da die Ware der Firma Adler, Bürobedarf brutto ausgezeichnet werden muss, hat der Verkäufer auf Wunsch von Deniz aus diesem Betrag die Umsatzsteuer herauszurechnen. Vor der Auszeichnung der Ware wird der Bruttobetrag der Ware – vom Nettobetrag ausgehend – ermittelt. Dabei entspricht der Nettobetrag dem Vergleichswert 100 (Prozent). Der Bruttobetrag entspricht demnach 119 %.

Vor der Preisauszeichnung der Ware					
Nettobetrag der Ware	=	100 %	=	**Grundwert**	300,00 €
+ 19 % Umsatzsteuer	=	19 %	=	**Prozentwert**	57,00 €
Bruttobetrag der Ware	=	119 %	=	**vermehrter Grundwert**	357,00 €
Nach dem Verkauf der Ware, wenn eine Quittung gewünscht wird, aber nur der Bruttobetrag bekannt ist, muss „rückwärts“ gerechnet werden.					

Mithilfe des Dreisatzes kann entweder die Umsatzsteuer (a) oder der Nettobetrag (b) ermittelt werden:

zu (a) Bruttobetrag
Umsatzsteuer

100 %	=	300,00 €
19 %	=	x %

$$x = \frac{300{,}00 \cdot 19}{100} = \textbf{57,00 € Umsatzsteuer}$$

zu (b) Bruttobetrag
Nettobetrag

119 %	=	357,00 €
100 %	=	x %

$$x = \frac{357{,}00 \cdot 100}{119}$$ = **300,00 € Nettobetrag**

Arbeitsschritte

Prozentrechnung mit vermehrtem Grundwert:

1. Erstellung einer Übersicht:
   Grundwert
   + Prozentwert
   = vermehrter Grundwert
2. die Prozentsätze für den Grundwert (immer 100 %), für den Prozentwert und für den vermehrten Grundwert in die Übersicht eintragen
3. den bekannten Betrag eintragen (z. B. den Bruttobetrag)
4. den gesuchten Betrag (die gesuchten Beträge) mithilfe der Dreisatzrechnung ermitteln

5.3 Verminderter Grundwert

Bei der Prozentrechnung vom verminderten Grundwert geht die Rechnung von einem Betrag aus, der weniger als 100 % ist. Der verminderte Grundwert liegt um einen bestimmten Prozentwert(-satz) unter dem Grundwert von 100 %. Man nennt die Rechnung vom verminderten Grundwert deshalb auch Im-Hundert-Rechnung.

Beispiel: *Die Spedition ALLSPED GmbH kauft bei der Firma Elektro Spezialist e. K. zum Saisonschluss einen Kühlschrank für die Mitarbeiterküche. Eine Kühl-Gefrierkombination ist mit 360,00 € ausgezeichnet. Den ursprünglichen Preis hatte man um 20 % herabgesetzt. Wie viel Euro betrug die Preisherabsetzung und wie hoch war der alte (= ursprüngliche) Preis?*

Lösungsweg

Da die Firma Elektro Spezialist e. K. die Ware mit dem neuen Preis ausgezeichnet hat, entspricht dieser herabgesetzte Preis 80 % (= verminderter Grundwert). Vor der Herabsetzung des alten Preises (= Grundwert) entsprach dieser demnach 100 %.

Vor dem Preisnachlass					
ursprünglicher Preis	=	100 %	=	**Grundwert**	450,00 €
– Preisnachlass	=	20 %	=	**Prozentwert**	90,00 €
ausgezeichneter Preis	=	80 %	=	**verminderter Grundwert**	360,00 €
Wenn der ursprüngliche Preis nicht mehr bekannt ist und im Nachhinein ermittelt werden soll, ist „rückwärts" zu rechnen.					

Mithilfe des Dreisatzes kann entweder der Preisnachlass (a) oder der ursprüngliche Preis (b) ermittelt werden.

zu (a) ausgezeichneter Preis
Preisherabsetzung

80 %	=	360,00 €
20 %	=	x €

$$x = \frac{360{,}00 \cdot 20}{80} = \textbf{90,00 € Preisnachlass}$$

zu (b) ausgezeichneter Preis
ursprünglicher Preis

80 %	=	360,00 €
100 %	=	x €

$$x = \frac{360{,}00 \cdot 100}{80} = \textbf{450,00 € ursprünglicher Verkaufspreis}$$

Arbeitsschritte

Prozentrechnung mit vermindertem Grundwert:

1. Erstellung einer Übersicht:
   Grundwert
   – Prozentwert
   = verminderter Grundwert
2. den Grundwert (100 %) feststellen und die Prozentsätze für den Prozentwert und den verminderten Grundwert eintragen
3. die gegebene Größe des Grundwertes eintragen (z. B. den ursprünglichen Preis)
4. den gesuchten Betrag (die gesuchten Beträge) mithilfe der Dreisatzrechnung ermitteln

6 Zinsrechnung

Die Zinsrechnung ist die Anwendung der Prozentrechnung unter Berücksichtigung der Zeit. Berechnet wird der Preis (Zins) für die Inanspruchnahme von Kapital, das dem Unternehmen z. B. von einer Bank für einen festgelegten Zeitraum bereitgestellt wird.

Investitionskredit/Betriebsmittelkredit

Der Investitionskredit dient zur Finanzierung von Gegenständen des Anlagevermögens, z. B. Erweiterung der Geschäftsräume, Erweiterung des Fuhrparks.

Durch den Betriebsmittelkredit wird das Umlaufvermögen finanziert, z. B. der Kauf von Kraftstoffvorräten (Bezahlung von Lieferantenrechnungen).

Zinsen

Zinsen sind eine Vergütung, die ein Geldgeber (Gläubiger) seinem Schuldner für geliehenes Geld berechnet. Der vereinbarte Zinssatz wird in Prozent ausgedrückt und bezieht sich in der Regel auf ein Jahr (pro anno, p. a. = für ein Jahr).

6.1 Berechnung der Zinsen

In der Zinsberechnung werden entsprechend des Zeitraums der Kapitalüberlassung unterschieden:

- Jahreszinsen
- Monatszinsen
- Tageszinsen

Allgemeine Zinsrechnungsformel

Die Formel zur Ermittlung des Prozentwertes wurde in Kapitel 5: Prozentrechnen dargestellt. Die Erweiterung dieser Formel um die Zeit ergibt die Zinsberechnungsformel.

Prozentrechnung	Zinsrechnung
$PW = \frac{GW \cdot p}{100}$	$Z = \frac{K \cdot p \cdot t}{100 \cdot 360}$

Begriffe in der Prozent- und Zinsrechnung

Prozentrechnung		Zinsrechnung	
Begriffe	**Abkürzung**	**Begriffe**	**Abkürzung**
Grundwert	GW	**Kapital**	K
Prozentsatz	p	**Zinssatz**	p
Prozentwert	PW	**Zinsen**	Z
		Zeit	t

6.1.1 Berechnen von Jahreszinsen

Bei der Berechnung von Jahreszinsen wird der Zinszeitraum in Jahren angegeben. Der Zinssatz ist in der Regel ein Jahreszinssatz (z. B. 8 % p. a.).

Beispiel: *Berechnen Sie die Zinsen eines Kapitals in Höhe von 5 000,00 € zu 8 % für 3 Jahre.*

Lösungsweg

Die Lösung kann mithilfe der Dreisatzrechnung gefunden werden:	100,00 € Kapital	in 1 Jahr	→	8,00 € Zinsen
	5 000,00 € Kapital	in 3 Jahren	→	x € Zinsen

$$\text{Jahreszinsen} = \frac{8{,}00\,€ \cdot 5\,000{,}00\,€ \cdot 3\text{ Jahre}}{100 \cdot 1\text{ Jahr}} = 1\,200{,}00\,€$$

Jahreszinsformel: $\text{Jahreszinsen} = \frac{\text{Kapital} \cdot \text{Zinssatz} \cdot \text{Jahre}}{100}$

6.1.2 Berechnen von Monatszinsen

Bei der Berechnung von Monatszinsen wird der Zinszeitraum in Monaten angegeben und ein Jahr mit zwölf Monaten gleichgesetzt.

Beispiel: *Berechnen Sie die Zinsen eines Kapitals in Höhe von 1 500,00 € zu 8 % für 6 Monate.*

Lösungsweg

Die Lösung kann mithilfe der Dreisatzrechnung gefunden werden:	100,00 € Kapital 1 500,00 € Kapital	in 12 Monaten in 6 Monaten	→ →	8,00 € Zinsen x € Zinsen

$$\text{Monatszinsen} = \frac{8{,}00\,€ \cdot 1\,500{,}00\,€ \cdot 6}{100 \cdot 12} = 60{,}00\,€$$

Monatszinsformel: $\text{Monatszinsen} = \frac{\text{Kapital} \cdot \text{Zinssatz} \cdot \text{Laufzeit in Monaten}}{100 \cdot 12}$

6.1.3 Berechnen von Tageszinsen

Wird der Zinszeitraum in Tagen angegeben, so sind die Zinsen mithilfe der Tageszinsformel (siehe unten) zu bestimmen. Ein Jahr wird nach der deutschen Zinsberechnungsmethode mit 360 Tagen gleichgesetzt.

Beispiel: *Berechnen Sie die Zinsen von 1 500,00 € zu 8 % für 48 Tage.*

Lösungsweg

Die Lösung kann mithilfe der Dreisatzrechnung gefunden werden:	100,00 € Kapital 1 500,00 € Kapital	in 360 Tagen in 48 Tagen	→ →	8,00 € Zinsen x € Zinsen

$$\text{Tageszinsen} = \frac{8{,}00\,€ \cdot 1\,500{,}00\,€ \cdot 48}{100 \cdot 360} = 16{,}00\,€$$

Tageszinsformel: $\text{Tagesszinsen} = \frac{\text{Kapital} \cdot \text{Zinssatz} \cdot \text{Laufzeit in Tagen}}{100 \cdot 360}$

6.2 Berechnung der Zeit

Bei der Berechnung der Zeit werden die Zinstage nach unterschiedlichen Methoden berechnet.

- **Deutsche Zinsmethode:** In Deutschland berechnen die Banken und Sparkassen die Darlehen und Spareinlagen mithilfe der kaufmännischen Zinsrechnung. Der Monat wird in dieser Methode mit 30 Tagen pro Monat angesetzt, bzw. es wird mit 360 Tagen im Jahr gerechnet.

- **Eurozinsmethode (französische Methode):** Am Geldmarkt ist die Eurozinsmethode vor allem bei der Berechnung von Tagesgeldern von Bedeutung. Bei dieser Methode werden die Tage kalendergenau ermittelt (z. B. der Februar mit 28 bzw. 29 Tagen, sonst 30 bzw. 31 Tage). Das Jahr aber wird mit 360 Tagen angesetzt.
- **BGB-Methode (englische Methode):** Im Fall der Verzinsung von Bundesanleihen, Bundesschatzbriefen oder Bundesobligationen wird die englische Methode verwendet, bei der sowohl das Jahr kalendergenau mit 365 bzw. 366 Tagen als auch die Monate kalendergenau berücksichtigt werden (z. B. der Februar mit 28 bzw. 29 Tagen, sonst 30 bzw. 31 Tage).

Berechnung der Zeit mit der kaufmännischen Zinsrechnung (deutsche Zinsmethode)

In Deutschland werden in der kaufmännischen Zinsrechnung das Jahr mit 360 Tagen und der Monat mit 30 Tagen vereinfachend gleichgesetzt.

Bei der Berechnung des Zinszeitraumes wird der erste Tag der Laufzeit nicht mitgezählt, wohl aber der letzte Tag.

Der erste Tag zählt **nicht**, der letzte Tag zählt **mit!**

Beispiel: *Zinszeitraum vom 24.08.20(0) bis 30.08.20(0)*

Lösungsweg

Man zählt die Tage durch, also 25., 26., 27., 28., 29. und 30.08. = 6 Tage.

Sonderfälle bei der Ermittlung der Zeit

Der 31. eines Monats wird nicht gerechnet. Der Februar hat 30 Zinstage; läuft der Zinszeitraum Ende Februar aus, so werden dann nur 28 oder 29 Tage berechnet.

Beispiele:

Zinszeiträume	*Lösungsweg*
a) vom 24.03. bis 31.03.	*vom 24.03. bis 31.03. = 6 Zinstage (der 31.03. fällt weg)*
b) vom 18.01. bis 28.02.	*vom 18.01. bis 28.02. = 40 Zinstage (12 Tage im Januar + 28 Tage im Februar)*
c) vom 18.01. bis 01.03.	*vom 18.01. bis 01.03. = 43 Zinstage (12 Tage Januar + 30 Tage Februar + 1 Tag im März)*

6.3 Berechnung von Kapital, Zeit und Zinssatz

Durch Umstellung der allgemeinen Zinsberechnungsformel kann nach allen Größen in der Zinsformel gefragt werden:

Gesuchte Größe	Kapital	Tage	Zinssatz
Formel	$K = \frac{Z \cdot 100 \cdot 360}{p \cdot t}$	$t = \frac{Z \cdot 100 \cdot 360}{p \cdot K}$	$p = \frac{Z \cdot 100 \cdot 360}{K \cdot t}$

Berechnung des Kapitals

Die Spedition ALLSPED GmbH will in das Logistikgeschäft einsteigen und plant den Bau eines Hochregallagers. Die Planungsrechnung geht von einem jährlichen Gewinn in Höhe von 150 000,00 € aus. Von welcher Investitionssumme kann die Spedition ALLSPED ausgehen, wenn sie mindestens eine Kapitalrendite von 3 % erzielen will?

Gesuchte Größe	Formel	Ergebnis
Kapital	$K = \frac{Z \cdot 100 \cdot 360}{p \cdot t}$ $K = \frac{150\,000{,}00 \cdot 100 \cdot 360}{3{,}0 \cdot 360}$ **= 5 000 000,00 €**	Der Bau des Hochregallagers darf eine **Investitionssumme von 5 Mill. €** nicht überschreiten.

Berechnung der Zeit

Die Spedition ALLSPED GmbH ist mit einer Rechnung über 10 710,00 € in Verzug. Sie überweist am 16.05.20(0) 10 863,40 €. Die Vertragsbedingungen sehen bei Zahlungsverzug einen Zinssatz von 9 % vor. Zu welchem Termin war die Rechnung fällig?

Höhe der Verzugszinsen: 10 863,40 € – 10 710,00 € = 153,40 €

Gesuchte Größe	Formel	Ergebnis
Tage	$t = \frac{Z \cdot 100 \cdot 360}{p \cdot K}$ $t = \frac{153{,}60 \cdot 100 \cdot 360}{10\,710{,}00 \cdot 9}$ **= 57,29 Tage** **= 58 Tage**	Zeitraum des Verzugs: 16.05.20(0) – 58 Tage = 18.03.20(0). Die Rechnung über 10 710,00 € war am **18.03.20(0) fällig.**

Berechnung des Zinssatzes

Die Spedition ALLSPED GmbH kauft bei einem Vertragshändler einen Sattelzug (Zugmaschine mit Sattelauflieger) zum Anschaffungspreis von 110 000,00 €. Das Finanzierungsangebot des Händlers sieht eine Leasingrate von monatlich 714,00 € vor. Die Spedition ALLSPED GmbH möchte gerne wissen, welchem Zinssatz der Betrag entspricht (Jahreszinsen: 710,00 € · 12 Monate = 8 520,00 €).

Gesuchte Größe	Formel	Ergebnis
Zinssatz	$p = \frac{Z \cdot 100 \cdot 360}{K \cdot t}$	Der **Zinssatz** für den Leasingkredit beträgt **7,75 %**.
	$p = \frac{8\,520{,}00 \cdot 100 \cdot 360}{110\,000{,}00 \cdot 360}$ **= 7,75 %**	

6.4 Summarische Zinsrechnung mithilfe der kaufmännischen Zinsformel

Bei der summarischen Zinsrechnung werden mehrere Kapitalien zum gleichen Zinssatz abgerechnet. Aus Gründen der Vereinfachung werden nicht für jedes Kapital die Zinsen gesondert errechnet, sondern nur die jeweilige Zinszahl. Die Zinsen ermittelt man, indem die Summe der Zinszahlen durch den Zinsteiler dividiert wird.

Zinszahl und Zinsteiler

Stellt man die bisher verwendete allgemeine Tageszinsformel etwas um, ergibt sich folgendes Bild:

$$\text{Zinsen} = \frac{\text{Kapital} \cdot \text{Tage}}{100} \cdot \frac{\text{Zinssatz}}{360}$$

oder

$$\text{Zinsen} = \frac{\text{Kapital} \cdot \text{Tage}}{100} \cdot \frac{360}{\text{Zinssatz}}$$

$$\downarrow \qquad\qquad \downarrow$$

$$\text{Zinsen} = \text{Zinszahl (\#)} \;:\; \text{Zinsteiler (T)}$$

Beispiel: *Die Begleichung der Eingangsrechnungen Nr. 39 und 117 hat sich bei der Spedition ALLSPED GmbH verzögert; Nr. 39 um 45 Tage (vom 15.03. bis zum 30.04.), Nr. 117 um 56 Tage (vom 04.03. bis zum 30.04.). Der Lieferant verlangt Verzugszinsen in Höhe von 8 %. Ermitteln Sie die Höhe der Verzugszinsen.*

Lösungsweg

Der Lösungsweg geschieht in drei Schritten:

<table>
<tr><td>1. Schritt: Ermittlung der Zinszahlen
Der 1. Schritt der Lösung besteht darin, die Zinszahlen der jeweiligen Kapitalien zu ermitteln.</td><td>

Betrag	Verzinsung		Tage	Zinszahlen (#) = $\frac{K \cdot t}{100}$	
	von	bis			
15 000,00	15.03.20(0)	30.04.20(0)	45	6 750	
2 250,00	04.03.20(0)	30.04.20(0)	56	1 260	
				8 010	

</td></tr>
<tr><td>2. Schritt: Ermittlung des Zinsteilers
Der 2. Schritt der Lösung besteht darin, den Zinsteiler zu errechnen.</td><td>Der Zinssatz im Beispiel beträgt 8 %; in die Zinsteilerformel eingesetzt, ergibt dies den Zinsteiler = 45.

Zinsteiler $T = \frac{360}{8} = \mathbf{45}$</td></tr>
<tr><td>3. Schritt: Ermittlung der Zinsen</td><td>Beim dritten Schritt der Lösung ist die Summe der Zinszahlen durch den Zinsteiler zu dividieren:

$\text{Zinsen} = \frac{8\,010\,\#}{45\ (\text{Zinsteiler})} = \mathbf{178{,}00\ €}$</td></tr>
<tr><td>Rundungsregel</td><td>Bei der Berechnung der Zinszahlen werden die Centbeträge beim Kapital weggelassen. Die Zinszahlen werden stets zu ganzen Zahlen gerundet, d. h., sie haben keine Kommastellen.</td></tr>
</table>

Beispiel: *Berechnen Sie die Zinszahlen eines Kapitals in Höhe von 5 584,17 € bei einer Zeitspanne von 98 Tagen.*

Lösungsweg

$$\frac{5\,584{,}00 \cdot 98}{100} = 5\,472{,}32 = 5\,472\ \#$$

6.5 Effektivverzinsung

6.5.1 Effektivverzinsung bei Inanspruchnahme von Krediten

Bei der Aufnahme eines Kredits treten neben den Zinsen noch weitere Kosten auf: Bearbeitungsgebühren, Spesen und Disagio. Bei der Berechnung der Effektivverzinsung eines Kredits werden diese Kosten zu den Gesamtkosten des Kredits zusammengefasst und auf den ausgezahlten Kredit bezogen.

Beispiel: *Die Spedition ALLSPED GmbH nimmt bei ihrer Hausbank einen Kredit in Höhe von 100 000,00 € auf. Folgende Konditionen wurden vereinbart:*

- *Zinssatz: 8 %*
- *Laufzeit: 8 Monate (240 Tage)*
- *Disagio: 3 %*
- *Bearbeitungsgebühren: 2 ‰ vom Kreditbetrag*
- *Spesen: 45,00 €*

Berechnung

1. Auszahlung:		Darlehensbetrag	100 000,00 €
	–	Disagio 3 %	3 000,00 €
	–	Bearbeitungsgebühr (2 ‰ von 100 000,00 €)	200,00 €
	–	Spesen	45,00 €
	=	Auszahlungsbetrag	**96 755,00 €**
2. Kreditkosten:		Zinsen (8 % von 100 000,00 € für 240 Tage)	5 333,33 €
	+	Disagio 3 %	3 000,00 €
	+	Bearbeitungsgebühr (2 ‰ von 100 000,00 €)	200,00 €
	+	Spesen	45,00 €
	=	Gesamtkosten des Kredits	8 578,33 €

3. Effektiver Zinssatz:	Kapital:	Auszahlungsbetrag	96 755,00 €
	Zeit:	Kreditlaufzeit	240 Tage
	Zins:	Gesamtkosten des Kredits	8 578,33 €
	Zinssatz	$p = \frac{Z \cdot 100 \cdot 360}{K \cdot t}$	
		$p = \frac{8\,578{,}33 \cdot 100 \cdot 360}{96\,755{,}00 \cdot 240}$	**= 13,30 %**
Ergebnis	Der **Effektivzinssatz** für den Kredit von 100 000,00 € beträgt **13,30 %**.		

6.5.2 Effektivverzinsung bei Zahlung unter Skontoabzug

Der Skontoabzug bei der Bezahlung von Eingangsrechnungen (ER) der Lieferanten wird häufig nicht vorgenommen, weil der Abzugsbetrag als zu geringfügig erachtet wird. Bei genauerer Betrachtung allerdings ist der Skontoabzug in der Regel zu empfehlen. Die Entscheidung für eine Zahlung unter Skontoabzug ist abhängig von der Effektivverzinsung.

Beispiel 1: *Eine Zahlungsbedingung laut Kaufvertrag lautet: 3 % Skonto bei Zahlung innerhalb von 10 Tagen oder 30 Tage rein netto Kasse. Ermitteln Sie den Effektivzinssatz (Jahreszinssatz).*

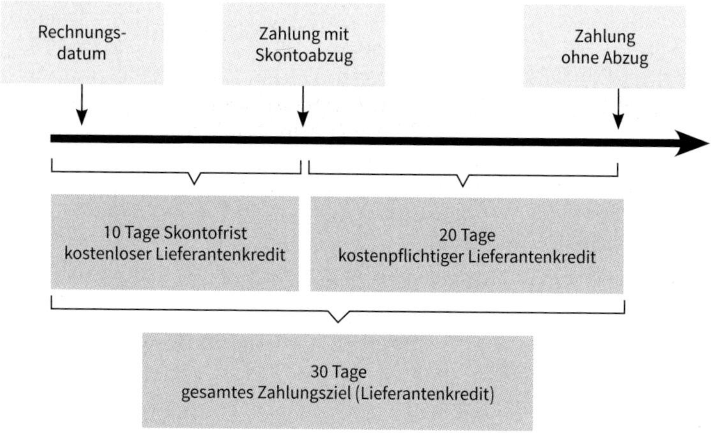

Effektivverzinsung bei Gewährung von Skonto	Bei der Effektivverzinsung wird der angegebene Skontosatz für vorzeitige Zahlung auf den Zeitraum eines Jahres bezogen.
Lieferantenkreditzeitraum	Der Lieferantenkreditzeitraum wird berechnet, indem der Skontozeitraum vom Zielzeitraum subtrahiert wird.

Lösungsweg

Lösung erfolgt mithilfe der Dreisatzrechnung.

Beispiel 1: *Bei 20 Tagen vorzeitiger Zahlung gewährt der Lieferant 3 % Skonto. In 360 Tagen entspricht dies wie viel Prozent?*	$\text{Effektivzinssatz} = \frac{3\,\% \cdot 360}{20} = 54\,\%$ Das bedeutet, der Skonto-Prozentsatz von 3 % entspricht unter der o. g. Bedingung einem Zinssatz (immer bezogen auf ein Jahr) von 54 %.
Formel zur Ermittlung des Effektivzinssatzes (Jahreszinssatz):	Effektivzinssatz $= \frac{\text{Skontosatz laut Zahlungsbedingungen} \cdot 360\ \text{Tage}}{20}$ Die oben gezeigte Berechnungsmethode ist eine kaufmännische Überschlagsrechnung, es geht auch genauer.

Beispiel 2:
Der Spedition ALLSPED GmbH liegt eine Lieferantenrechnung für mehrere Hubwagen in Höhe von 8 000,00 € + 19 % USt. vor. Bei 20 Tagen vorzeitiger Zahlung gewährt der Lieferant 3 % Skonto. Wegen eines Liquiditätsengpasses kann die Spedition ALLSPED GmbH den Skontoabzug nur vornehmen, wenn sie das Girokonto überzieht (= Überziehungskredit: Zinssatz 8 %).

Lieferantenrechnung:	Euro
Rechnungsbetrag (netto)	8 000,00
+ USt. 19 %	1 520,00
= Rechnungsbetrag (brutto)	9 520,00
– Skonto 3 %	285,60
= Überweisungsbetrag	9 234,40

Berechnung des Effektivzinssatzes:	Kapital: Überweisungsbetrag 9 234,40 € Zeit: Lieferantenkreditzeitraum 20 Tage Zins: Skontobetrag 285,60 € $\text{Effektivzinssatz} = p = \frac{Z \cdot 100 \cdot 360}{K \cdot t}$ $p = \frac{285{,}60 \cdot 100 \cdot 360}{9\,234{,}40 \cdot 20} = 55{,}67\,\%$
Berechnung der Kreditzinsen:	$\text{Kreditzinsen} = \frac{9\,234{,}40 \cdot 8 \cdot 200}{100 \cdot 360} = 41{,}04\ €$ Skontobetrag (Ertrag): 285,60 € Zeit: 41,04 € Zins: 244,56 €
Beispiel 3: *Die Spedition ALLSPED GmbH hat jährliche Ausgaben für unterschiedliche Lieferungen (Kraftstoffe, Reparaturmaterial usw.) in Höhe von 1 000 000,00 €, bei denen in den Zahlungsbedingungen 3 % Skontoabzug innerhalb von 10 Tagen vereinbart wurden.*	Folgende Unternehmensdaten liegen vor: Zahlungsbedingungen: 30 Tage netto Kasse; 3 % Skonto innerhalb 10 Tagen Zinssatz bei Überziehung: 10 %

Berechnung des Finanzierungsvorteils durch Skontoabzug:

Höhe des Lieferantenkredits		
Ausgaben: 1 000 000,00 €	Zahlungsziel: Tage	Lieferantenkredit
Zahlung an Lieferanten ohne Skontoabzug	30	83 330,00 €
Zahlung an Lieferanten mit Skontoabzug	10	27 780,00 €
erforderliche Liquidität bei Zahlung mit Skontoabzug	20	55 550,00 €

Zinsberechnung	
erforderliche Liquidität bei Zahlung mit Skontoabzug	55 550,00 €
darauf 10 % Zinsen bei Inanspruchnahme für Überziehung	5 555,00 €

Ertrag aus Skontozahlung	
Skontoerträge von 3 % aus Lieferantenverbindlichkeiten in Höhe von 1 000 000,00 €	30 000,00 €
10 % Zinsen bei Inanspruchnahme für Überziehung	– 5 555,00 €
Ertrag	24 445,00 €

Finanzierungsvorteil	
erforderliche Liquidität bei Zahlung mit Skontoabzug	55 550,00 €
Ertrag aus Skontoabzug	24 445,00 €
Vorteil aus Skontozahlung	44,00 €
Effektivzins aus Skontozahlung (20 Tage 3 %) 54,8	54,80 €

Sachwortverzeichnis

L

M

N

O

P

Bildquellenverzeichnis

Brauner, Angelika, Hohenpeißenberg: 28.1, 82.1, 99.1, 99.2, 99.3, 99.4, 99.5, 99.6, 99.7, 99.8, 99.9, 99.10, 101.1, 132.1, 148.1.
Bundesministerium für Digitales und Verkehr, Berlin: 74.1.
Europäische Zentralbank, Frankfurt am Main: 328.2, 329.2.
Fachstelle für Geodäsie und Geoinformatik der WSV, Hannover: 124.1.
fotolia.com, New York: Schliemer 328.1, 329.1.
Hapag-Lloyd AG, Hamburg: 106.1.
Hild, Claudia, Angelburg: 119.1, 119.2, 119.3.
iStockphoto.com, Calgary: oleg7799 140.1.
Jouve Germany GmbH & Co. KG, München: 115.1.
Kombiverkehr GmbH & Co. KG, Frankfurt/Main: 120.1.
Picture-Alliance GmbH, Frankfurt a.M.: dpa-infografik 241.1.
punktgenau gmbh, Bühl: 78.1, 157.1, 158.1, 160.1.
stock.adobe.com, Dublin: goodluz Titel, Titel. |YPS - York Publishing Solutions Pvt. Ltd.: 77.1, 232.1.